刘心武在 2004 年 ▲

▲ 成都郊外留影（2006 年）

站冰
——刘心武
小说新作集

刘心武 著/绘

人民文学出版社

▲ 小说集《站冰》（2004 年）封面与插图均系刘心武自绘

Liu Xinwu 刘心武

Dés de poulet façon mégère

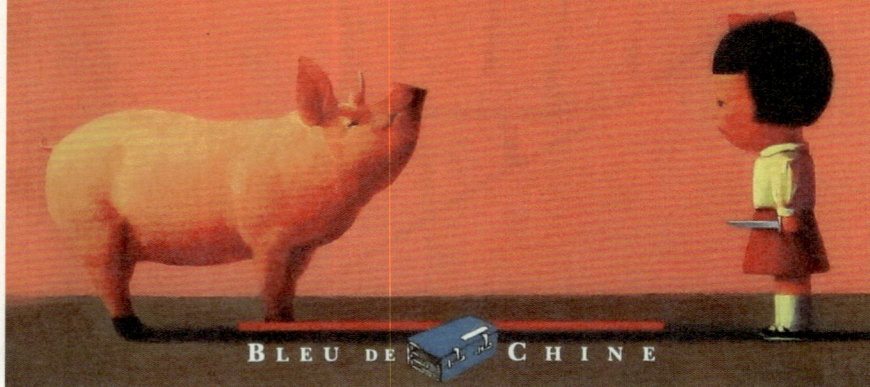

BLEU DE CHINE

▲ 《泼妇鸡丁》法译本封面

刘心武文存9

[1958—2010]

中篇小说　第四卷
站冰

刘心武◎著

江苏人民出版社

图书在版编目(CIP)数据

站冰／刘心武著. — 南京：江苏人民出版社，
2012.11

（刘心武文存；9．中篇小说．第4卷）
ISBN 978-7-214-08107-0

Ⅰ.①站 … Ⅱ.①刘… Ⅲ.①中篇小说-小说集-中
国-当代 Ⅳ.①I247.5

中国版本图书馆CIP数据核字（2012）第078637号

书　　　名	站冰
著　　　者	刘心武
责 任 编 辑	刘　焱
统 筹 编 辑	李　丹
特 约 编 辑	朱　鸿
文 字 校 对	陈晓丹　郭慧红
装 帧 设 计	门乃婷工作室
出 版 发 行	凤凰出版传媒股份有限公司
	江苏人民出版社
出版社地址	南京湖南路1号A楼　邮编：210009
出版社网址	http://www.book-wind.com
经　　　销	凤凰出版传媒股份有限公司
印　　　刷	三河市金元印装有限公司
开　　　本	700毫米×1000毫米　1/16
印　　　张	16.25
字　　　数	243千字
彩　　　插	4
版　　　次	2012年11月第1版　2012年11月第1次印刷
标 准 书 号	ISBN 978-7-214-08107-0
定　　　价	36.00元

（江苏人民出版社图书凡印装错误可向本社调换）

《刘心武文存》出版说明

　　《刘心武文存》收录刘心武自 1958 年 16 岁至 2010 年 68 岁公开发表的文字约 900 万字。《文存》共 40 卷，按文章门类收录，计有长篇小说 5 卷、中篇小说 4 卷、短篇小说 5 卷、小小说 1 卷、儿童文学 1 卷、建筑评论 2 卷、《红楼梦》研究 4 卷、散文随笔 11 卷、杂文 1 卷、海外游记 1 卷、多品种（图文交融文本、报告文学、诗歌、剧本、足球评论、译述）1 卷、创作谈 1 卷、理论批评 1 卷、早期（1958 年至 1976 年）作品 1 卷、自述 1 卷。因跨越时间达半个世纪以上，收录定有遗漏，但其此期间的主要作品，相信均已收入。

　　《刘心武文存》各卷均附有《刘心武文学活动大事记》及《刘心武著作书目》，可备检索。

　　编辑出版《刘心武文存》的目的，意在供各方面人士阅读欣赏、分析研究、批评批判、收藏保存。

刘心武文存
09

———

目录

非 床

"这是《罗密欧与朱丽叶》的最新舞台版本：幕启，台上一张双人床，左右上方泻下追光，追光的底圈在床上纠缠，稍许，追光渐灭，幕落……"

笑声。哄堂大笑。鼓掌。热烈鼓掌。

柳柳起身，挤过一排膝盖，到了过道上，绕过那些没占到座位，席地坐在阶梯上的听众，出了阶梯教室。她听见那位名家接着往下发挥的一些句子，似乎在问听众："……根本用不着演员嘛……这是不是最简洁的表现手法？"因为她"抽签"时磕碰了一些人的膝盖脚尖，有的就对她发出不满的嘘声。但她庆幸自己终于出得门来。门外摆满了自行车，她深呼吸了几下，绕过那些自行车，往校园外疾走……

"……其实，你听完了再来也行。"端端的母亲和蔼地对她说。

"那可就太晚了。他很能侃。"

"侃得怎么样？"

"挺撩人的。可是，仔细一想，也没什么深刻的东西。"

"他正当红啊！今天晚报上还有记者对他的专访，配了好大一张照片呢，喏，你瞧。"

"他可真上相，其实他本人么……"

"是吗？"

"好，端端，咱们开始吧。"她扭头对那上初三的男孩说。

"你先把妈妈给你的点心吃了吧。"端端却还不想马上听她辅导。

她瞥了一眼那只小碟子，里头是一牙花蛋糕，上头搁着一粒红樱桃，那种罐头樱桃仿佛蜡制的，而且飘散出一种类似樟脑的味道。

"咱们还是开始吧。"

端端谨慎地叹了口气。他妈妈正往隔壁屋走去。

"你怎么又跑回来了？"柳柳的妈问柳柳。

"你腰怎么样？"柳柳问妈妈。

"没怎么样。还那样。"妈妈问她："吃了吗？"见她点头，接着问："在哪儿吃的？"

她有点烦："反正吃了。"

"端端有进步吗？"

"难说。一切都有待于期中考试的分数下来。"

"帮他考个好分数吧！"

"妈，你歇着，我给你准备滚水烫脚。"

妈妈脸上绽开了笑纹。

烫脚确实是绝顶的享受。

柳柳的妈在一家四星级大饭店工作。大饭店客房卫生间设施周全。但是，那种从西方传来的洗浴方式，无论盆浴、淋浴还是桑拿，都不怎么特别顾及脚。柳柳妈跟同事议论过，得出一个结论：别看西洋人那么爱干净，一天至少淋浴一次，可是他们不懂得专门烫脚，所以到头来寿短！饭店员工有免费在大淋浴室洗浴的福利，可是那里头没办法烫脚，要烫脚，还得回到自己家里，小板凳上一坐，脚往脚盆里一放，旁边搁一大壶热水，盆里水烫度稍减，赶紧往里头添滚水，那么一烫一泡，能够半个钟头以上，唉唉，那个舒服劲儿啊……

柳柳妈在那大饭店里专管做床。

按说，该叫铺床。但行话管那活计就叫做床。

如今全世界旅馆的床几乎全都一样。无非是木头或金属底座上头，一个席梦思弹簧垫，然后是大白床单，床单上是一层厚毯子，毯子里侧裹一幅大白单子，头上多出来，反叠在毯子头上，这上头再罩上色调雅致的床罩。客人退了房，或者不退房而白天离开了房间，柳柳妈那样的服务员就立刻进去收拾，低档点的旅店一位清洁工什么活儿都包了，从收拾卫生间，补充小牙膏小香皂、小瓶浴液和洗发液什么的，到做床、收拾地毯什么的全干，柳柳妈所在的那家饭店比较讲究，服务员有分工，做床的专管做床，柳柳妈已经做了二十几年的床，真是熟练到极点，一张被旅客糟害得一塌糊涂的床，柳柳妈能两三分种就做妥，用过的床单、毯单、枕头套撤下，换上新洗过的，新换的床单四边还都整齐地塞压到席梦思床垫下面，包毯子的那块白单子回折的部分不多不少恰好六寸，如果是白天，床罩罩得整齐清爽，如果是傍晚，床罩会叠得规规矩矩放入橱柜，而枕头旁的毯子会掀开一角，并且在那一角旁会斜放一张印制精美的、介绍早餐品种的大卡片，以便客人考虑明早通过电话叫餐进房。

柳柳妈所在的那家饭店生意兴隆，开房率很高，而且客人流动性极大，所以做床的活路非常重。柳柳妈一个人负责整整一层楼三十六间客房的做床，经常是做得昏天黑地的。直起腰来，能到值班室坐下喘口气时，负责楼层的领班问她这回究竟做了多少张床，她往往只是发愣、傻笑。

"妈，你早点睡吧。"

"我还要再泡泡。"

"水不烫了吧？吆，壶空了，我再给坐一壶吧！"

"你就再坐一壶。真想就这么烫它一夜哩！"

"那就烫熟了。成煮鸭子了！"

"你别管我！你自己快睡！你怎么还要看书？"

"因为去家教，又回家，我已经比宿舍里她们少看多少页了！"

"少看几页就了不得啦？"

"那当然！如今竞争是无处不在！"

柳柳妈叹出声来，但马上又咽了回去。

母女对望了一眼。又都赶紧把眼光移开了。

柳柳妈叫马燕梅，今年才四十五岁。柳柳二十岁。四十五岁的妈妈外貌一点不显老，尤其在夜晚灯光下。常有人认为她们是姐俩。又特别因为，柳柳长相不随妈妈，而随爸爸，妈妈的细眉嫩面她没遗传上，倒把爸爸那粗眉鬈皮的特点完全继承下来了，有回在晚上路灯下，人家不仅认为她们是姊妹，更把柳柳猜为了姐姐。

柳柳爸爸叫柳建国。他五年前得肺癌去世了。他的一幅大照片挂在了他们那间平房小屋的墙上，看上去是那么样地魁梧雄壮。

"妈，你怎么非要那么睡？"

马燕梅的睡法确实古怪，她头那儿不要枕头，却把枕头掖在腰下。采取这种睡法已经好一阵了。原来是柳柳不在的时候这么睡，后来柳柳回家时，她也忍不住还这样怪模怪样。有一回柳柳强行把她腰下的枕头薅了出来，她就下床去坐到沙发上，而且打开电视机，那时候许多频道全停播了，只有少数几个频道还有画面，其中一个频道是在推销一种宝石项链，不时闪出热线电话号码，鼓励观众从"电视商场"购买，那价格的表现方式，是把988元字样打上黑叉子，然后注明"只售866元"……她看到就咯咯咯笑了，柳柳就在床上欠起身跟她说："妈，你腰疼想垫软点我很理解，可是不能光垫着腰，挺着个肚子，头往下控着睡，那非睡出毛病来不可！"，又跳下床，坐到她旁边，抢过遥控器，一阵点换，说："有天有个频道推销一种磁疗皮带，说是专治腰疼，我看倒真该买条来试试……怎么现在找不着？"她就尖着嗓子说："只售866元！"柳柳就用肩膀撞她，母女俩就笑作一团……

这回柳柳没薅妈妈腰下的枕头，而是强行把一个枕头塞到了妈妈脑袋底下，妈妈也就接受了。

马燕梅在家里绝不做床。有一回柳柳学着饭店的规矩，把家里的床做得似模似样的，没想到买菜回来的妈妈一见仿佛是成了亡国奴，而柳柳就是汉奸，一巴掌将柳柳推开，几下将"失地"收复——把那些展开铺平的被子单子罩子一顿扯乱，后来柳柳也赶紧过去"改邪归正"，把被子全按老法子卷叠起来，斜放在床铺一角，妈妈这才消了气。

母女俩一起出了门。锁住的屋子里，床铺凌乱，那是故意让它凌乱的，柳柳现在同意妈妈的看法：有这样床铺的地方，才叫家。

柳柳在大学门口意外地看到端端。

"你怎么不去上学？在这儿干什么？"

"你怎么才来？来，咱们离开这些个杂人……"

在一棵大雪松下面，端端把一份家长会通知书递给她："你给我去！"

"为什么？该你妈妈去呀！"

"你去。这也关系到你的切身利害呀！"端端语气很老辣。

"不行。那天班主任会问，你妈妈怎么不去？"

"随你撒个谎。"

"不能撒谎。"

"现在谁不撒点谎？好比一会儿我赶到学校，第一节课快下了，我犯得上跟班主任实话实说，是找你来了？"

"你这份机灵，要用在功课上就好了。"

"别废话。你去不去吧？"

"不能去。"

"求你了！其实，班主任很可能根本不会跟你特别照眼儿。问到你，你就说是我小姨，我妈的妹妹。"

"我不去。"

"那你也就下岗了。你们大学生现在谁不想找份家教？求职的小招贴都贴到我们楼道里了。可是真被雇上的有几个？这就叫供大于求，对不对？"

"我……"

"别犹豫了。你找到这份工不容易。我总是跟妈妈说你辅导得好。你问问去，还有哪家有我妈给的钟点费高？我可知道，你们家里穷，没这份收入，就应付不了上大学的费用……"

"你这家伙！"

"不是坏家伙！下回我一定听你的，考好点儿，行不？"端端说着把一个信封塞到她手里，"这是我给你的出场费！"说完转身就跑。

她下意识地捻了捻那信封的厚薄。

晚自习以后的宿舍分外热闹。

柳柳把一些盥洗用品搁到桌子上，说："谁爱用谁用。"那是些小型的香皂、洗发香波、沐浴露，包装上都有她妈妈工作的那家饭店的徽号。柳柳特别说明："他们那儿重新设计了这些东西，重找了供应商，所以剩下的这批东西就当成福利发给职工了；都没过期，质量是头等的……"

方萍坐在上铺，把双脚吊下来晃荡着，快活地嚷："嘿，拿点给我！"

鞠语珠就抓些个递给她，笑说："这就叫——在山吃山，靠海吃海！"

柳柳再次申明："这可真不是我妈私自拿的，是……"

留个男式分头的陆露就过来，用手指头拨弄那些小玩意儿，尖刻地说："行啦行啦，越描越黑！现在谁不瓜分点儿！私自拿点又怎么着？这叫风俗！"

柳柳绷紧了脸。

鞠语珠捶了陆露一拳："就你嘴碎！"

陆露也就捶她一拳："咱们屋最缺乏的就是坦率！到503室瞧瞧去，鹃子拿来多少办公用品，上好的文件夹子，整匣的TDK软盘，整盒的签字笔、记号笔——还是带荧光的……不都是从她叔叔那个什么公司白拿来的，她们满屋的人，哪个还用自己买这些东西去？反正那公司的资产不是她叔叔祖上传下来的，也不是她叔叔艰苦奋斗自己积累起来的，她叔叔从那么个官位一下来，立马就成了董事长兼总经理，钱反正是从银行里贷的，他也不想在那公司待到还款期满……如今是不坐奥迪坐奔驰，不住限定面积的公寓住单栋的'号司'……鹃子说得多坦率：小小不言地，也参与瓜分点国有资产……"

方萍语气不像陆露那么激昂，很闲散的样子，吟诗般地说："呀呀呀，参与参与，瓜分瓜分，在山吃山，靠海吃海，靠着柳柳省点盥洗用品费，靠着鹃子省点文具费，靠着公司的叔叔省点求职的累，靠着副市长的伯伯咱们弄个银行信贷科科长当当……"

鞠语珠就把她那晃荡的脚杆一推："你那副市长伯伯在哪儿呢？谁不知道你爸是三世单传？"

陆露就尖声说："人家就不兴去认成个干侄女儿？"

方萍用脚去踢陆露，结果没踢着陆露反碰着了柳柳的头，柳柳叫喊了一声，陆露就一把搂住柳柳，高叫："女士们，咱们难道真的就这么糟糕吗？"

有人从门口探进头来，嚷了一嗓子："518室柳柳，电话！"

走廊尽头有台公用电话。一二年级的学生使用率最高，毕业班的为求职计一般都配备了手机，轻易不再使用这台机头脏兮兮的电话。

听筒撂在了机座边，柳柳拿起来，"喂，喂"几声，耳朵里却传来忙音，这是怎么回事？

早有在一旁等着往外打电话的，凑到她身边问："怎么？挂断了？你借个手机给他打吧，我可真有急事……"

柳柳舍不得放弃，还一再地"喂，喂"，但显然那边确实已经挂断，无奈只好把听筒递给了人家。一边回宿舍一边琢磨：谁呢？妈妈？端端家？……他？

收拾卫生间的同事已经出了那间客房，马燕梅抱着洗过的单子枕套赶着进去做床。这时房门按规矩虚掩着。

客人忽然回到了房间。马燕梅觉得有股浓郁的酒气从身后飘来。她迅速把床做妥，立起身，这时那客人从她两臂与身体之间的空隙飞快地伸过手去，按住她乳房就使劲地搓揉。马燕梅立刻抗拒，使劲去掰开那两只粗大的手掌，但她并没有叫嚷。她的经验告诉她这种情况下叫嚷并不一定能引出好的结果。

马燕梅奋力扭过身子，与那男子面对面，那男子的双手现在握住了她的双臂，她挣扎着要离开，那男子把喷着酒气的嘴往她嘴唇上贴，她使出全身力气，终于挣脱，往门外跑，那男子一把拉住她右臂，跟她说："我一住进来就让你迷住了……我是真的追求你……不信你看，这是特意给你的……这几天我一直想找个机会……"马燕梅被他扯到身前，那男子右手紧紧地控制住她，左手从西服兜里掏出一条金手链，在她眼前晃……

马燕梅像鲤鱼打挺般一跳，脱离了那男子，跟他说："没门儿！"

那男子没听懂她这句表示坚决拒绝的北京土话，以为她态度有了松动，没再抓握她，脸上是一个赤红的笑："门？门我关好了，'请勿打扰'的牌子挂外头了……我也不想太勉强你……今天先让我香几下就好啦……可以再商量，好好商量啦……"

马燕梅冲到门边，迅疾打开，跑了出去。

走廊那边，搁放更换物品的推车静静地停在那里，她朝推车跑去，推车附近的客房里出来了收拾卫生间的同事，一点也没感觉到她的异常，漠然地跟她一照脸，从推车里取出些物品，又往另一间客房里去了。

大学校园有一处地方叫赛香山。那是一个土坡，上头栽满黄栌树，每到秋天叶子变得绯红。赛香山一侧的通道旁，有个公共告示牌，上面总贴满了花花绿绿的各色告示，比如这天就有一张粉色纸上写着："割爱高档复读机，祈赐 200 元，形同奉赠，联系请早！电话：……"另一张下面带"刘海"的纸招子上则打印着："介绍家教，落实迅疾，佣金合理，诚信为本。×××科技咨询服务公司。"纸招下面的那些"刘海"是些供谋求家教者撕下的联系电话。也有与生意无关的如业余京剧社活动通知什么的。柳柳恰好在那告示牌旁迎面遇上了董蛟。

"你刚才往我宿舍打过电话？"

"没有呀！"

"你现在往哪儿去？"

"找你呀！"

"谁信！"

"别不信，我急都急死了！"

"你不是没死吗？"

"还不到死的时候！现在是急着活！要活出个大痛快来！"

董蛟拉着她胳臂把她引到黄栌树深处。

她就知道董蛟还是那一套。果然，董蛟的"话语瀑布"，喷溅出的唾沫星子，使她脸上仿佛爬上了苍蝇。总而言之，董蛟铁了心，要辍学创业，发誓要成为"中国的比尔·盖茨"，扬言只要拿到风险投资，一年站稳脚跟，两年即可上市。

董蛟的两手像钩子般地拉住她的两只手，一边说还一边晃荡。

"你的手好热！"

"这说明我浑身贯通着创业的激情！柳柳，你为什么就不能痛下决心，跟我跳进同一条战壕——"

她没等董蛟把"并肩战斗"说出口，便抢着说："——同归于尽！"

董蛟把脚一跺："你这人说话怎么总这么不吉利！"

她脱开董蛟的手，稍微退了一步，说："我要给你一个忠告——"

董蛟扬起眉毛："好呀，好呀，你说，快说……"

她就郑重其事地说："你要创业也好，但是，请你先从一件事情做起——每天要把牙齿刷干净！"

董蛟咔嚓撅断一根树枝，一些卵形叶片落到柳柳身上。

马燕梅在饭店内部的自行车棚里转悠了好一阵，愣找不见她那辆自行车。不是什么好车，已经骑了五年，谁会偷它？再说，上了锁的，饭店后门也有保安站岗，谁能把锁住的车在保安眼皮底下端出去？那锁可是好锁，有回丢了钥匙，想撬开，几个男子汉轮流帮忙，硬是撬不开，直到把柳柳从学校叫来，拿来她那儿的一把钥匙，才算解决问题。今天可真邪门！

"怎么啦？"有人大声问她。是电工鲍哥。鲍哥的大名没人记得清，饭店里的人要么叫他鲍哥，要么叫他鲍爷。

马燕梅把右手捏成拳头，伸到身后捶腰，告诉鲍哥："邪门透顶，什么贼，我的破车也偷！"

鲍哥笑："那不叫偷，叫顺，兴许有什么急事，摸到哪辆顺哪辆，先骑上再说。"

"准是咱们内部的人！"

"咳，那不就是借吗？明儿个你再来，准又在这儿了！"

"他倒方便了，我今儿个怎么回家？"

鲍哥推着他那辆加重车，接近她，笑嘻嘻地说："我驮你家去！"

鲍哥的笑容里有种让她喜欢，而且可信任的魅力。

"让警察逮着，你交罚款！"

"咱们干什么让人逮着呢？这会儿交警也都往肚里填食去了……再说，咱们专钻胡同，大路口你下来走几步，那不结啦？"

也是。鲍哥家离她家不远，顺路，而且确实能基本上钻胡同解决问题。

她就让鲍哥驮她回家。

所穿的一条小胡同路面不平，颠簸起来，侧身坐在后座上的她，就紧紧抓住鲍哥外套的下摆。

又穿一条胡同。在一个拐角处，鲍哥刹住车，说是要买包香烟。她跳下车，鲍哥支起后轮支架，去一户人家打开后墙开的小杂货铺买烟，她站在车旁，忍不住又用拳头去捶后腰。鲍哥买回烟，走拢车前，点燃一支，望着她说："狗日的饭店……早该添做床的了，愣不添，看你累的……"

她不言语。只是默默地跟鲍哥对望。他们的视线有好几分钟粘连在一起，谁也不回避。

他俩知根知底。鲍哥媳妇有癫痫病，属于家族遗传，搞对象时隐瞒了。鲍哥两口子没生育，抱养了一个闺女，如今也是大学生了，不过考上的是外地的一所学院。鲍哥望着她眼睛的时候想到些什么，她猜不出。她却想到了一件事，同事从客房捡到一本香港印的《蛇年运程》，撂在值班室里好多天，大家没事时翻着玩，她属猴，柳柳属鸡，那流年运程她查了个烂熟，然后呢，她就偷偷查了属龙的运程，鲍哥属龙，在"肖龙婚配吉凶"一栏，她发现"龙猴相配为大吉"，而"龙狗相配为大凶"，掐指一算，鲍哥媳妇正属狗！当时只觉自己脸热，突突心跳，后来也就淡忘，但此刻查运程那一瞬的情绪竟又油然于心……

到了她家院门，她随口说了声："进去坐坐，喝口水。"鲍哥就推着车，跟她进了院，把车支在她那屋外，又跟她进了屋。

也不知道进屋以后都说了几句什么、先头两人是怎么个站位姿势，等到两个人都略微明白点的时候，已经靠得很近地对站着，她感觉到鲍哥的胸脯在大起大伏，鼻息里的烟气氤氲到她脸上，眼光却落在她的胸脯上，而她的胸脯，起伏得比鲍哥更剧烈。她朦胧感觉到鲍哥在咬牙，两只下垂的手在微微发抖。她忽然一把抓起鲍哥的双手，将它们按在自己的胸脯上。鲍哥的手忍不住搓揉起来，她就爽性解开衣扣，让鲍哥的手接触到她无遮拦的乳房。鲍哥亲她，先是脸蛋，后是嘴唇。鲍哥猛地把她抱起来，往床边挪，她看到了床，立刻惊悚地挣扎，鲍哥松开她，她站在鲍哥面前，泪水簌簌地落下来。鲍哥有点手足无措。她哽咽地说："不是，我不是……"鲍哥就离开她，但没转身，倒退到门口，说："你累了，歇着吧。"

鲍哥走了，她像落叶般坠到沙发上，掩面痛哭。

柳柳把那"出场费"原封递给端端。

端端不接："我妈一回来我就跟她说，你根本就不称职！"

柳柳说："那我直接退给你妈吧。"

端端一把抢过那信封，从信封口抖出票子头，用手指头数了数，再把票子抖回去，麻利地将信封塞到了裤子屁兜里。

柳柳说："就算让你妈错过了家长会，班主任也会跟她联系的。"

端端说:"只要那天没缺席,班主任不会再打电话给家长的。"

柳柳说:"你妈就不会主动给班主任打电话吗?"

端端说:"这阵她炒股炒疯了,什么都顾不上。你不知道上周全线下挫吗?她回家就拿我撒气。对了,谁让你脸皮薄呢,你的工资拖了一星期了吧?你要再不问她要,她才懒得给你开呢!"

正说着,单元门猛地开了,端端妈妈先笑吟吟地进屋,然后引进三位太太,个个珠光宝气。端端妈妈朝端端那间屋瞥了一眼,便扭身对那三位太太说:"我们里边里边……孩子功课要紧要紧……来来来来……"

那边一声门响,然后就静了下来。柳柳侧耳,端端跟她说:"你听不见搓麻哗啦声的,我妈那麻将桌上铺的绿呢子比这本书还厚。"又说:"看来是熊市转牛市了。她那张脸我远远一看,就知道是什么行情。"

柳柳用指弯敲敲桌子:"好啦好啦,咱们进入正题!"

约摸半小时以后,那边一声门响,立刻飘出太太们的说笑声。端端妈妈大概是往那边先送去了点心茶水什么的,然后飘然而至,端来照例的一牙花蛋糕,放在柳柳跟前,仿佛柳柳问了她什么似的,笑着说:"不过是偶尔的,小来来,小来来……"

那牙蛋糕上搁着一颗蜜制的绿樱桃,柳柳立刻觉得鼻孔里钻进了类似樟脑的气息。

饭店大堂的洗手间堂皇富丽,洗手台上放着鲜花制的花插。马燕梅很少进入那里。按规定本饭店职工一般是不允许到大堂消费和方便的。只是因为这晚她有事要找趟前台经理,才来到大堂。办完事,她顺便进入洗手间。白天在里面伺候客人的那位大妈已经离去。有位年轻的女士在镜台前补妆。马燕梅也没在意。她解完手,也去镜台前的水池子洗手,一瞥之间,她觉得旁边那张脸有点面熟,但又不大敢认。那年轻的女士似乎觉察到她在观察自己,便也扭过脸来看她。这下她可认清了,忍不住唤出声来:"方萍——你怎么在这儿?怎么会——"她把后半句"这么个打扮"咽了回去。那年轻女士先是倨傲的表情,很鄙夷她的样子,后来眉毛忽然使劲往上一挑,睁圆眼睛,生气而又慌张地说:"谁?我不认识你!你别瞎认人呀!"说完一阵风似的消失了。

马燕梅呆呆地站在镜台那儿，肚子里仿佛有个车轮在转悠。饭店里总有些个那样的女人出现，特别是在大堂里头。也听说有的竟是女大学生，会英文，专找老外。她做床时常会遇到用完的安全套，床单甚至枕头套上有时会有明显的精液渍、阴水渍甚至血渍，以至于让她当晚吃不下饭，回到家睡到床上，也总觉得身子底下有什么没弄干净的污渍……但万没想到会在这个地方遇上方萍，没错，她绝没看走眼，不管那身打扮跟女大学生有多么错位，那包装里的真人肯定是跟柳柳同宿舍的方萍！她！天哪！远在南方的父母能想象到她会这么身打扮在这么个时间出现在这么个地方吗？……呀，柳柳她——不会不会绝不会！……可是，几次到柳柳宿舍见到方萍，都是那么温柔清纯，那么天真可爱……

马燕梅跌跌撞撞地出现在饭店后门附近，把鲍哥吓了一跳，逼近问她："你怎么了？喝醉了？病了？"她抓住鲍哥手腕说："快，借我手机……"鲍哥为了下班后揽点私活，刚买了个手机没几天，忙掏出来递给她，她推开，说："你给我拨号，通了再给我……"

她报出一串数字。是柳柳她们宿舍走廊里的那台电话的号码。

董蛟一到柳柳面前就嘻开嘴巴。

"你什么时候成了兔唇？"

"遵照您的忠告，我现在是先刷牙，再创业。"

"算了吧，现在多少公司都跟牙膏沫似的，热闹不了多少工夫，转眼就灰飞烟灭。"他俩上了空调专线公交车。

"这车真不错。人人有座，干干净净，温度适人，才收两块钱。"柳柳下车后说，很是满足。

"哪能老坐公共！咱们公司一开张，至少有辆本田……你怎么还不抽空考本子去？那个什么端端，还是正正，辅导他干什么，能挣几个小钱？别再提篮小卖了！趁青春血热，咱们发财要赶早！"董蛟还是那么一种口气。

"创业，发财……小心落进深坑里爬不出来！"

"那也强似在平地上讨饭！"

董蛟是带她去一个大饭店，见一位深圳来的大老板，据说此人手里有大笔游资，是投往电视连续剧制作业，还是IT业，尚未拿定主意。董蛟好不容易够着这么个关系，带着自己的计划书，去投奔这位大款，希望获得风险投资，圆他的创业梦。柳柳虽不以为然，但还是陪他前往。

"还好这位大款住的不是我妈他们那一家。要是我妈看见、知道我进大饭店，非数落我不可。"

"那为什么？等我们注了册，进出大饭店，那就是我们的日常生活了嘛！"

"她最近真是越来越神神叨叨的了。那天晚上忽然给我打来电话，头一句话就问我在哪儿呢，我说你打的这电话不就是我们宿舍的吗？我在接听，还用问在哪儿？我问她跟哪儿打的电话，她说用的手机，这更奇怪了，就算借了个手机，神州行的收费，一分钟六毛呢，什么紧急的事情值当这么花费？问她究竟有什么事，又好像并没有什么事，只是跟我说，千万别去大饭店，那不是什么好地方……你说这是哪儿跟哪儿？"

董蛟没怎么在意她说的话，望着马路那边，抻她衣袖："快看，那边怎么了？"

那边一座体育馆，临时用来举办一个人才招聘会，门口人头攒动。

"有什么稀奇的，凡这号活动总这么人头汪洋汪洋的；这还是外头，进去更挤不动，稍微好点的公司摊位，能把台面挤塌了。"

"看，吵上了，咦，那个攀到铁栅栏上的……是陆露吧？她怎么也来凑热闹？你们离毕业还有三年呢！"

"那有什么奇怪的，这叫鸡鸣早看天——呀，真是她，她那是干什么呢？"

两人就赶忙过马路，去看个究竟。

原来是许多人觉得上了当。打出的招牌是一百强联合招聘会，二十块钱一张入场券，买票进去一看，原来摊位只有几十个，勉强够谱儿的机构不足十个，所以一些人就跑出来到售票口退票，看来陆露成了个临时领袖，正一只胳臂攀住售票口旁边的铁栅栏，比别人高出大半个身子，另一只胳臂挥舞着，激昂地嚷："不光要退票！

还要主办方负责人出来给个说法！"

人群发出一片呼应声："退票！退票！""出来！出来！"

柳柳要往前头去接近陆露，董蛟硬把她往离开的方向拽："不能耽搁了咱们的正经事，快离开这是非之地……"

柳柳边跟着董蛟离开边扭头回望。董蛟死死拽着她胳臂不放松："快，快，咱们跟他们不一样，以后即使去这种地方，也是咱们租个摊位，招聘别人……"

开了家门，打开电灯，发现妈妈坐在沙发上睡着了。

妈妈惊悚地醒来，揉眼睛问："你今天……辅导端端不是该明天吗？你去哪儿了？这么晚！"

柳柳说："跟大蛟在一起。没想到，他那么个破策划，还真有人愿意考虑给他风险投资！"

妈妈对大蛟印象一贯不错。对他辍学创业的雄心壮志也还欣赏。只要柳柳不辍学，他们俩交朋友，她不反对，也挺放心。

柳柳脱好外衣，问："你怎么睡沙发？该到床上睡正经觉。"

妈妈说："别提床。就跟别跟我提羊一样。"

爸爸在世的时候，就听爸爸妈妈一起说起过，他们在内蒙插队的时候，那年冬天大雪封路，绝了饲草，连人吃的粮食一时也运不拢，只好宰羊吃，喝羊血，啃羊肉，开始还觉得香，连续好多天，弄得后来一闻见羊油羊肉味儿就恶心。所以他们回城以后，绝不吃羊肉，柳柳打小也就随他们，从不沾羊。

"可是床不是羊呀！人离了羊能活，离了床怎么行？"

"哎，我就宁愿睡沙发。只是咱们家的破沙发，形状太差。要能像个蜗牛壳似的，钻进去蜷着睡个痛快，还微微晃摇，那有多好！我就成仙了！"

"好姐姐，你也太浪漫了！"

"怎么着，我就不兴浪漫吗？我离五十都还早呢！"

"你就尽情浪漫！不过，我先坐壶水给浪漫大仙烫烫脚才是正经的。"

其实马燕梅已经烫过脚了。但她顾不得阻止柳柳。她从对面墙上的镜子里看到了自己，头发有些蓬松，脸颊绯红。她从浪漫这个字样想到了一个人一些情景，她用双手十指梳理头发，感觉到血脉中有贲张的激情在涌动，泪水倏地糊住了双眼，她就又赶紧用指弯去揩揉眼睛。

"柳柳，你的信！"

柳柳还从未在学校收到过信件。

陆露把信递给她的时候，方萍照例坐在上铺，两只脚晃荡着。方萍眼尖，看出了信封下面红色的字样，是某某证券公司，不由得打了个唿哨。

柳柳感到意外。她接过信，没在屋里拆开，拿着信到走廊里去了。

柳柳出了屋，方萍就摇头晃脑地跟陆露说："嘀，人家可是静若处子，动若脱兔！"

陆露说："八仙过海嘛。你不也新买了手机吗？"

方萍撇撇嘴说："咳，二手便宜货，凑合着用罢咧。"又问，"你们那天大闹招聘会，晚报报导以后，又有什么续闻？"

陆露说："又能把他们怎么样？北京骗不动，再往别处去骗呗。"

方萍的手机奏出《致爱丽丝》的调子，她几下落到地上，拢上鞋顾不得提妥后跟，把手机贴拢耳根，蹿出屋去。

陆露望着她的背影说："这才真叫动若脱兔呢。"

那封信是端端妈妈写来的。不打电话，而以书信方式，约她在下回辅导前三小时到她家去面谈，那意图很明显。无所谓。也不可惜。大蛟的话不无道理，提篮小卖，究竟意思不大，钱多钱少还在其次，为那么点钟点费付出许多的尊严代价，实在不值得。

她准时到达。约那么个时间，为的是端端还没放学回家。

好说好散。端端妈多给了一回的钱，还照例让她吃那一牙花蛋糕。以往她吃掉蛋糕，只留下那颗搁在上面的樱桃。这回她没吃，并且老实不客气地对端端妈妈说："这上头的樱桃一定用了超量防腐剂,千万吃不得。"

端端妈妈正听话听声、锣鼓听音,忽然门铃叮咚响。

端端妈妈皱起眉毛去开门。没马上把门外的人让进来。似乎是在问约的不是这个时间,怎么早来了。门外似乎在解释,说中介公司通知的就是这个时间呀。门外又说要么我过一小时再来,端端妈妈就说既然来了,那就先进来坐吧。

本来门外的人声就很可疑,及至进来,啊嗬,果然,是同宿舍的鞠语珠。

柳柳从沙发上站起来,望着鞠语珠微笑。鞠语珠却顿时脸红,垂下眼皮,仿佛做了不得体的事情被人当场觑破。端端妈妈却浑然不觉,先把柳柳送出门。

柳柳在人流如过江之鲫的大街上不紧不慢地走着。她进了好几家商场、商店,问有没有那么一种磁疗腰带卖,竟都没有。

走到一家有很宽阔的落地玻璃窗的商店外,一眼看到窗里陈列着一架摇椅。马上觉得它很像半个蜗牛壳。当然,它能微微摇晃,很浪漫的。于是马上进了那商店。一问价,要 1160 元。倾囊所有,仍差一半左右。坐上去试,非常好。店家经理、店员围着她转。说是今天如果没带够钱,一周之内都给她保留。这种样式的摇椅存货不多了。而且下批货什么时候来还没准信。欲购从速,以免失爱。她就问能不能借电话打。当然可以。请请请。她给大蛟打去电话,让他马上来,来风险投资,投资额不大,600元就行,两个月后保证收回投资,还有丰厚红利。

这天妈妈没下班,柳柳先到家。那家商店派车把摇椅给送到了屋里。

柳柳坐到摇椅上,微微晃动着,闭着眼享受。

等妈妈回来。

这不是羊,不是床……

京漂女

1

"那就明天早上八点吧。"

声音懒懒的。这是很不正常的一个钟点。这种钟点他应该是正在床上醋睡。

"晚上八点？"她故意这样问。

"早上。"

这钟点弄得她一夜没睡好。不用闹钟叫,窗户稍微发青她就起来化妆。七点半她已经揣着手机跳进了出租车。七点三刻,她在车上给他挂电话,房间里的没人接,手机没有开机。

整八点,她到了他的门前。按门铃。

她不知道在门外等了多久。按了三遍门铃,听不见里面门铃的叮咚声,也许门铃导线根本没有接通。

她又一次被涮了?

她对自己淡淡一笑。仿佛对面有影院里的大银幕,上面是她的大特写,那淡淡的笑容既凄楚,也坦然。

这扇门里的那个副导演，轻易不跟人约会的。就是被他涮了，前提是真的约会过，也算有三分幸运。你总算在他那儿挂上了号。

副导演辅佐的那个大导演，对演员的最后确定一定要亲自拍板，自不待言；但副导演如果不把你放在备选资源内，你就无论如何也入不了大导演的瞳孔。这回副导演许诺的是女二号，她自信那角色非她莫属。

他跟自己约的时间，确实是早上八点吗？晃晃头，仔细再想想，没错。

也许这时候屋里根本就没人。

她正伸手，想再按一次门铃，忽然门被迅猛粗暴地打开了，一个年龄跟她相仿的女人，只穿着凌乱的内衣，头发更加凌乱，一只手攥着门把手，一只手叉在腰上，两眼圆睁，恶狠狠地瞪着她。

她转身就往楼下跑去。

2

对着一家还没开门的服装店的玻璃橱窗，她对自己的鬓发略事整理。

很拙劣。如果是影视里的一个情节，从编剧到导演到表演到摄影统统拙劣。

但真实的是，那来开门的竟是薇薇。这一笔倒真算神来。

有多长时间没见到薇薇了？三个月？小半年？这娼妇……怎么偏是她？

薇薇和她，还有类似的人，其中女的居多，男的相对稍少，有人粗略统计过，到 2001 年初，大约有一万来人，叫做"京漂"，用从日本传到台湾再传到大陆的那个词汇———一族——来说，则是"京漂一族"。这"京漂一族"，当然属于"外来人口"的范畴，可是绝对不能与"打工仔"、"外来妹"混为一谈，他们漂在北京并不是为了挣钱谋生，而是为了圆一个绮丽的梦——其中大多数是想跻身演艺圈，还有的想成为画家、作家、摄影家……总之，他们是因为热爱文艺，才离开家乡，带着一笔钱，跑到北京来，自己租房，四处活动，漂在各种文艺场所，混迹于摄制组、录音棚、电视台、展览会、首映式、发布会……如果上面的场所一个也混不进去，那就至少会漂浮在某些演艺圈的外围空间，比如常能遇上二、三流演艺人士的歌厅舞榭、咖啡吧、啤酒屋什么的，当然也包括某些能提供与演艺圈人士邂逅机会的私人派对。

3

有人在叫她。

是阿铿。

阿铿一米八二的个头，肩宽腰细，模样很帅，表情很酷。

阿铿漂的时间比她长，曾经陪一位女明星作过一个洗发水广告，在电视台持续播出过小半年；最近常走 T 字台，一家小报刊登的大照片上，把他的身姿作为了前景；但这些成就显然都并不能填满阿铿的欲壑。

阿铿的最高目标是要么成为影视红星，要么成为电视主持人。他的欲望哪天得以实现？

她和阿铿走进附近一家台资小吃店。俩人都要了热豆浆和油条。

她喜欢阿铿，不为别的，就为阿铿自从认识她以后，尽管她一直落魄，却始终对她友善。这样的为人在"京漂族"里并不多见。

阿铿问她是不是还在那家影视公司帮忙，他们都曾经给那家公司充当过群众演员。群众演员跟群众演员也不一样。他们算"高级龙套"，比如在前景里，阿铿是洋车夫，她是坐洋车的阔小姐，有时副导演还让他们这两个龙套之间多少有一点戏，比如小姐嫌车夫汗臭掏出手帕掩鼻、车夫束紧腰带强忍饥腹什么的，最后剪接出的片子里，那一晃而过的镜头对烘托时代气氛竟非常提神，甚至有影评家专门涉及那一场景的处理，认为非大手笔的导演不会有如此细腻的笔触的。

阿铿回忆起他们那一回的合作，说那辆假洋车他刚一提起拉手就散了架……呵呵地笑。她没笑。她记得那回让她穿的旗袍很不合身，而且不知道使用过多少次，却始终没洗熨过，散发出一种沉闷的霉味儿，更不堪的是，当她脱下来时，发现领子里有一块腻腻的东西，是油彩，还是鼻涕？……一阵恶心，她把半根油条扔到一边的烟灰缸上。

"……他让你演那个妓女了吗？"

那本是她竭力争取的角色，而且阿铿绝对是好意，可是此刻话音落进她耳朵，却令她产生当众挨骂的耻感，她用餐巾纸拼命揩手指头，气急败坏地说："你呢？他们找着跟你亲嘴顺眼的搭档了吗？"

阿铿的没有被影视导演选用，有一条理由，是说他个头太高，演言情戏，得一米七五以上身高的女演员跟他配戏，亲嘴时的镜头才能让观众顺眼；可是女演员身高到了一米七五以上，又哪儿能娇小玲珑？

"京漂族"多半喜怒无常。阿铿自己并不例外。见怪不怪，彼此彼此。

4

阿铿先走一步。服务员收拾过桌面后，她还在那里愣愣地坐着。

又有人叫她。是一种极其标准的"国语"。听那声音，出语人简直是从台北街头直接走进来的。那是都非。

"哗！这位女生，天还蛮早，怎么就在这壁厢作夕阳之叹啊！"

其实都非根本没去过台湾，一直生长在四川成都的小巷子里，可是他竟练就了一副地道的"台北腔"，还会灵活使用某些台湾流行的语言习惯，如把年轻女士一律称作女生，使用"蛮"替代"非常"为副词，在句首频频加上个"那"什么的。这也不奇怪，除了台湾影视歌三界明星本身的影响，大陆有的电视主持人，就靠着这样的语言风格蹿红，都非从中受到极大的启发鼓舞，他的理想，就是进入电视台成为那样的红主持。

曾经有人说，深圳树上落下一片树叶，会同时砸着好几位经理。与此类似，在北京某些场合，树上落下一片树叶，会至少砸着一位"京漂"。

　　都非——自然是他的艺名，绝大多数"京漂族"都尽量不让人知道他们身份证上的那个名字，都非身份证上的名字是张锦生，他自己觉得俗不可耐，于是取了现在这样一个"耐人寻味"的雅称——坐到她对面，很内行地点了一客高雄担仔面；听说她已经吃过东西，便为她点了一杯台式泡沫红茶，笑嘻嘻地说："呜喔，男生请女生，那应该的啦！"

　　都非边吃面边评论昨天电视里娱乐节目的主持人的表现。都非的絮叨令她起腻。她就故意说："我只欣赏亚宁。至少，他没有台北'国语'腔……"她知道，都非最听不得中央电视台综艺节目的主持人亚宁的名字，还并没有混成亚宁的同行，却已然是冤家了。

　　都非吞着面条，脸上是痛苦的表情，她心软了，没等他说出论争的话，便笑笑问："你今天什么日程啊？"

　　都非吃完面，用餐巾纸很秀气地揩嘴唇，整个气质比奶油更奶油，对她说："真是的，你的日程如果还没排定，那我们为什么不一起去参加《心比火热》首映式？那会很开心的啦！"

　　拍《心比火热》的那一帮人，她当然听说过，却还没接触过。那些人搭成的班子，其实比她已经够得着的剧组档次要低，但是她闲着也是闲着，百无聊赖中，去趟一脚倒也无妨。

　　出了小吃店，都非伸出手，字正腔圆地呼唤："计程车！"她撇嘴："北京只有出租车！要么，叫 TAXI，叫'的'……你以为你在哪儿？"

5

　　但她还是有几分感激都非，因为都非没挑破那层纸——她漂了这么久，竟还没混出个真正有"日程"的状态来。但她也知道，都非拉她来这个首映式，是因为这样的活动，观众人数并无保证，需要有若干都非这样的"托儿"，想方设法再发展出一些"光临者"，来让观众厅里的座位起码不至于空得太多。

如果这天不是星期日，电影院也不敢安排上午十点的首映式。这家电影院附近有两所大学，还有好几片居民楼，这部《心比火热》，定位为青春喜剧片，映前导演和主要演职员会上台与观众见面、对话，影院经理估计怎么也能上七成座位，可是已经都到十点钟了，放映厅里却只稀稀落落地坐着一些看客，算起来不足四成，而且，其中有不少还是都非那样的，并不需要买票的人物。

十点一刻，首映仪式才开始。导演是个脑后扎马尾巴、满腮胡子的矮胖子，他亲热地招呼台下的观众："亲爱的上帝，请离我们近一点，集中一点好吗？"坐在第十排的都非立刻站起来，往前面中间走，这原来也是策划好的一种"托法"；在几个都非式"托儿"的带动下，观众们果然大体都集中到了前面，密集起来的观众使整个放映厅里的气氛热烈了一些。

导演——介绍上台的人物，尽管他用了好长一段话，里面嵌入了好多夸张的形容词来介绍那位瘦高的摄影师，观众们报以的掌声还是零零落落；直到他把女一号——最近一年来颇露头角的那位演员唤到台口时，台下才响起了比较热烈的掌声，都非还不失时机地吹了一声口哨，引出了一阵哄笑、一些嘘声和一些意义丰富的掌声，气氛顿时活跃起来，这正是主持者所企盼的……

她觉得，那台上的女一号，目光与她有短暂的交接，仿佛阴阳二电一触即炸，她心中闪出狂光响出惊雷。她太清楚她了！她们前后脚漂到北京，一起跑过龙套，甚至在一把伞下避过雨……今天，女一号在那短暂一射的眼光里，向她宣布了自己"有志者事竟成"；她呢，在那短暂相接的瞬间，她把什么信息传递给了对方？"再让你半年！"对，至多，一百八十天，那时候……不会是在这么个破地方，面对这么多空座位！哼！

台上的人尽量地诙谐，台下的笑声多起来，似乎也并不勉强。陆续又进来了一些观众，场面竟渐次热闹起来。她心里却越来越不痛快。那女一号穿着露出胸沟的连体黑裙，手里拿着一定是都非式"托儿"献上的花束，不断地举臂向台下观众挥动……

太不得体，冲那股酸劲儿，她就断定此人成不了什么大气候！

台上请台下观众自由提问，都非头一个站起来，接过组织者递上的话筒，仿佛是刚从台北赶过来的，用标准得令人起腻的"国语"，向女一号发问："那我很想晓得，演过这样一部喜剧以后，你会不会把自己定位于喜剧型演员，蛮自信地朝'笑星'的目标挺进？……"

她喉咙里有欲呕的感觉。她离开座位，赶紧往外撤。

本来，都非还约着她，跟着剧组再转移到另一处电影院，参加另一场见面活动。她知道，都非和她可以坐进那辆依维科小面包车，跟在导演与女一号他们坐的本田雅阁小轿车后面；而在车上，都非会让她也得到一个信封，里面至少会是一张百元大票（而她也就必须在下一场见面活动中站起来提"恰到好处"的问题），末后，他们还会一起到一处餐厅，吃自助火锅，而那时，无论都非，还是她，以及另外两三个"托儿"，酒肉作媒，就都有机会争取到导演，或至少是副导演的特别注意，乃至于陡获青睐，于是，那下一部戏里，怎么也就会摊上个在演员表里列出来的角色……这其实也就是他们"京漂"的日常生活；但是，她怎么能容忍，那女一号再以那样的目光，来射她睨她瞥她？更何况，如果对话，她能说什么？那一位却可能或者话很多，或者竟根本无话，这两种情况她都难以忍受！是的是的，人生的痛苦，有时候并不一定是自己失败无获，而是他人的成功丰收！

她快步走出电影院大门，下得阶梯。手机响起了蜂鸣音。

6

来电显示上的号码很是陌生，简短留言是"速到香都"。这并不让她吃惊。"京漂"之间有些约定俗成的"漂规"，凡还没出道尚在挣扎中的"漂哥""漂妹"，常常互献信息，以备选用，也算是相濡以沫，"有饭大家吃"，一种人际温情吧。

香都饭店这天中午有电视剧和电影套拍的《客从天降》开机仪式，导演鼎鼎大名，女一号早属艳星，这都并不令她怦然心动；可是，那男一号，是她的同乡，连续三年报考电影学院、戏剧学院、广播学院均遭失败，从前年起顽强地漂在北京，七闯八奔，歪打正着，上个月偏因一个偶然机遇，被大导演一眼看中，选定为这部戏的男一号！半年前《客从天降》的小说出来时，传媒上便爆炒得沸沸扬扬，一家报纸娱乐版还发动读者，为改编这部小说挑选导演和演员，所刊登出来的男一号理想人选，打头的是苏有朋，你想想那是个什么角色！当这位大名鼎鼎的导演接了这部戏后，传媒更炸开了锅，人们本来设想的导演，都还没到这个量级啊！紧接着，传媒又告诉大家，戏里男一号，竟选用了籍籍无名的他！记者采访导演，问："是不是又有一个葛优横空出世？"问得当然很有道理，葛优当年就是考哪儿哪儿不要，最后只被全国总工会的话剧团勉强收容，结果怎么样呢？他戛纳电影节上封了影帝，在国内更成了人见人爱的公众宠儿，论票房是"泰山石敢当"，以至凡他出面作广告推销的商品，也必定稳获高利……大导演是这样回答记者的："他肯定不是另一个葛优，但他有可能是中国的汤姆·克鲁斯！"戏还没拍，传媒对这位"中国汤姆·克鲁斯"的宣传已经如火如荼，小报上又是照片又是专访，甚至一家大报的娱乐版也凑热闹，把他的照片和汤姆·克鲁斯的照片并排刊出，大字标题是：《你更喜欢谁？》。

说来也怪，对于那位窃取了《心比火热》女一号的主儿，她想起来就妒恨交加，对这位"中国的汤姆·克鲁斯"，她却心平气和，甚至还暗暗为他庆幸。难道嫉妒心只针对同性，特别是同一年龄段的同性发作？

其实，不用这个电话提醒，她原来也知道，香都饭店有这么个开机仪式，那场面、气派，是《心比火热》那样的班底望尘莫及的。她决定赶往香都。

7

香都饭店外面，停车场旁的一片绿地，她刚漂来时，听人家说，那里是"停机坪"，她望过去，好纳闷，那里头就是最小的直升飞机也停不下啊；后来才知道，"机"字应该换成“鸡”字，说的是那里经常有“野鸡”出没，尤其夜幕降临以后，“鸡”影幢幢，有的“鸡”会被一掷千金的男人带进饭店，或者仅是陪饭陪酒陪唱陪舞陪泳陪笑，最后身上留些拧痕皮包里添些小费；或者由豪客开房间再加陪睡，那早晨出来时会眼套黑圈而挣到成摞的票子——有时还会是硬通货；直到半夜还没有被带进饭店的“鸡”，有的快快地回到自己住处，以待明日；有的则没那么“矫情”，她们不得已而求其次，只要有打野食的男人来，肯给钱，无论把她们引到什么不仅不豪华甚至很卑琐的地方去“打炮”，也认命。她原来一直认为，这些“鸡”属于另一类漂流族，与她所属的“京漂”不可同日而语，“鸡”们是“肉”的层次，“京漂”在“灵”的层次。不过最近她产生了很痛苦的思绪。“京漂”里像薇薇那样以“肉”争先的例子，难道是个别的吗？而有的，曾和她一样抱着辉煌理想漂在北京的女孩，因为屡屡失败，对跻身演艺圈完全失望，便爽性到夜总会性质的地方死心塌地地当起了坐台小姐，虽说是有关部门时不时地严查严扫，担着些个风险，但很快也就挣出了商品房私家车，从外在形态上看去，倒比她这样洁身自好的“京漂”混得惬意！

她朝“停鸡坪”望过去，草皮青翠，花坛缤纷，树丛和凉亭下有些老人坐着聊天，一群小孩在甬路上追跑，一只“鸡”也没有，是啊，这种时候，“鸡”们都在自租或合租的窝里睡大觉哩。

但她心里忽然酸酸的。母亲教她唱过的那首聂耳谱曲的歌，单有一句总粘在心尖上，刺得她心酸：

舞女，是永远地漂流……

她一直很奇怪，谱出《义勇军进行曲》的人，怎么会又谱出如此凄楚的旋律？

舞女——这个称谓，把她这样的“京漂”和那些坐台小姐，乃至于那些“鸡”们，混为一谈了——其间的界限，其实很难划清！

一个男子迎面而来，兴冲冲地跟她打招呼。

8

那是夏景志，在"京漂族"里辈分比她略大，不过他们主攻的方向有所区别，她是想成为一颗影视明星，夏景志是想成为京城里的著名"娱记"，但不管怎么说，毕竟都奋斗在一个娱乐圈里，磕头碰脑的机会很多，也算是大熟人了。

"你总算来了。请柬我都给你搞定了。"夏景志脑门上汗津津的。

"原来是你给我留的言！可电话号码怎么瞧着那么生？你又把手机丢啦？"

"人永远会犯错误，可是人不能总犯相同的错误——看，我鸟枪换炮啦！"夏景志把便携式电脑晃给她看。原来，夏景志跟一家网站签了约，成为了该网站唯一的特派"娱记"。夏景志跳了不知道多少回槽，他从报社专拆读者来信的编务，终于混成了网站独当一面的"娱记"，其间的坎坷酸辛，也只有他自己心知肚明吧。

"其实，我对汤姆·克鲁斯没什么兴趣。"她说。

"知道。你欣赏的是汤姆·汉克斯。'帅哥'算个什么？得是性格演员才值得崇拜！"夏景志讨好地说，"如果由我来预测你的发展前景，我就不会说你是中国的朱迪·福斯特，我会说你是中国的梅丽儿·斯特里普！"

她喜欢这样的讨好。当然，不必照单全收。她挥下手说："你懂什么！朱迪·福斯特也是性格演员！"

他们一起走进了香都饭店。

9

香都饭店的大堂气派非凡，那淋漓尽致的豪华氛围令她顿觉自身的衣衫不甚相配。那身套装本是穿给那个可恶的副导演看的，在这个饭店里似乎显得有些错位。不过这地方人人都只知道自我欣赏，谁会专门注意到她？

开机仪式在三楼多功能厅举行。凭请柬入场。多功能厅里已经是蜂飞蝶舞，香雾弥漫。一个乐队正在演奏，乐队前铺好滑轨，滑轨上架着摄影机和摄像机，将只摇拍一个乐队演奏的镜头，然后宾主便可以一同享用自助餐。自助餐的菜台已然布置完毕，从生菜沙拉、开胃小点、寿司、三文鱼片、中西式热菜……直到甜点、冰激凌、水果，一应俱全；冷热饮品种也不单调，长城干白与王朝干红都敞开供应，充分显示出剧组资金雄厚、腕级做派。

仪式准时开始，出品人和导演的讲话都很简短，音响里传出一阵鞭炮的响声，人们高呼"开镜大吉"，热烈鼓掌，然后果然拍了那个镜头；一声"请随意"后，一般凑热闹的来宾便大大方方地开吃，"娱记"们且顾不得享受美味，纷纷围上去采访，有的围着出品人，有的围着导演，有的围着原小说作者和编剧，有的围着女一号，而围得最像铁桶的，是那个幸运儿——中国的汤姆·克鲁斯。

夏景志抢到导演紧跟前，每个发问都带有挑逗性。导演知道这样的"娱记"一定会把访问录写成"酷评"，其实倒最能增强该剧的符码价值，所以微笑应答，而且有的地方故意往记者设定的坑里跳，这样两下里都能得趣——"娱记"有绝非造谣的"大腕狂言"刺激读者，而大腕也以并不真正丢份儿的"佯狂"维系住了观众对自己的关注。

她且松口气，自取了一只盘子，夹了些生菜叶，往上头浇了些千岛汁，又拈了一个寿司、一大片三文鱼，又从下面有加温罐的银钵子里舀出一勺番茄葡国鸡，走到大落地窗边，管自吃了起来。吃完，她换个盘子，挑了几样甜点，又取了杯红葡萄酒，正待还往窗边去享用，那剧组的一个场记走过来跟她套近乎，她当然认识他，他也是个"京飘"，想漂成个导演助理，再发展成导演；他们并不熟，他却一脸仿佛遇到了"同桌的你"的表情，非常热络地献媚说："要不是知道他们选定你去演那个30年代上海交际花，我们就拉你来演这里头的卖花女了！"她心中暗笑，谁是"他们"？你不过是个小小的场记，哪里就配跟导演论起"我们"来了！但是她不戳破他，只是拿些不咸不淡的话来应付。他们站在一处谈话时，她听见旁边一位半老徐娘跟不知什么人在悻悻地说："怎么每回这种场合总有些个莫名其妙的食客？"她知道那未必是指自己，但"莫名其妙"四个字使她觉得很传神，刺到了她心里，令她鼻酸，但她没有涌出泪水，反而仰脖笑了起来。那场记以为是被他刚说出的话逗笑了，也陪着笑。

10

多数记者总算离开了猎物——采访对象，抓紧时间过来吃喝。剧中饰女一号的艳星率先解脱，笑吟吟地也去取酒。有些崇拜者过去请艳星签名，艳星很耐心地把刚捏在手里的高脚玻璃杯再放回酒菜台，姿态优雅地满足他们的要求；有的人递过去的只是餐巾纸，艳星也并不愠怒，若无其事地接过来，用签字笔在上头龙飞凤舞。还有些人挨上去，让同来的人抢拍跟她的合影，她的态度在拒绝与容忍之间，闪光灯照出的颜面上保持着自然的微笑。

艳星终于又捏起了酒杯，一刹那间，艳星晃动的目光跟她的目光对接，她想躲开那目光，艳星却用目光粘住了她，她略微有些慌乱，艳星却朝她走了过来，并且，令她惊讶的是——她身边的场记比她更为诧异——艳星准确无误地呼出了她的名字……

艳星站在她面前，穿着一身火红的紧身套服，左肩上搭着一条黑绒围巾，那并不围向右肩的处理方式非常巧妙，使"红与黑——永恒的主题"更具魅力。她细观艳星衣着时，艳星也在扫描她。她嗅出了艳星的香水品牌，是法国巴黎香奈儿；她不禁收紧肩胛，因为更锥心地意识到自己的穿着在这样的场合不甚得体，以及自己所使用的化妆品所氤氲出的气息不够高雅……

艳星在另一家公司出品，由另一位导演执导，所拍的一部电影里出演古装女一号时，她曾与另外六个"京漂"在其中充当过宫女，拍戏的那几天里，艳星有自己的化妆车、化妆师和小保姆，很少跟她们这些龙套过话，也肯定并没有问过她的名字，顶多是导演助理、副摄影师、场记、剧务什么的高声喊过她的名字，而今天艳星见到她，竟认出了她，并记起了她的名字，.这说明了什么？艳星不愧德艺双馨？还是她确有值得储存在大腕记忆里的某种素质？这肯定是个吉兆！

　　艳星连她来自什么地方都知道，说起了对那地方名胜古迹的印象。艳星是刻意要让她，以及周围的人，对自己如此礼贤下士、平易近人留下铭心刻骨的印象。她呢？清醒地意识到，此时此刻，在羡妒目光包裹下，她却绝不能表现得受宠若惊、急功近利，必须礼数充分而又矜持恬淡，就像她们都是大腕，或同是"京漂"一样。

　　那发出"怎么每回这种场合总有些个莫名其妙的食客"感叹的半老徐娘，风韵已经荡然无存，却原来是个资深的"影评人"，过来举杯向艳星祝酒，稍带也淡淡地给了她一个笑容，似乎是用那一笑来把她从"莫名其妙"的范畴里删除……

11

　　她不记得在那乱烘烘的多功能厅里又跟哪些人打过招呼、凑在一处、谈笑风生，只记得到头来她喝葡萄酒过量了，后来就头晕、内急……单记得她去往洗手间的时候，在突然清净许多的玫瑰色大理石过道里，突然悲从中来——除了混了一顿吃喝，今天又是颗粒无收！啊，舞女，是永远的漂流……

　　她坐到马桶上以后，曾有过一段静寂，甚至可以说，整个宇宙连同她的生命都有一个停顿，那个顿号究竟滞留了多久，直到今天她也还是弄不清……

　　有一阵突发的声音使宇宙和她从停顿中惊醒。那些声音很奇怪，不像暴风骤雨，更不像鬼哭狼嚎，是任何视听艺术里不曾提供过的，令她本能地恐怖。她站起来，收拾好，赶紧打开马桶间门扇打算尽快离去。那阵声音在她打开门扇前已经戛然而止。但门扇开启后她眼里跳进来绝对意想不到的事物，于是她听见一声凄厉的惊叫，那声音是从她魂魄里爆发出来，并立即又反馈到她耳膜的。她双腿先软了一下，紧接着是弹簧般地跳起逃窜，结果她被一具绵软的人体绊倒……

12

她先被带到饭店保卫部，后来又被带到公安局。她被反复讯问。开始语无伦次，后来她渐渐冷静下来，如实地讲述她所闻所见及被绊倒的全过程。

有人在女洗手间被刺。凶器是匕首。她衣衫上染上了被害者的血。

公安部门没把她当疑凶。她身上和皮包里都没有匕首。但把她当做了最重要的证人。另外一些证人提供了很有价值的线索，凶手很可能是两名男子。

在讯问记录上签过名并按了指印后，一位女警察递给她一杯热茶，蔼然地对她说："这不是要求，只是一个建议——你把染了被害者血迹的衣服脱下暂时留给我们，我们借给你一套衣服先凑合穿着，换妥衣服我们拿车送你回家。好吗？"

她喝了几口热茶，拒绝了那换衣的建议，也不要公安局的车送。

出了公安局，只见夏景志在门外街头迎候她。

"真对不起！要不是我呼你来……不过，总算有惊无险。这比《客从天降》的剧情精彩多啦，还拍那个故事干什么，干脆拍这个算啦！我也被讯问了，属于证人之一，不过我还是见缝插针，把消息及时发到了网上，现在这条消息的点击率肯定奇高啦！我的标题是：《中国汤姆·克鲁斯出师未捷身先死》……"

她从恍恍惚惚的状态彻底清醒过来，一把拉住夏景志的手问："被杀的是他？"

"你怎么回事？人家问了你半天，你回答了半天，连那个被撂倒，又绊了你一跤的人是他，都还不清楚？"

人家问她问得很详细，却始终只用"被害者"来称呼那个倒下的人。问她的问题里有一个是："你看见倒在地下的是男人还是女人？"她开头回答："女厕所里怎么会有男人？"后来细细回忆："那人脸朝下趴着，好像穿的不是裙子是裤子——"但她被绊倒前已经晕菜了，又怎能断定被害者的性别？后来她从讯问者口气里感觉到那被害者是个男的，却也没有往"中国的汤姆·克鲁斯"身上去想。

夏景志一脸诡秘，跟她说："事出有因啊！他捞着了这个机会，眼看要暴红暴紫了，就该想到有咽不下这口气的人，会买通黑社会，把他给做了！早该防一手啊！"

她遍体清凉，定在那里，如一具石雕。

13

夏景志要送她回住处，她拒绝了。夏景志自己并不想离开，他觉得应该从警方打探出更多的信息，就又往公安局里钻。

她叫了辆出租车，往她租房的地方开。她竭力梳理心头乱麻。应该赶紧回到她租住的那个独单元，赶紧淋浴，赶紧把带血污的衣衫扔进洗衣机，赶紧吞两片安定，赶紧钻进被窝，赶紧躲到一个巧克力色的迷梦里去……

手机发出蜂鸣音。她本能地接听。在通讯设备上"武装到牙齿"，以及随时接收信息，成为了"京漂"们生存的首要前提；他们每月的电话费总要比房租饭费高出几倍。

是一家俱乐部副经理打来的。请她晚上去表演"模仿秀"。那家俱乐部里海鲜餐厅、药浴冲浪浴桑拿浴、日式指压泰式按摩、台球保龄球电子麻将、KTV 包房……色色齐备，还有夜总会，每晚有两个小时的表演，主要是唱流行歌曲，真的歌星有时也会去唱，因为能得到不菲的出场费，但毕竟真歌星并不能夜夜请到，所以往往以"京漂"的"模仿秀"来充数，并且在报幕时并不说出"京漂"的名字，只宣布所模仿的歌星名字，出台时含混地问一声台下："像不像？"就算没侵犯那歌星的权益。做"模仿秀"时从装扮、曲目、台风必须完全立足于"乱真"，所以"京漂"不可能通过这样的方式出道。她曾去模仿过范晓萱，掌声雷动，献花的不少，但乐趣全无。她只是利用这方式挣一点生活费。在模仿的过程里她痛楚地意识到丢失了自己。她也曾跟那主管夜总会的副经理提出来："能不能就以我自己的面目出现？我至少可以成为你这里专有的一名小歌星。"她甚至提出来，可以保证把聂耳的《铁蹄下的歌女》演绎得催人泪下。那副经理说："我们这里不是'星工场'。范晓萱的曲目里哪有什么'铁蹄下'？你还是多唱'甜蜜蜜'吧！有一点你更得搞清楚，来这儿的人是买笑不是买哭的！"到那里唱歌的"模仿秀"，拿到的酬金只有真歌星的二十分之一乃至百分之一，但为生活计，不少"京漂"还是抢着去唱。她因自尊已经好久没去那里了，可副经理来电话说，原来定得死死的一位真歌星临时毁约，所以请她今晚去救场。她满心不耐，却也只好客客气气地先道谢，再以身体不适婉拒。

她打算关掉手机再不接听任何电话，不曾想跟俱乐部副经理刚说完"拜拜"，蜂鸣音又响起来。

这回来电话的是罗须。罗须的声音带有磁性："来吧来吧快来吧，不要想，要的只是行动：来来来……"

14

罗须有四十多岁了。他在北京的"漂龄"已达十六年。他们前年在一个私人派对上邂逅，从此保持密切联系。

罗须对热衷在影视圈里发展的"京漂"很不以为然。"电影是否算得艺术？这毕竟还可以当个学术问题来讨论。电视绝对不是艺术，却是毋庸讨论的，这该是基本常识。'肥皂剧'么，这称呼还算客气，你看看我们电视上还有些什么广告？肥皂的数量没有月经棉的数量多！电视机是'文化垃圾箱'！坐在沙发上，手里握个摇控器，点呀点呀点呀，换呀换呀换呀，闪呀闪呀闪呀……人自己也就被搓揉成废物了！……"

她很喜欢罗须这些刻薄的议论。罗须称一向懒得搭理影视圈的"废物点心"，她就问罗须："那你为什么容纳我？"罗须盯住她眼睛说："你现在年轻，年轻时迷路并不可耻，也很无奈。可是我从你瞳仁里看出来，有一天你会迷途知返，因为，现在，那里面，有一个，小小的，我，罗须。"她就仔细朝罗须瞳仁里看，没看见一个小小的自己，她更迷信罗须了。

很多年里，罗须很穷。他在北京郊区，租农民的房子住，没有抽水马桶，没有煤气，没有电视机，没有电话，没有像样的家具，有的只是一大堆别人看来绝对是莫名其妙的东西，比如不知从哪儿弄来的破铅丝、烂铜线、旧钢筋。他用那些铅丝、铜线和钢筋，加上一些更莫名其妙的东西，用钳子、点焊机什么的，制作出一些自称是艺术品的玩意。先是摆了一屋子，后来加租了一间屋，又塞满了，再制作出来的就爽性放置在院子里，风吹雨淋他并不心疼，抚摸着那些铁锈，他反而说是与天公在同一审美前提下合作创造艺术品。

罗须这一路的"京漂"，不求闻达，更不求金钱，要的只是艺术；她这样的"京漂"，要艺术，也要名利；在她以下的"京漂"，那就只图名利，根本无所谓艺术不艺术了。她佩服罗须，却实在不想成为另一个罗须。也许，这确实是因为她还年轻，并且，是一个年轻的女性。但是，"京漂"里罗须那一流派，渐渐地，也出了名人，并且利随名至。不过，一般来说，他们的名多半是出在国外，在国内一般俗众当中，还是几乎没有什么人知道他们。她曾在罗须住处，见到过一幅那样的画——画上的光头人像看上去很特别，似漫画，却又极为写实；画上的人表情怪怪的，那种表情只在生命的瞬间出现，画家愣给拎出来曝光，透着残酷。罗须问她："怎么样？"她说："拍电影电视剧，导演最怕群众演员乱看镜头，如果拍出那样的画面，一定要剪掉。这画家却偏画'乱看镜头的人'。"罗须说："你知道他叫什么吗？"她摇头："为什么该知道他？"罗须说："务必记住这个名字——方立钧。他的画现在进了西方主流画廊。这是他一幅也卖不出的时候送给我的。现在这幅画可以换一栋带车库花园的 HOUSE。"

还有一天，她去罗须那里，罗须正送一位男士出来。罗须送毕那位男士才来招呼她。她问："方立钧？"罗须说："方立钧跟他比就算不上什么了。最近美国一本权威美术史，从古代一路数过来，近百年列出专节评述的，只有梵高、毕加索、夏加尔、亨利·摩尔廖廖数人，像雷诺阿、蒙克、康定斯基什么的，都只在综述里提一下，可是最后一位列专节评述的，就是此人。"她吃惊："何方神圣？"罗须告诉她："他叫蔡国强。在威尼斯双年展上，他搞的《收租院现场制作》，倾倒了许多西方美术界人士。"罗须拿出一些国外杂志，指着那上面的照片讲给她听：《收租院》是三十多年前，在四川所谓"地主庄园"里制作陈列的一组泥塑，主题是揭露、控诉大地主刘文彩对贫苦雇农的残酷剥削，"文革"里这组泥塑又加改动，添上了奋起反抗、上山找党的内容，成为那个时代青少年接受阶级斗争和革命传统教育的活教材；现在时过境迁，在西方的"后现代"理论影响下，这种东西被放在跨国资本为后盾的新审美语境里加以现场克隆，反而成为了一种非常先锋（又可以说成"前卫"）的艺术实践。她听了说模模糊糊能懂。罗须夸她："你这个年纪，有这样的教养、悟性不易。"她问罗须："你为什么还不能像他那样有名？至少，你该跟方立钧一样有名才对啊！"罗须笑笑："花开花落任由之。"停顿一下又说，"我现在混得也不错。有自己的空间，可由着自己性子折腾。"

确实，罗须现在的空间相当开阔。他在农村买下了一个虽然很破败，面积却很大的院落。他用了半年的时间，基本上是靠自己动手，把那院落修整、改造成了一个艺术乐园。除了生活住房，还搭出了很大的创作棚——不仅可以在里面画架上画、搞雕塑，更可以在里头搞装置艺术、行为艺术，甚至可以当做小剧场，搞自娱性演出。那创作棚一面木板墙是活动的，可以拉开与庭院相通，庭院里有树有花，有怪石有水池，有瓜棚菜畦，还有大片空旷处。他经常约些朋友在那里肆意地发"艺术疯"，不仅有"京漂"，也有属于专业团体的人士。

她很喜欢到罗须那里去。阿铿原来也喜欢去，近来想法变了。阿铿对她说："去那里我们能有什么收获？给他们当实验品罢了。"看她听了皱眉，便又说，"对不起，也许不该把你包括进去。单说我自己吧，越来越觉得是瞎耽误工夫。"阿铿的心思她能理解。比如，罗须和他的那些艺术家朋友，鼓动她和阿铿，以及另外一些去玩的人，参与他们的行为艺术，有一回，是纷纷用各种方式去接近庭院里那株老桑树，爬上去、骑在大分杈上，用绳子兜着胸部、吊在树上打秋千，来一个倒立、身子贴紧树干，三个人叠罗汉、最上面一位采桑叶，爬到屋顶、用竹杆敲打树冠，从树上挂下箩筐、自己坐到筐里……诸如此类，不一而足，旁边有人拍照、录像，这个行为艺术的题目是《与蚕的食物发生关系》。又比如在那创作棚里排演先锋戏剧，剧本由某人刚在电脑上敲出提纲，导演便立即发动在场的人一起参与排演，参演者可以根据自己的理解即兴发挥，有一回她和阿铿，还有另外三个人，头上都被套上麻袋，表演蛆虫的"优美律动"。她跟阿铿争论："至少，这样的参与可以提高我们的艺术悟性！"阿铿说："这样的悟性是一种奢侈。市场不接纳这样的东西。他们搞得比城里小剧场的演出还曲高和寡。有一天我功成名就了，我也许会再来参与这一套。但是我现在必须抓紧时间进入市场，必须赶快出名。生命脆弱，青春短暂，时不待人。你知道古人说过：年光惯会把人抛，红了樱桃，绿了芭蕉……"她就拍着手笑："咦，你最后这几句，不都是在罗须那儿学来的吗？"阿铿还是说："谢谢他们，但是，够了，我不想再去罗须那儿了。"

前些时，罗须问起阿铿，她就把阿铿的想法告诉了罗须，替阿铿解释说："他有自己的追求……"罗须说："当然。生命是在追求里消耗。只是各人所追求的方向不同罢了。是呀，人除了欲望、行动，还有什么呢？思想源于直觉。直觉出现，不想下去也罢，你就判断、行动……"当时她吃不透那话的意蕴，可是，在经历了香都饭店事件以后，在回家的出租车上，忽然接到了罗须"来来来"的召唤，她的直觉是，这正是她此刻所需要的！

她告诉罗须马上过去。关闭电话，她让司机改去远郊。

15

罗须一脸胡须，在村口截住了她坐的出租车。

罗须从来没有这样等待过她。下了车她就问："为什么不让车开拢你那院子门口？"

罗须说："我很抱歉……"

罗须从来没跟她道过歉。也从没听罗须跟任何人道过歉。

风把罗须身上单薄的衣服吹得紧贴在他胸腹部，他那干瘦的身体倒显示出了肌肉筋腱的刚硬。罗须上下打量她，更令她觉得奇怪。打量完她，罗须又把右手掌搭到眼眉上，朝她的来路上眺望。

她问："还等谁来？"

罗须搂过她的肩膀，说："再不要谁来。来，先跟我躲躲。"

"躲什么？为什么躲？"她感觉到了不祥。

16

一个绝对不能用腰带，只能用吊带系稳裤子的胖子，剃着个板寸头，坐在电脑台前兴奋地喊："又有那个夏景志贴到网里的新消息……咱们再从新来过！"

他就是剧作家兼导演豁豁。他不是"京漂"，供职于某专业剧团，热心小剧场创作，但他的艺术追求走得实在太远，以至还没有任何一个创作设想被允许公开演出。他就总跑到罗须这里，在罗须的私人创作棚里面，拉些也是来玩的客人加入到他的戏剧实验里。

豁豁最近宣扬"复制现场"的戏剧理论。他能根据报纸上的一条社会新闻，立即着手排演那新闻里的某个或数个"现场"。有人责问过他："你这不就是活报剧吗？"他便侃侃而谈："活报剧不是艺术，是宣传。我的复制现场，没有先行的主题，也没有要参与者受某种道德训诫的目的。发生过的事态，流动的生命体验，实际是不可复制的，因此我们复制现场，还原生命的瞬间感受，是很悲壮的一种行为。知其不可为而为之，正是戏剧艺术的生命力所在。我的戏往往不要纯粹的观众，每一位参与者都既观看，也表演。我所谓的复制，绝非活报剧那样的脸谱化图解。参与者只要心中有大悲悯，能启动生命脆弱、身不由己的意识，便可以用自己觉得恰切的任何方式来诠释事件与人物……"

一个小时以前，从接到关于香都饭店刺杀事件消息的头一个电话开始，他就在即兴编导、安排复制了。一位对他那戏剧理论心有灵犀的男"京漂"，就以一段即兴舞蹈，以及裹着被单扑到地上久久蠕动动的方式，"复制"了"中国汤姆·克鲁斯"被刺的"事实"与"濒死感受"。后来从互联网上看到了第一篇报导，提及凶手被疑为两个受雇的男子，并传闻事出于有人与受害者争抢那一角色，豁豁就又立即编出了更多的戏，在场的男男女女就在他指导下纷纷投入了"复制"，他自己也用一把折扇在指间翻动，说是在复制"雇凶者的心情"。

罗须对于来他那里玩艺术的人们，总是一欢迎二绝不干预三自己并不一定参加。他给她打电话时，并没在意豁豁搞的那些把戏究竟在复制一个什么事件。他出出进进忙些自己的事。他忽然想到了她，从直觉上觉得应该把她叫来聚聚。

她回复罗须马上来。偏这时豁豁从网上看到最新报导，从中得知了香都饭店惨案更精确的信息：具体作案地点是女洗手间，一位女士从马桶间里推门冲出，被趴伏的受害者绊倒，那女士叫什么，经讯问后已从公安局出来，衣衫上还留有受害者血迹，等等。豁豁的复制激情更加高涨。在他编导下，有人搬来箩筐充当恭桶，有两个人挺直身子充当门扇，有一个女"京漂"则扮演她，在一系列形体动作之后，那复制她的姑娘撑开一把红伞，以晃动那把红伞来复制她身有别人血迹时的潜意识，豁豁本人则吟诵一首刚写出的诗，说是复制上帝俯瞰现场时的心情……罗须那时走回他的创作棚，听见那复制剧里几次出现她的名字，过去问豁豁怎么回事。豁豁说是信息来自互联网，罗须就去电脑前看，看完了就直奔村口去等候她。

17

罗须带她从后门直接进入了罗须的卧室。那扇门那间屋子罗须一般是不对外公开的。屋子的窗户都遮着从屋顶垂到地面的大帷幔，白天也需要开灯照明。那是罗须的一种怪癖。

一进去她就觉得鼻腔里袭进浓浓的气息。那是被存储在屋子里的男人体臭。这股气息在那特定的生命处境，特别是心理状态下，给了她一种意外的满足。她忽然觉得，她所急切地需要的，正是来自男性阳刚之气的庇护，而在这个隐秘的空间，罗须恰能充当庇护她的神祇。

她的父母在她五岁时离婚，她从小跟着母亲长大。她的生命发育期里不仅没有可以亲近的父亲，也没有叔叔、兄弟，甚至没有舅舅——母亲也是独生女。就在身旁的罗须，此刻集父亲、兄长、男友、丈夫、情夫，所有能给她庇护的雄性角色于一体，仿佛一根柔弱的藤萝，她扑到罗须身上，簌簌抖动，越箍越紧，希图作为大树的罗须那刚硬的躯体输入给她最充分的安全感……

罗须以回抱与抚摩呼应她。罗须知道，正如男性在失败与恐惧的沮丧中会以自慰来缓解焦虑一样，女性在同样的心理状态下会有同样的生命本能爆发……

可是，罗须估计，她的恐惧还只是停留在已发生过的事态上，她还没有意识到，更恐怖的事态正在衍生。罗须拍打着她的脊背，试图让她冷静下来，以便帮助她渡过这一次生命危机。

18

夏景志被礼貌而坚决地请出了公安局。带着便携式电脑，他像喝醉了酒一样，摇摇晃晃地走在大街上。

因特网真是个好东西。他发给网站的消息，网站很及时地给他贴到网上，即使网站头头为了谨慎，对他有的报导有所删改、修正，他还有自己的个人主页，在那上头他不仅完整地陈列出"刚出炉的烧饼"，还附有简单而俏皮的评论，免费供人下载，再加上他时不时地给一些朋友发送"伊妹儿"，这样，他对香都饭店刺杀案的直击而又及时的报导，肯定使他在传媒界的名声暴涨，说不定，更大的传媒，会以很高的出价，把他挖走！咦，人生难得是机遇，怎么等了那么久的机遇，今天竟从天而降？啊，啊，《客从天降》，这部戏的名字里，就埋伏着谶语！

手机响起来，他便坐到人行道大杨树下的长椅上，接那个电话。来电话的人也是埋怨他改了手机号码不及时通知，说是绕了好大一个圈子，才算打听出了他新手机的号码。他听了很得意,说:"纳米时代嘛！"究竟什么是"纳米"，他也还不甚清楚，但这样说心里实在痛快。他原来那个手机，连汉显都没有，现在网站给配备的，不

京源女

L·X·W

仅有汉显记事功能，而且小而薄，奶黄色，地道的掌中宝，带来的，迄今为止，全是好消息！

打电话来的，是查锰。查锰是"京漂"里的另一类——做书的，也就是人们常说的"个体书商"。查锰单刀直入，问他"先付一万干不干？"他一听就知道是要赶着制作一本尽快上市的，关于香都饭店惨案的书，一万怎么能干？他还没把不干的话说出口，查锰就紧接着告诉他，不是要出一本由他那些报导构成的书，而是要立刻推出一本"纪实推理侦探小说"，已另请了四个人捉刀赶写，但欢迎他参加撰写"纪实"部分，即第一部分，只需要两万字。他心里还在掂掇犹豫，查锰那边已经这样说了："你不愿意拉倒。跟你说吧，这书抢出来一开印，那就跟印钞票一样！到时候咱们再分红！你听我这书名有多现成：《刺客从天降》！不过，他妈的，你别马上嚷嚷出去！"他知道查锰的厉害，香都惨案才发生了几个小时，查锰手里的那几个捉刀人肯定已经在"推理侦探"，并且已经就要"真相大白于天下"了，这本书他至多七天乃至三天就能出手，满书摊上亮相。略想了想，他就说："行。你先给我一万现金。书一上市你再给两万，别耍赖！他们再写得好，我是源头！"查锰于是约他马上到曼陀罗咖啡厅见面。

想到顶多半小时以后，自己就能拿到一万现金——就算以后再拿不到钱，也是两个字一块钱的稿费标准了，如今多少著名作家，稿费、版税都远到不了这个数目，甚至只有这个标准的十分之一——哈哈，他那"酒不醉人人自醉"的劲头更浓酽了。

忽然，他觉得有阴影罩住了自己。仿佛一朵黑云落到了他身上。他一抬头，发现身前站着一个陌生人，戴着前檐特别阔大的旅游帽，帽子压到眉毛上，脸庞模样看不真。他本能地要站起来，却有一只手按住了他的右肩膀，一偏头，他身后有另一个人，跟身前那个人一样，很魁梧，也戴着同样的帽子，脸庞也看不清。他顿时感到有一桶冰水扣到了头上，刚才的欢欣烟消云散。

他在惶恐中听见身前那个人很和蔼地问："女厕所里那个娘儿们，她住哪儿？告诉我地址。"

他心里立刻明白，嘴里却说："什么女厕所？谁？我不知道……"

那从后面按住他肩膀的手给他施加了压力，仿佛有个秤砣就要嵌进肩膀肉里。

"你不想说，是不是？"口气还是非常舒缓。

"不是。我真不知道。我没去过。我们光是通过电话。"

"那就告诉我她的电话号码。"

他说了。

"这是住处的？手机呢？"

"我，我记不真……"

"查！"口气不客气起来。肩膀上更沉重了。

他就从手机储备信息里查。查出来报出那号码。

"地址！"

他查地址。忽然那两个人在一瞬间离开了。他觉得像一个圣诞的梦境。

马路上他所在这一侧，巡警的吉普车缓速开了过来，又开了过去。

要不要跑过去，招手报告？他有去的念头，身子却像烂泥般瘫在长椅上，动弹不得。

19

在罗须的创作棚里，豁豁的编导方式受到挑战。

跟他叫板的是一个满身腱子肉，却梳着一条肥黑大辫子的男子。他叫游宾。是个原来醉心于独角哑剧，现在也想往先锋戏剧的编导方面发展的"京漂"。他头上留辫子的方式，不是像清朝男子那样，把前头脑壳上的头发剃光，而是跟少女一样，丰满的头发往后拉紧，在脑后编结为发辫，那条大辫子长及他脊背中央，而且他还很喜欢把那辫子从左肩捞到前面来。

游宾对豁豁说："够了！你那复制现场的把戏黔驴技穷了！戏剧的真正要义，并不是展现已经发生过的，而是想象可能继续发生的！现在我们应该这样探索这样表演：杀人的跑到哪儿去了？那被血泊中的倒霉蛋绊倒的女子后来怎么了？而且，那被刺的家伙果然已经死了吗？他被送到医院经过紧急抢救，很可能还能活过来！可以设想，他的敌人雇下的凶手并不打算犯个死罪，他们的目的只是让他再不可能拍戏，更不可能成为什么'中国的汤姆·克鲁斯'，就是说，废了丫头养的！那么，他清醒以后，会是什么心情？那个卷进这场恶梦的女子，会不会跟他，或者跟凶手之一，乃至跟幕后雇凶者，在特定的情境下，产生出怪异的感情，派生出令观众吃惊而又暗羡的一段对手戏？豁豁，靠边站！让我的好戏上场！"

几个支持游宾的戏剧疯子就哇哇地叫："快编！快导！咱们玩更过瘾的！"

豁豁很大度，拍拍游宾的辫梢说："老兄，我是最主张艺术多元的！你就来你的！咱们井水河水，两不相犯！"还对待在电脑跟前的人喊："那个姓夏的'娱记'又有什么新报导？"

电脑旁的人回答："他们网站上没新消息出来。"稍隔一会儿叫了起来，"咦，邪门！怎么他自己的网页消失啦？刚才还能调出来呀！"几个人就轮流点击，宣布："的的确确，神秘消失啦！"

游宾不信，走过去看，看不到，就说："你们别把罗须的电脑弄坏了！让他来给看看吧！"

几个人就高声呼唤："罗须！""罗兄！""罗掌柜！"

豁豁抱着活动减肥的目的，积极地跑到院子里，再往四角去叫罗须。没有应答声。豁豁回到创作棚里宣布："罗须出去啦！他那辆松花江没影儿啦！"

大家乱烘烘的，连打带闹。倒也没人在意。罗须经常并不完整地参加他们的活动。很可能，是开车给大家买吃的去了。罗须有"小孟尝"的美誉。他没有孟尝君那么样的社会地位，钱也没那么多，你看他现在也还买不起小轿车，连那辆松花江小面包也只是二手车，但他的爱才好客，有口皆碑。

有谁打开音响，放送出斯特拉文斯基的《火鹤》，游宾带头扭动起来，大家都根据自己对那音乐的理解扭动，连大象般的豁豁也不例外。整个儿是个群魔乱舞的场面。

20

曼陀罗咖啡厅不大，在"京漂族"里却挺有名。女老板原来是第一代"京漂"，演过两部电影三部电视剧，却既没能在影视圈里混成腕儿，也没能在观众里头好歹混成个"脸儿熟"，于是急流勇退，金盆洗手，用几年里的积蓄，开了这间咖啡厅，兢兢业业地当上了老板，奋斗的目标，由原来的演艺圈里称后成腕，改成了在京都商界里发展成大型娱乐城的董事长兼总裁。

说是咖啡厅，其实更像个酒吧。女老板经常亲自在 L 形的柜台后面待客。柜台里面的一整面墙，下头接出台面上放置着有研磨喷雾煮沸功能的咖啡机，以及可乐、雪碧、芳达零灌机，墙壁上面的隔架上陈列的却大都是威士忌、科涅克、罗姆酒、干红、干白、伏特加，以及各种品牌的瓶啤与罐啤。

L 形柜台外面的五只高脚凳此刻全坐着人。其中跟女老板最熟的是查锰。查锰存了一瓶 XO 在这里，每次来了总是"喝自己的"，女老板给他倒酒兑冰块时说："从今天起我要收一百块钱服务费啦！"女老板递过酒，他不正经接那酒杯，而是握住女老板那肥白细嫩的手，一个劲地摩挲，女老板抽出手来，啪地拍了他脸蛋一下，笑骂道："还想白吃豆腐，美的你！下回我一定在你那酒里下些砒霜！"他就涎皮涎脸地伸出脖子去："砒霜多麻烦，你就立马拿那把餐刀宰了我吧，亲爱的，那将是我最甜蜜的时刻！"旁边几个人就怪笑着起哄："宰吧宰吧！""我们都能给你作证——案发时你不在现场！""是呀是呀，案发时你在我床上呢！"女老板抄起查锰那杯酒就朝他们泼成一条水龙，几个人跳下高脚凳，尖叫着躲，厅堂里喝咖啡、嗑啤酒的全是熟客，知道这是本地风光，或管自侃山，或跟着哄笑。

查锰忽然严肃起来，看看厅里的挂钟，再看看腕上的手表，立刻打手机，关了手机，骂道："没有开机？！他妈的怎么回事儿？早该到啦！"那四个喝罐啤的写手知道他是在骂夏景志，有两个就说："没他咱们照样开锅！""反正他那点资料全在网上了，我们捎带脚就把他那部分摆平，你就把他那份钱给我们哥几个三一三十一算啦！"

正乱着，进来一个人，猛看以为是夏景志，细看原来是都菲。

都是熟人。招呼打成一团。

都非兴冲冲地说:"那,我要给你们泄露一个大机密耶!"

都静下来,想听。

都非说:"《客从天降》摄制组解散啦!哗,几个钟头以前,开镜的时候,还好热闹呀!女化装间的惨情一爆,呜哇,转瞬间,凄凄惨惨戚戚……导演和女一号立刻宣布退出,那应该的啦,谁知道这潭水究竟有多深啦,艺术诚可贵,生命价更高啦!出品人赌咒发誓,他绝对没有得罪过方方面面,蛮委屈的啦……!"

几个人就打岔:"这算什么机密!""停拍是必然的嘛!"

查锰问:"你小子好像并没去香都,夏景志才是第一目击报导者,你遇见他了吗?"

都非说:"何必遇见他本人呀,他那些网上的资讯,资源共享嘛……我要告诉你们的机密,就是拍摄《心比火热》的同人们,马上就要以这个题材,拍一部新戏啦!片名你们说巧不巧,那,就加一个字:《刺客从天降》!……"

查锰觉得耳朵里掷进了一枚炸弹,跳起来,揪住都非脖领子,大声吼:"你哪儿偷来的创意?"

都非莫名其妙,张开嘴巴合不拢。

查锰断定是夏景志出卖了他。怪不得不来,怪不得连手机也彻底关闭了。我可是答应给他一万呀,整摞钞票都带来啦,谁能给他开更高的价呀?这个下三烂,非把他放了血不行!

21

一架飞机正从某省城的机场跑道上腾起。飞机上并排坐着一对夫妻,那传媒上已经爆炒过一阵的"中国汤姆·克鲁斯"便是他们的儿子。

给他们打去的电话直截了当地告诉他们,发生了一桩什么事,他们儿子还没死,但抢救能不能成功,很难说,让他们赶快飞过来,直接与医院和公安局打交道。

站 冰

晴天霹雳，直劈他们的魂魄。

他们都才五十出头。两个人都属于"老三届"——现在的青年人还能懂得什么是"老三届"吗？——"文革"初期，他们都是"毛泽东文艺宣传队"的成员。"宣传队"学跳革命芭蕾舞剧《红色娘子军》，他扮洪常青，她扮连长，虽然伴奏用的是单声道录音带，音量很大声浪很硬，而且娘子军们的脚尖不能完全立起，各个角色的舞姿也多有破绽，但在他们所演出的小天地里，还是大受欢迎。他还一度被唤作"小庆棠"。那时能被人这么呼唤真让人得意。现在的青年人还有几个知道有个叫刘庆棠的？那是舞台上头一个跳洪常青的演员。

后来他们一起到农村插队。什么又叫做插队呢？那可不是北京话里"夹塞儿"的意思。他们依然热爱文艺，表演过唱起来跟吵架差不多的《文化大革命就是好来就是好》。

再后来他们看电影《春苗》，幻想着也能被选进那样的摄制组，哪怕只扮个批斗"走资派"场面里高喊口号的小角色。看电影《决裂》，他们知道有个演反面人物的演员叫葛存壮，那反面人物居然在课堂上大讲"马尾巴的功能"，他们在地头休息时就常常学那滑稽的腔调，大家笑成一团。

再后来忽然发生了很大的变化。他们坐在电视机前观看了对"四人帮"的公开审判。他们回到了城里，分配到了工厂。老相识见了他还叫"小庆棠"，他听了脸红心跳，使劲摆手。那时候刘庆棠已经作为"四人帮"的爪牙被抓起来了。

但是他们还是无可救药地喜欢文艺。工厂里的业余话剧团演出《于无声处》，他俩又一次同台。他们结婚了。他们对着九英寸的黑白电视机，屏住气息观看美国电视剧《加里森赶死队》；他们被电影《瓦尔特保卫萨拉热窝》迷住了，以至连看了三遍；他们的儿子出生了，摇篮边的双喇叭录音机里，放送出李谷一那月气声演唱的《乡恋》；看完宽银幕电影《神秘的大佛》，他们激动不已，不光是觉得极其好看，也觉得他们心目中有了具体的英雄榜样，那就是影片里扮演女主角的刘晓庆——从此他们永远关注她，仿佛他们的文艺梦，都由刘晓庆给代为圆满了，剩下的任务，就是把儿子送进文艺界。上幼儿园期间，他们带儿子看日本电影《追捕》，儿子被吓哭了；上小学期间，他们带儿子看话剧《雷雨》，儿子睡着了，这都让他们扫兴；但儿子一天天长大，小学毕业时，儿子在台上参加了小合唱《雪绒花》，他们坐在台下听得眼睛湿润。他们经济上不富裕，不能给儿子置备钢琴，他们就投资让他学拉小提琴……

带儿子去报考过音乐学院附中，落榜。中学毕业，儿子考电影学院、戏剧学院都没能进入复试。他们灰心了，但儿子那打进文艺圈的决心却空前高涨起来。

他们对文艺渐渐地疏离了。电影票贵得吓人，好不容易下决心去看了回美国大片《廊桥遗梦》，出了电影院直心疼所花的钱，不是他们思想保守，不能容忍有丈夫的娘儿们另去爱一个老头儿，实在是那电影不能引出他们丝毫感动；电视天天看，但那些摇滚乐、流行曲，还有那些以豪华办公室、别墅内外、歌厅舞榭为基本场景的电视剧，里面那些穿着考究的"成功人士"拼命地在表现苦闷、忧伤，他们看了只是发呆；前两年他们里头的她又下了岗，爱好文艺之心更淡薄了。

儿子有了个由头，提出到北京去闯闯，那气势是他们爱同意不同意，心已成铁，不可回软，他们也就下定决心，鼓励支持。儿子上火车时，原来他们已经给他带了三千块钱，临到车快开了，母亲又把一个信封递到窗口里儿子手中，那几乎是她的全部私房：一千元。儿子从渐远的车窗里探出身子对他们喊："想想'马尾巴的功能'！"他们会意。葛存壮说过："我最得意的作品就是葛优！"他们梦想进入文艺界，那梦太久太旧，苍白得快跟肥皂泡似的破灭了，却被葛优终于给葛存壮争了气的事例又修补、装饰起来，人到中年，依然有梦，寄托在了儿子身上。

成为"京漂"的儿子使他们屡屡失眠。忽然有一天邻居拿着报纸上的娱乐版跑来给他们看，儿子居然被看好为"中国的汤姆·克鲁斯"，在大导演调理下，跟爆红的艳星合作，主演《客从天降》！这真是喜从天降啊！这晚上他们俩彻夜失眠。儿子自己没有马上打来电话他们也不计较，他们懂得，那样的大任压到肩上该有多忙！他们靠在床背上几乎聊了一夜，以往所有跟文艺有关的事情都从心头冒出涌出，马尾巴的功能，马尾巴的功能啊！只是为了美国的那个汤姆·克鲁斯究竟演过什么片子，两个人讨论时互相不服，竟至于争红了脸！

从那晚以后，他们连睡了好多个香甜觉。忽然有天深夜儿子来了电话，跟他们道歉，说实在不该这时候打电话来，可是实在太忙了，只有这当口能打电话……剧组前期工作已经全部完成，资金也全部到位，马上就要开机实拍，宣传也全面铺开，估计两个半月后封镜，后期制作再用一个半月，然后会组织看片会，以促发行，不过因为普遍看好，预订的已经不少，那时候，他也领到全部报酬了，他会出钱，请他们坐飞机来北京，住进宾馆，先睹为快！儿子在电话里还感谢他们的熏陶，说："要没你们那'马尾巴的功能'，我现在还不知道在哪个旮旯里窝着呢！"他们轮流接听那电话，当妈的激动得哭了起来，当爸的挂断电话后还傻笑了好久。

他们还都没有坐过飞机。

这是第一次。但不是去看儿子拍完的戏……

22

夕阳给香都饭店那造型独特的楼体镀了层金。饭店附近的"停鸡坪"上已有"鸡"在来回转悠，也有打野食的男人来此寻觅，将相中的"鸡"携过饭店里消费取乐。

饭店金碧辉煌的大堂里飘荡回旋着弦乐四重奏的高雅曲调，衣香鬓绿的豪客来来去去；中午举行《客从天降》开机仪式的多功能厅里，现在正举行着一个中外两家大公司的签约仪式；发生过惨案的洗手间在公安部门完成拍照、取样、搜索后，早已拖洗干净，照常开放，里面依然是微香袭鼻，隐蔽的音响喇叭里传出詹姆斯·拉斯特乐队演奏的浪漫曲……中午这里面真的发生过那件事吗？

人们照样生活，照常享受。正如世界不会因为妇产医院有新生命坠地就发生突变一样，社会也不会因为有新的刑事案件发生就停止它的运转。

在饭店大堂吧一角，一盆高大的散尾葵旁，阿铿正和推销完《心比火热》的出品人、编剧、导演坐在一张圆桌边，就拟议中的《刺客从天降》交换意见。阿铿被他们相中扮演男一号——刑警队长。出品人并不讳言，约阿铿来演是为了省钱："你还没出道，先图个过戏瘾吧；也许这片子就是你出道的桥梁，现在你少拿点，将来你不用开口也就少不了，是不是？"导演说："警匪戏已经拍烂了，剧本必须出新我才接活儿。"编剧说："不搞成破案的故事。这素材也才刚呈现，实际上离破案还早着哩。凶案的指使者可以始终不露面。把戏写成阿铿那一角在调查过程里，跟那个在女洗手间里被吓个半死的姑娘产生了感情……"导演摆手："唉呀，都市言情戏也拍烂啦！"编剧说："这可就不是一般的都市言情了！我们还可以就请那位姑娘本人来演，听都非说她今天上午去咱们首映式来着……把这个卖点通过夏景志那样的网虫、报虫先散出去，这片子发行上肯定有突破！"阿铿听了就说："好主意！她也该因祸得福了！我去跟她说，她肯定接这个戏。她其实很有潜质！"出品人问："你跟她很熟？巧了！是不是你早跟她有一腿了？"阿铿一笑，避开这个问题接着出主意："那个没多少戏的倒霉蛋，一开演就让人堵到女厕所里扎倒在地的'中国汤姆·克鲁斯'，我看就让都非演吧，他这人虽然矫情，反正戏不多，多指点他，能胜任。"编剧说："这角色戏份为什么不能多？搞不好，把他当成男一号。耐琢磨啊！我就一直在想：他为什么倒在了女洗手间里？难道一定是凶手把他逼进去的吗？"阿铿听了不高兴，拿眼看出品人，出品人就说："别太想入非非。刑警队长还得是男一号。这样也好通过审查。"喝着咖啡又议论了一阵，出品人嘱咐阿铿："你这就给她打个电话吧。想必她已经灵魂归窍了。看她能不能来一趟？对了，这个伤心地也许她忌讳，那就另约个地方，她要今天实在恢复不过来，那就明后天约一下。"阿铿打她手机，没有开机。打到她住处，是电话录音，让留言。出品人说："我可不能久等。商机一错过就好比赶火车误点，只有干跺脚的份儿。其实不一定找她演。能演这个角色的姑娘我一抓一大把。前两天跑来找我的那个薇薇就行。"阿铿说："包在我身上。至迟后天她肯定跟你见，接戏绝无问题。还是她演卖点高啊！"阿铿心里想，一定要在电话里跟她说："到头来在镜头前面跟我接吻的，命中注定是你。这个导演不嫌我个头高。演那场面时候，你就使劲踮起脚尖吧！"

23

天竺机场新候机楼二楼餐厅角落，坐着灰头土脸的夏景志。他要了一份意大利通心粉，吃了两口就再也咽不下去。那个原来令他极其得意的便携式电脑，此刻就跟赃赃似的，被他竖在桌下，用两腿紧夹着。他盯着通心粉上的番茄酱，就仿佛那是"中国的汤姆·克鲁斯"身上溅出的血浆。恐怖充塞着他的心臆，连呼吸都困难起来。他已经买下了一张飞往银川的机票。那里有他一个叔叔，也许能容他暂避一时。班机还有四十分钟就起飞，他应该去换登机牌，通过安全检查，到候机厅里去等着登机了，可是他又犹豫起来。

……看来，这不是一桩简单的凶杀案……甚至有一个集团在背后运作……黑社会？原来大家嘴里总拿"黑社会"这个词儿开玩笑，又是什么你像龙头老大，她像虎豹阿姐，嬉笑怒骂，你推我搡，何尝真正相信有那么个存在？看那些盗版的香港烂剧，黑社会打打杀杀，乱扣人质、滥杀无辜，只觉得有趣，有时甚至还觉得残忍怪戾得不过瘾；跟圈里的编剧、导演们侃起山来，也净瞎给他们出主意，要他们在警匪戏里把黑匪们表现得更生猛、更阴鸷、更毒辣……谁知今天黑社会真的把触角伸向了自己，只轻轻往自己身上一点，自己就魂飞魄散、六神无主了！……到公安局报案？怎么说得清楚呢？万一公安局里就混进了他们的人呢？给查锰攒那本小说，不就得安排这样的情节、人物么？否则谁爱看？你要有那印起书来跟印钞票一样的效果，就还得更神更绝！……真的呀，那两个戴长檐旅游帽的人，他们并不算神也并不算绝，可我真的是晕菜了！……停了报导，撤了个人主页，关了手机，脚底抹油、腋下生翅，三十六计，这是上策！可，明天怎么办？后天呢？……

……广播里传来催促搭乘他那趟班机的旅客抓紧登机的声音，播音小姐的声气总那么和蔼，和蔼得有些个无精打采……夏景志却挪动不起沉重的屁股……如果不走呢？……已经把她的电话号码，家里的和手机的，都说出去了！泼出去的水，怎么收回？……他们已经给她打电话了吗？他们为什么要掌握她的电话号码？……她很危险？对不起她？怎么保护她呢？给她打个电话，提醒她注意？不不不，不妥……

我没做错什么事，我很诚实，从幼儿园的阿姨开始，就一再教导我们要诚实，不能撒谎啊……我是个软弱的人，软弱无罪，上帝原谅弱者……可我又为什么非这么样去想？……他们不能不防着她，一定有他们的道理！……知人知面不知心！怎见得她就肯定无辜？那"中国的汤姆·克鲁斯"怎么会倒在女厕所里？也许，是他自己摸进去，找她去的！甚至于，是她把他勾引进去的！而那两个行凶者，说不定是预先藏在女厕所里的！……她漂了几年，总出不了道，也许，人穷志短，百无聊赖中，她就接了这个活儿！那一定能拿好多好多钱！……太离奇？查锰想要的，得比这个更离奇才行！……查锰还在曼陀罗咖啡馆里吗？先付一万，多乎哉？不多也！可是我如果去了银川，又哪里去找现现成成的一万块？……我跑什么？倒好像，那"中国的汤姆·克鲁斯"，是我杀的！……

夏景志站起身，提起便携式电脑，朝楼下走去……下了滚梯，他望见登机安全入口那里，已经没什么人影……广播在继续，在对他那趟班机的旅客作最后的催促……他在休息椅上坐下，不去银川的念头占据了上风……应该打开电脑，恢复报导，开通手机，再蹈沙场！无毒不丈夫，软弱非君子……对，他要在网上宣布：据消息灵通人士告知，"中国的汤姆·克鲁斯"被刺地点是在女洗手间，这并非偶然，那位所谓绊倒在他身上的女士，实在令人狐疑！对，就这么发稿，让网上立刻出现，让明天的小报刊登为头条，让在车站路口兜售小报的无照小贩满大街嚷嚷："看报看报看报！中国的汤姆被刺！中国的梅丽儿可疑！"……嘿，多妙啊，这对她而言，反而是个出名的机会嘛！也等于给她提了个醒！她要跟我刚才那样，害了怕，那她就回家去，或者飞银川！对那些黑社会的人来说呢，我也算是帮他们警告了她一下！……唉，差点把几年在北京打出的地盘拱手放弃，何必何必……快，快去退票，等航班起飞后再退，那就损失太惨重了……

夏景志腾地蹦起来，朝退票处跑去，把旁边正坐着看报纸的一位男士吓了一跳。

24

罗须开着松花江面包车把她送回了住处。进了房间，她不让罗须走。她害怕。罗须说还得回去对付那些在他乐园里狂欢的人。罗须嘱咐她，关闭手机，拔掉屋里电话线，再别接听任何人电话，但必要时可以给他打电话，他会随叫随到。罗须离去前又嘱咐她锁好门，如果有人按门铃，最好别理，坚持到明天早晨；他明天早晨会来，不按门铃，敲门，敲出一种花鼓点，从猫眼里看清是他以后，给他开门；罗须把那花鼓点示范了两次。罗须又说她应该尽快搬家，另租住处。她在门边紧紧箍在罗须身躯上，还试图让罗须留下来。罗须亲了她，劝她洗澡、睡觉，什么也别想，让整个神经系统先至少休眠十个小时。

罗须走了。她觉得罗须很残酷。人们都很残酷。人类整个儿残酷。

她脱下那染有别人血迹的衣衫，到卫生间里淋浴。在温热的水流下，她怜惜地抚摩着自己的身体。母亲教她唱的，那谱出国歌的聂耳，所谱出的另一首歌，有两句从她心臆里一再地涌出，回旋，嗡嗡地与喷头泻下的水流和鸣：

> ……尝尽了人生的滋味，
>
> 舞女，是永远地漂流……

从心窝酸到眼窝，又从眼窝苦到心窝。

淋浴完了，墙上的大镜子铺满水雾，她用干毛巾揩去水雾，于是镜子里的她愣愣地望着她。多么年轻的生命，像刚刚开始绽放的玉色玫瑰……罗须说，要躲，要搬，要终止一切联系，那是什么意思？为什么？难道，必须结束"京漂"，回到远方那沉闷的生活里去？她的心在酸楚苦涩中几乎碎裂……

她拢上睡衣，冲出卫生间，扑到床上，攥紧枕头，使劲咬牙。不！不！她不能就此放弃！

为什么要"什么也别想"？她脑子里的念头急速地盘旋，仿佛立交桥上的车流。

……那些杀手并不是冲着她来的……她除了那个倒霉蛋谁也没看见……两个杀手？饭店走廊高处的监视器录下了他们的身影？她却连一个模糊的身影也没看见……她和这件事究竟有什么不得了的关系？……证人？她算多重要的证人？……其实她最倒霉！那倒在血泊里的家伙起码已经上过报纸，又是报导又是照片，"中国的汤姆·克鲁斯"，会有人记得他……我呢？哪张报纸登过我的照片，说过我是"中国的梅丽儿·斯特里普"或者"中国的朱迪·福斯特"？如果已经那样登过说过，就是他们冲着我来，流些血，只要不死，也值！……却连那个女二号的妓女角色也让薇薇抢去了！……他们为什么不去杀薇薇呢？那样的贱货活着有什么意思！……

她翻过身来，把枕头紧紧抱在胸前，仰望天花板。天色已经昏暗，窗外霓虹灯的光影一闪一闪地仿佛在天花板上放映电影，只是焦距总没对清。街上驶过的汽车，车灯的光线在天花板上有如折扇般地开了又合合了又开。传来附近一家商厦门外举办服装模特儿走 T 字台的伴音声，听不真那旋律，只有鼓点嘭嘭嘭地很鲜明。她想起了罗须跟她约定的那种花鼓点。为什么要那样地约定？窗外的生活仍然充满欲望与行动，我为什么要幽闭起来，倒好像是我杀了"中国的汤姆·克鲁斯"！……

她翻身坐起，一眼瞥见床头柜上带录音的电话，仿佛罗须就在身边，她朝他歪歪嘴，赌气地按下了留言放音键。

25

……明天上午十点我们剧组拍游园场面，近景需要几对年轻的恋人，劳务费还是一小时二十元，夏日裙装请自备；如愿来请于今天下午五点以前回电话……

……请最迟于星期六把第四季度房租交来；以后要改规矩了，每季度预交改为每半年预交，请您注意……

……死鬼！怎么好久不跟我联系？我可算跳出你还在迷恋的那个圈子了！老实说，我现在难还是难，可心态好多了！有好多话想跟你说！给我回电话！号码是……星期六晚上我请你去"必胜客"吃比萨饼……

……《莽原英豪》剧组的逃难场面，劳务费一小时给三十，咱们一块去，明早七点，车公庄地铁站里头月台上集合，不见不散……还有，那个姓徐的剧务坏透了，都别理他！……

……咦？又让留言？哼……

……昨天是我生日，等了一晚上，你没来电话。不是责备你。你是我放飞的。你有独立的生活了。我不知道你这些天事业上是否有了突破性进展？还总是跑龙套、"模仿秀"吗？当然，总得磨炼一番，才能颖脱而出，"梅花香自苦寒来"嘛！上个月你来信，写得比以往哪回都长，我好高兴！昨天还又拿出来看。不过，聂耳的那首《铁蹄下的歌女》，抒发的是那个特定时代的特定人物的感慨，当做历史歌曲唱唱，有助于理解以往的那些岁月，你拿来自比，就不恰当了。你的情绪让我有些个担心。不过我信任你，你在大节骨眼上，是不会踩错步子的…………前几天四楼那个田大婶，在菜市场见了我老远就扯着嗓门问："你家那个巩俐最近演什么啦？"惹得周围的人都朝我看！开头我挺生气，后来我想她也未必是恶意，就跟她说："好着呢！你等着瞧吧！"是呀，巩俐她成名，也有个过程嘛！咱们不着急！一是自己要努力提高修养，一是要善于抓住机遇……唉，你也都明白，不多说了。我身体很好，你放心……另外，你要把饭吃好。不能总泡方便面。要多吃西红柿！现在到处都能买到叫做"圣女果"的小西红柿，洗干净生吃，补充维生素 C，最好！……有空来电话，不，省着点也好，还是有空写信吧！我说了这么多你别为我心疼，今天一早我去买了 IP 卡……昨天是我生日，我不能不特别地想你，我把所有的照相簿都拿出来，翻呀看呀，到了下半夜才躺下……想跟你谈心啊，多年母女成姐妹啊……

26

听到妈妈的声音，她不禁挺直脊背，枕头掉到地下，也没觉出，双手下意识地绞在一起，扭动着。

妈妈生日！去年她还记得，不仅当天打去了电话，还提前寄去了三百块钱——虽然没混出个名堂，总算也是靠文艺性劳动挣钱的独立公民了！可今年她怎么就忘了？忘得一干二净！提前退休的妈妈，过着多么清苦的生活！等待她去电话的那些分分秒秒，心里的煎熬是什么滋味？妈妈一个人吃的寿面？谁会给妈妈买去生日蛋糕？虽说用 IP 卡打电话有所优惠，对妈妈来说，录下这许多的话语，该是多么奢侈！……

她决定马上就给妈妈挂电话。但那盘留言录音传出了新的内容：

……听着！你说话小心点儿！你要小心！……

声音陌生而粗暴。

她一时不能从妈妈留言引出的情绪下摆脱出来。但那陌生而粗暴的声音传进她的耳鼓，仿佛在一束菊花上陡然落下了一把带血的刀，她的情绪不能不从伤感与自责转换为惊讶与恐怖。

谁打来的电话？警告？威胁？为什么？……

她在心里快速猜测，哪个熟人在跟她开玩笑？什么人打错了电话？……但聪明的她，随着脊背上有凉气在一节节的脊椎骨里蹿升，心里雪亮：这与香都饭店刺杀案有关！凶杀一方以为她坐在马桶上时看见了什么，害怕她说出不利于他们的证词！

她腾地站起，全身冰凉。录音带走到头了，嘎吧一声停住。

她进门就扔到餐桌上的手机，没按罗须的嘱咐关闭，陡然响了起来。那原本柔和的蜂鸣音，此刻就像钢锥刮过玻璃板一样，钻入她耳朵，令她心悸……

愣了几秒，她，来自远方的京漂女，毅然地抖擞一下全身，勒紧睡衣腰带，晃晃披肩的湿发，朝餐桌迈去。她要接听电话，更要往外打出电话。她的生命意义不在关闭自守，而在投入奋争……

2000 年 12 月 25 日至 2001 年 1 月 3 日绿叶居

蓝夜叉

二十多年没穿过这条胡同了。

变化不是很大。

夹道的槐树似乎也并没有变粗。想来是童年时我人细,那时的槐树望去便觉很粗。现在我人粗了,槐树虽已增加许多年轮,我望去感觉上却持平。不过槐树是更高了。两边枝叶的密合度更稠了,阳光透过槐树的绿冠丝丝缕缕地泻下来,自行车响着清脆的铃声从身后驶来又擦身而过,白发苍苍的老大妈提着菜篮缓缓地迎面而来。谁家院门边,把门的槐树枝丫上吊着鸟笼,鸟主人——一位干瘦的老大爷坐在小竹椅上,不是仰靠椅背而是直腰垂头地打着瞌睡,椅子边搁着一只沏好花茶的、缠着玻璃丝套子的果酱瓶……

我似乎又回到了三十多年前的童年时代。

不过我不愿意回忆。回忆是个讨厌的东西。我爱一位朋友,他的名字叫忘却。忘却长得很丑,是个麻子,但麻子其实就是个筛子,他能帮我们恰到好处地筛下那些不必记忆的东西,只留下甜蜜、自豪与无所谓。人不嫌友丑。我拥抱筛子。

……渐渐走拢胡同口,忽然发现一些赤膊男子在施工,一位不赤膊的男子似乎在指挥他们,或者在训斥他们,而三三两两的路人或胡同里的邻居在一旁观望。我走近一看，看出是在修一个存放小轿车的车库，不消说，那是一座新翻修过的小院的组成部分。

我也站住围观，顺便问身边一位老大爷："哪位首长的宅子？"

"首长？"老大爷白了我一眼，告诉我说，"首长没有自个儿来监工的！是甘木匠的老七，搞个体大发了，烧包儿，摆谱哩！"

甘七？

对，甘木匠，他生了一大堆子女，不仅有甘七，那以后还有甘八、甘九……

我仔细端详那甘七，吃了一惊，活脱脱就是当年的甘木匠啊！只是，当年的甘木匠不曾穿过他那样的 T 恤；我不由得走上前去，我看出那 T 恤胸袋上有带双叶的花朵商标，啊，那是法国的大名牌"梦特娇"，倘非水货，那么起码值数百元人民币；他腰上的皮带，金灿灿的金属带头上有兔头标志，那是美国的大名牌"花花公子"，看来当然是正宗货，那就也起码值二三百元人民币……

甘七见我朝他走近，拧着眉毛，警惕地望着我。我则友好地朝他打招呼："小七！"

甘七退了一步，牟眼上下打量我，问："你哪位？"

"我当年也住这胡同，咱们两家是邻居啊！你那时候还小，我也不大……我小学时候跟你大姐是同班同学……"

"我大姐？"甘七仍旧很不放心地盯着我，他似乎并不存在过什么大姐，他完全是质问的口吻，"什么大姐？她叫什么？……"

"你大姐不是叫甘福云么？"我热切地说，"那时候她净背着你抱着你，你怎么忘了？"

我期待着他那僵硬的面容软融下来，企盼着他眼中漾出记忆的波环，乃至泛出晶莹的泪花，然而，显然他同那位名叫忘却的朋友关系更瓷，忘却给予他的筛子上简直全是碗大的筛孔，他简直想不起谁曾经有过甘福云这样一个名字……

我在甘七和周围人们诧异的目光中突然抽身离去，我快步走出那条胡同，后悔自己不该一时兴起重新去穿过它那幽长的身躯。然而，我那忘却朋友却突然细密了他的筛网，使我心上有些不算沉重也不算粗大的记忆，滚动在筛网上却怎么也跌落不下，毛毛碜碜的好生难过……

一

　　整个 50 年代，我家都住在那条胡同的 35 号大院里。那时候，35 号大院是部里的几大宿舍院落之一。

　　那是很大的一所院落。估计在晚清的时候建成，并非贵族的宅院．所以院门并不堂皇，里面也不按皇家厘定的格局建造。据传是一位原籍江南的富商的私宅，所以除了垂花门以内的四合院，以及围绕那内四合院的若干小偏院和代替院墙的浅进身房舍外，靠东边一大片还有仿江南样式的不算太小的花园，花园里原有太湖石堆砌的小山、月洞门、之形走廊和小轩舍；又据说日本鬼子占据北京时，宅主逃往南方，这院落成为了日本占领军的一所特务机构，因而到我们住进去时，院内的装饰性建筑和花木已被破坏得所剩无多，那花园部分尤其已失去原有光彩，稍能令人有愉快感的，只剩月洞门和一株极大的马缨花树。那马缨花树盛夏时如一柄巨伞，投下大片的荫凉，并且开出一茬又一茬芬芳的马缨花来。开败的马缨花落在地上，并不即刻枯萎，拾起来凑成一把，搁到鼻子底下用那丝状花瓣摩擦鼻孔，可以使你接连打出好些个很香的喷嚏来。

　　那时部里没有冗员，住进宿舍大院的职工个个生龙活虎，各司其职，不过都是拉家带口的，单身职工另有宿舍，不入此院。那时候似乎并无房荒的问题。那宿舍大院有好几年都并未住满。对入住的职工，总务处大概也有什么级别给什么待遇的某些规定，但大家似乎都采取了够住就行的入住原则，因为刚从供给制转换为薪金制，本来并不多的房租，对一些家里人口多、负担重的职工来说，便成了须精打细算、尽量节省的一项开支。因此，出现了这样一种当今北京人难以理解的现象：本来可以住三间或四间房的家庭，他自己却只要一间或两间房住，为的是少付房租。

　　我父母是从解放区来的干部，父亲当时也不过四十出头，已是行政十一级的副局级干部，但我们当时兄弟姐妹五人除大哥已参军去朝鲜外，其余四人都仍在上学，所以父亲没要总务处安排的内四合院中的五间北房，而主动要了月洞门中原做书房用的三间西房，那时候不讲究什么家具摆设，别说组合柜、沙发没有，记得我姐姐新缝出一件布拉吉，想照镜子看看效果，都是跑到内四合院别人家，借人家大立柜的穿衣镜去满足那简单的欲望的。当然，50 年代中期后，我家总算添置了从旧货店买来的大立柜和旧沙发，那是后话。

我家住的那个月洞门里的花园小院，马缨花树的那边，有两间比较低矮的房舍，原是阔人家抚琴清心的小小轩舍，部里做了宿舍用后，将破败的轩舍翻盖成了两间水泥瓦顶的小小平房，那时候，部里的木匠师傅甘大全便自愿选择了那两间平房作为他家的居室。当时，他和老婆以外，已生有七个子女，但他同我父母一样，觉得自己选择的房舍足够一家之用，并且房租上也节约些。我去过他家，回忆起来，似乎也并不怎样的拥挤——外间屋，一个大通铺，睡六位子女，空出来的地方，一张大炕桌，一架碗柜，一些小椅子小板凳，足可供全家用餐和上学的子女做功课；倘在夏日，用餐都挪到院中马缨花树下，那么，那外间屋便有一半是空的。里间屋，一个大通铺是甘木匠夫妇带着幼子睡觉的地方，另外有一个甘木匠打出来的农村式大躺柜，全家的细软可以尽收于内，你想象一下，便可以明白甘木匠当时何以并不觉得租用那两间平房有什么委屈之感。

人的空间感和空间占有欲，确是随着时代变化的。

二

我那时觉得甘木匠是一座塔。其实当年的甘木匠还不到四十岁，我却以为他是位老大爷。也许甘木匠身高不过只有一米七几，我印象中的他那是必须仰望的。他总胡子拉碴的，不仅是络腮胡，有时候，他那微凹的腮窝上也布满长长的胡须，如果他剃一点胡须，那就只剃腮上的部分；他一年四季里除了冬季，似乎三季里上身都仅穿一件中式的无袖无领的白布小褂，前后两部分中间只用若干布条相连，前面用中式纽绊系合；他的胳膊似乎特别长，稍一弯屈，上膊的肱二头肌便鼓起老高，仿佛皮下蜷伏着一只松鼠；尽管他总在露天里干活，但他皮肤不黑，甚至相当白净，有时候他看上去皮肤发黄发暗，我妈妈看见就说甘木匠又病了，准给他送药去。

我妈妈弄得清他那一串子女谁比谁大，谁是哥哥谁是妹妹，我却只清楚老大是个姑娘，叫甘福云，因为我俩在小学一直同班，而且常常在排座位时排成同桌——很长时间里，我的身高总与她持平：甘福云比我大一岁，我妈妈告诉我的，对此我很不服气，但这件事是不能通过比如说发奋或竞争加以改变的，对此我只能抱恨终生。

和甘福云同座是很倒霉的。往往已经开始上头一节课，她却还没到校，老师看见我旁边的座位空着，便会望着我问："甘福云呢？她怎么又没来？"

我便大胆地同老师对视，一脸"问得着我吗？！"的抗议表情，可是老师知道我家和甘家是近邻，所以有时候便毫不留情地把我叫起来问："卢希胜，甘福云怎么没来上学？"我便"腾"地站起来，腰板挺得笔直，故意先说一声："我知道——"然后话音一转，慢条斯理地说，"我知道我自个儿一早上没见着过她的影儿……"同学们便嘻嘻发笑，老师便挥手让我坐下并让大家安静，而这时候往往甘福云恰巧汗津津地迈入教室，于是同学们便不用组织地来了一个哄堂，其中我的笑声一定最尖最响并且持续最久。

开头，我确实没有探究过甘福云为什么迟到，后来，我发现了那一秘密——我们胡同中段，当年有一家不大不小的工厂，生产什么的，已不复记忆，但它有一个挺大的锅炉房，每天早上，值班的工人要把头天封的火扒开，从后门用小推车推出几车煤渣来，那些煤渣往往还冒着烟，有些未燃尽的煤块还亮着红光。煤渣刚一倒完，后门刚一关上，便有不少拾煤渣的孩子，蜂拥上去抢拾还可再燃的煤渣。有一天，我上学出发得比往日早，路过那里时，发现冲上去拾煤渣的孩子里，最勇最鲁的一位，便是我的同桌甘福云。原来她几乎每天都来做这件事，拾完一满筐煤渣，她便把煤渣筐送回家，然后再去上学。因为那工厂的锅炉工并不能准时清渣倒渣，有时倒得晚，甘福云拾完煤渣再上学，自然便会迟到。

我知道甘福云为什么会迟到以后，之所以仍不向老师揭发原委，是因为不愿意让老师和班上同学知道我们部里的宿舍大院中有拾煤渣的人，尤其是跟我同住大院中一个小院的邻居竟然天天早上拾煤渣，这说出去太让我脸上无光。

可是有一天，甘福云不仅又一次迟到，还自己暴露出了她的秘密。她那天不知为什么没有把拾到的一筐煤渣送回家去就到学校来了。她把一筐煤渣搁在了教室门口，喊了声："报告！"老师停下讲课，准许她进教室后，她在众目睽睽下背着书包走进了教室，所有的人都看见了——她右手拿着一个拾煤渣的工具，是她父亲为她制作的一个木柄上安装着五根粗铁丝弯成的笊篱状叉子。大概我又是头一个发出响亮笑声的人，整个教室中又是一个满满当当的哄堂，把站在前面讲小数点乘法的老师气得脸色煞白，厉声地质问她："你怎么回事？你提的那是什么东西？不许把玩具带进教室来，你懂吗？"

甘福云微仰着脸，一双小眼睛坦然地望着老师，从容地回答说："老师，这不是玩具，这是干活用的！"

教师以为她是蓄意顶撞，越发声色俱厉起来，批评她说："干什么活？！这儿是教室，只许带书包，带书本文具，你那是什么东西？像是把叉子，你用那东西干什么活？"

甘福云便回答说："这是拾煤渣用的。我把煤渣筐搁教室外头了，这把叉子我怕丢了，所以拿进来了。"

同学们忍不住又来了个哄堂。我笑得喘不过气来，心想，你那拾煤渣的玩意，送给谁谁要呢？你还怕丢了它！哈哈哈……

老师气得用粉笔擦使劲敲讲台，待我们笑声终于平息，又厉声问甘福云："你为什么不把这些东西送回家去？你干吗要把它们带到学校？"

甘福云仍旧从从容容地回答："每天我都是送回家再来学校的，今天他们煤车倒得特晚，我怕来得太晚听不上您讲小数点乘法，所以赶紧跑着来了……我愿意听明白，两个数乘完了，小数点往哪儿搁……"

大家仍旧笑，并且窃窃私议，我朝隔走道的几位男生歪嘴角、眨眼睛，右手四指握拢、单伸直大拇哥，使劲用大拇哥指点甘福云手里那把叉。

老师听完甘福云解释，竟不再追究批评，让她坐下，继续讲小数点乘法；甘福云认真地听讲，我却总同几位男生龇牙咧嘴。

下了课，我们蜂拥而出，我率先从甘福云搁在教室门外的小筐里拾起一块煤来，投向一位男同学，那同学岂能甘休，便也拿起几块煤来追着我投掷，自然"殃及池鱼"，"池鱼"又岂能容忍，于是，很快便在教室门外酿成了一场煤块大战，大多数男生都卷了进去，女生们抗议着躲到一边，也跳不成猴皮筋了。甘福云狂叫着制止我们、咒骂我们。我忽然灵感勃发，便指着她大叫：

"你——母夜叉！"

几个男同学如获至宝，立即跟着我有节奏地呼叫起来："噢嗬！母、夜、叉！母、夜、叉！……"

甘福云气得一张小脸成了金纸，可奇怪的是她没有哭，一滴眼泪也没有。

结局对我来说是很悲惨的，我被班主任叫到办公室，挨了一顿剋，这倒也罢了，他还打电话到部里，找我家长。结果我妈妈请假来到学校……

回到家，爸爸、妈妈，还有那自以为已经是个大人的上中学的姐姐，都对我一顿猛批，爸爸说："你对劳动人民，怎么会有这种态度？甘叔叔家子女多，经济上困难一些，为了省出煤钱，所以让甘福云每天去拾煤渣，这有什么好嘲笑的？你还乱给人家取外号，母夜叉，多难听！这是侮辱人家人格！你必须去他家，给甘福云赔礼道歉！"

没法子，我只好由妈妈领着，硬着头皮去甘家给甘福云道歉。谁知甘木匠和他妻子，并不以为这是一桩多么严重的事，甘福云呢，一边坐在洗衣盆边洗衣服，两只细胳膊上糊满肥皂泡，竟也仿佛全然忘却了我对她的无礼，只是笑着说："甬道对不起，没关系，以后别拿我开心就成。还有，以后我没听懂的地方，比方小数点究竟该怎么移位，你得一五一十告诉我！"

临出他们屋，甘木匠还往我手里塞了好大一个烤白薯，我不接，我妈也代我推让，甘木匠硬塞给我，他妻子更添上两个，对我和我妈说："福云她大舅从乡下给我们带来一麻袋，多着哩！你们尝尝！"

我捧着那热烘烘的散发着香味的白薯往自家走，不由得想：这白薯，就是用甘福云拾的煤渣烤的啊！

三

有一座在北京历史上极为显赫的大寺——隆福寺，它的后门，便在我们居住的那条胡同当中，我和甘福云上的小学，在隆福寺前门所在的隆福寺街上，我每天上学，总从隆福寺后门走进去，穿过全寺再从前门出去，去往学校；甘福云不常取这种走法，她往往是从寺墙外的两廊下胡同穿过，前往学校。

很多年后，我才悟出，甘福云尽量少从寺里穿行，是为了避开那些太有诱惑力的摊档。

隆福寺建成于明代，据说它那主殿的汉白玉基石和围栏，用的是大内即皇宫中的材料，殿堂极其轩昂华丽。清末一次火灾烧掉了前门内的头一层殿堂，民国时期和日伪时期坍塌了一些偏殿，但到我童年时代每日穿行其间时，它大体仍是完整的，几进殿堂和最后面的藏经楼仍巍然屹立，里面的佛像壁画壁雕等都并未损坏，也仍有几位喇嘛居住在里面，看管庙产。不过，那时的隆福寺已无香火，殿堂都锁起门不对游人开放，如织的游人之所以寻访到那里，是因为那里有庙会。本来庙会有一定的会期，每月按日子在隆福寺、护国寺、白塔寺、卧佛寺（花市的卧佛寺，不是西山的那个卧佛寺）岔开轮流举行，但后来隆福寺成为每天开市的一处庙会，形同今天北京个体户云集的农贸市场。

记得那时我每天穿过隆福寺四次（我中午回家吃饭，上学下学各穿行两次），除了早上一次因为时间还早，庙会的摊档大都没怎么开张，不太吸引我外，其余三次都很让我流连。所以，甘福云常是早上头一节迟到，我呢，却是常在下午头一节迟到，好在下午往往是自习课，所以纵使迟到也比甘福云早上迟到容易混过。

那庙会的摊档，是在殿堂两边的通道上蛇形排开，在各座殿堂之间，也分布着一些；无论冬夏，摊档大都以自制的布伞布篷或布棚作为遮挡，有的小，有的大，最大的摊档像是一家颇具规模的商店，那些摊档卖什么的都有，比如有卖估衣的，卖针头线脑的，卖绢花的，卖猪胰子球（当时的一种球状香皂）的，卖香袋的（缝成粽子形、菱角形、蝙蝠形或其他种种形状，里面是天然植物、矿物研成配制的有香味的粉末），记得有个很大的摊子是专卖各种梳子的，从梳齿粗大得像火柴棍的大梳子到梳齿密得只间隔个头发丝的小篦子，木头的，骨头的，贱的，贵的（最贵的是用犀牛角制作的），都有。摊档中摆着一只真物大小的木雕猴，漆成金色，蹲踞着，手里捧着个金元宝，据说那是该梳子摊的商标，"金猴为记"，很有名的……这些摊档，还都不是吸引我的所在；吸引我的，有三种，一种是卖吃食的摊子，一种是卖玩具的摊子，还有一种是变戏法拉洋片练把势一类好看好玩的摊子。

卖吃食的摊子很多，有一些，我是干流口涎，无从问津的。比如卖炒肝的、卖油茶的、卖三鲜肉火烧（即褡裢火烧）的、卖门钉烧饼的、卖爆肚的……那些吃食，除非爸爸妈妈领我去。我吵着要吃，他们或许会请我吃上一两种，我自己是没钱吃的（其实按今天的币值核算，那都是非常之便宜的）。我自己所具有的消费能力，只能从庙会边缘处的一种卖最低廉的零食摊子上获得快乐和满足。比如，临近主殿一侧，百货摊档终结处，便有一个那样的摊子，摊主是个瘦干巴老头儿，双手上还都有白癜风，他的摊子上有半空的落花生，大大小小的糖瓜、粽果条（用各种未完全烂掉的水果剜去烂的部分，用余下的部分熬成一锅兑上淀粉冷却制成，切成小条）、干酸枣儿、牛筋儿窝窝（江米粘面制成）、铁蚕豆、葵瓜籽儿……有时候只用一百块钱（旧币，相当于今天一分钱），便可得到一份食物。比如他卖一种糖稀球，他有一大罐麦芽糖制成的糖稀，并备有一大堆秫秸秆截成的小棍，从一百块钱到三百块钱，他都可以卖给你用秫秸棍蘸出搅成一团的糖稀，按钱多钱少掌握那糖稀球的大小。我试过几次以后，就认定二百块钱买一球最为合算。

卖玩物的摊子，尽管大多数货品是我买不起的，但是守在边上看看，耐心地旁观别人挑选，讨价还价、试玩，也是一种乐趣。那些五光十色的玩具中记得有各式风筝、空竹、风车、鬃人、泥塑的兔儿爷、成套的泥壶泥碗、卜卜噔（一种玻璃制品，状如喇叭，但不开口，一吹气，顶端的薄玻璃便卜卜作响，因一不慎会吹破并将碎玻璃碴吸入肺中，所以后来不让生产）、布老虎、木制大刀扎枪……最吸引我的，是一种用纸浆制成的套头玩具，叫大头娃娃窦里翠，是一个和尚的模样、一个戏台上的妇女模样，成对地发卖。有时候一位大人带来一对子女，买下一对让他们套上，他们摇头晃脑好不得意，令我不能自已。我虽买不起上述玩物，但如果克制住吃糖稀球的欲望，把妈妈给的零花钱（平均每天一百元）积攒一个时期，那么，买一版三侠五义的"洋画儿"，剪成一小张一小张的，和男同学们拍洋画儿玩（一叠"洋画儿"，伸掌一拍如有翻转过去的，便算赢下）；或者买上几个玻璃弹子，在地上挖些小坑，和男同学们"弹球"玩，那还是办得到的。

带表演形式的摊子，有的可以混在人群中，站在大人腿边看，他收钱的时候，我们小孩子愣不给钱他也就算了。当然有的戏法杂技班子和唱"落子"（就是评剧）的班子，用布幔将他们的表演区拦起来，交了钱才能进去看，但那些个表演我并不怎么爱看，当年我花钱看过的，是一种"破电影"。那是一位中年人，他在庙里被烧毁的殿基一侧，搭了一个一人高的小棚子，四面密封，但三边开得有一些窥视孔，他不断地在那里扯开嗓子吆喝："嘿！来看破电影噢——！"凑够了大多数窥视孔的人数，他便让交了钱的主顾们把眼睛凑拢那个孔，于是，他便开动了棚里的一架老旧的电影放映机，在棚里尽头处的一张小小幕布上，放映出一些支离破碎的无声电影片子，往往只放映两三分钟，便宣告结束。记得看一次要收五百元之多，而我竟看过不止一次。如今回忆起来，他放映的那些"破电影"，有关于孙中山阅兵的纪录片、京剧名伶谭鑫培戏装舞大刀的镜头、中国最早的无声故事影片《孤儿救祖记》里的片段，等等，实在都是弥足珍贵的电影历史资料，不知道那滇"破电影"谋生的人后来干什么去了？也不知道他那些"破电影"后来是不是为中国电影资料馆当做珍贵文物所收购？

我爸爸妈妈当时正值壮年，工作很忙，他们对工作也很积极，因此隆福寺尽管离得那么样近，却很少去逛；不过爸爸的业余爱好是研究北京名胜故实。他读了不少有关的书籍，很有"卧逛"的工夫——他临睡前总要背倚枕头读一点那样的文字，来松弛一下神经。因此，他虽然并没有怎样深入踏勘隆福寺，却对隆福寺的种种情况知之甚详。我那时就常听他说，隆福寺现存的毗卢殿中，有全中国也是全世界最宏伟美丽的一个藻井。什么叫藻井呢？就是中国殿宇建筑中的一种屋顶结构方式，望上去像一口倒悬的井似的，那木结构的"悬井"装饰华美，当心往往还雕出一条盘龙，口吐一颗硕大的宝珠……不知我爸爸依据的是什么资料。他说，据专家调查比较，隆福寺毗卢殿的那个藻井，竟比故宫养心殿的藻井与天坛祈年殿的藻井，结构更为奇特，装饰更为瑰丽，而且当心悬出的那个巨大的夜明珠，尤其价值连城！他还说，那毗卢殿中，除了毗卢佛外两侧壁上还塑有别的寺庙中绝少出现的"天龙"八部，堪称另外一绝——我那时虽然还是个小学生，全然不懂古建筑学和佛教艺术，但搁不住我爸爸诱说，并且多次听他念叨："可惜现在殿堂不开放，什么时候能进去看看就好了……"所以，也就生发出浓厚的好奇心，这也是我为什么早在读金庸的《天龙八部》之前，便知道什么是"天龙八部"。

四

记得小学五年级放暑假的时候不知怎的我想起了毗卢殿里的藻井和天龙八部，便找到甘福云说："嘿！你跟你妈说说，让我进那隆福寺的毗卢殿，看看那里头的玩意儿！"

我知道甘福云她妈在隆福寺里为许多摊主共同所雇，他们给庙里喇嘛租金，租那殿堂当存放货物的仓库，甘福云她妈帮他们搬运、保管那些货物。我就看见过甘福云她妈，扛着大纸箱子往那毗卢殿里去。

甘福云一听我的要求笑了："干吗跟我妈说！你想进去看什么？跟我说就行！我这些天正在那儿干活哩！当临时工，帮我妈多挣些钱！我就能带你进去，保你看个够！"

原来如此，原来更有近水的楼台，更能先得月。

那时候的隆福寺，庙会已渐渐发展为一个大型的百货商场，有了一些简易的售货大棚，开始发卖大量的百货新产品。所以那些殿堂全成了货仓。其实，隆福寺的古建筑本身以及殿堂里高超的佛教艺术品，在这个世界上堪称是无价的。历年来在那些殿堂中存放过的货物，它们的总价值加在一起，甚至再扩大一百倍一千倍，相对于那建筑本身和里面的艺术品而言，都仍是不堪一比的。但那时以及以后很长的一段时间里，人们都不懂得这一点，他们将那些古建筑史上的孤例当做储货仓，任那些美轮美奂的佛教艺术品破旧、剥损、霉蚀而不觉可惜。他们有时代特有的某种价值观念，那一观念在那时候尚远未膨胀与爆炸——到"文化大革命"时期方膨胀而爆炸为"破四旧"，整个隆福寺除名称外完全湮灭无存。

那一天，我跟着甘福云进入了毗卢殿。进去之前，她问我："我让你进去看了这个，你怎么报答我呢？"

我说："请你吃糖稀球！"

她显然是咽了一口唾沫，然而，摇着头。

我便又说："再给你买一捧半空，要不，还给你买一把粽臭条！"

算来，这就得花上五百块钱了！

她却一概拒绝了，她说："我什么也不吃。你，你请我看场电影吧！"

那时候，隆福寺前门外，隆福寺大街上，有家电影院叫蟾宫（现在改名叫长虹，真是一个时代有一个时代的符号），我们隆福寺小学组织大家看电影，都是去蟾宫，买集体票，是每人交五百块钱；倘若自己单独去看，那就是学生票也得一千块钱。用一千块钱请甘福云看场电影，对我来说真有点不甘心，但因为钻进毗卢殿看那藻井和佛像心切，再，那时我妈给我的零花钱也增长到平均每天二百元，偶尔还另外多给个一百二百的，所以，真请倒也请得起，我就点头答应了。

那真是一次终生难忘的经历！

甘福云领我进入那当做仓库的殿堂后，便将沉重的殿门关合了，像刚刚进入已经开映的电影院一般，我两眼一抹黑，觉得身体四周，被猛然袭来的凉气所包裹。好一阵，瞳孔放大了，我才能辨认出周遭的事物，首先看到一些码放成堆的大纸匣，还有一些石棉瓦、钢筋、三合板、干沥青、成袋水泥、成桶油漆等等物品。抬起头来，这时看出正中的毗卢佛像，给我的印象是它非常大，神态非常安详，所栖息的莲座雕刻非常精美，但头部、肩部及一切接灰的地方，都积满厚厚的灰尘。佛像身上的金漆，已经变成酱色，有很多处已经剥落。大概是往殿堂里搬运摆放钢筋时并不注意保护佛像，所以佛像下半身有不少划痕，而且一只本来姿势非常优美的手，被撞断了两根手指。佛像两侧的帐幔有的地方已经糟烂,帐幔与佛像之间有大片的蜘蛛网,发出一种浓厚的霉烂气味。毗卢佛两侧。还有别的差不多一样大的佛像,黑黝黝地看不清楚。

"你不是要看藻井吗？呐,你抬头看啦！"甘福云指点着。

我便使劲仰头,朝顶上望去。那时候我年纪还小,而且直到现在,我对中国古典建筑中的藻井还是一个绝不懂行的角色,不能用科学的语言讲述它的究竟,然而,那一回的仰望,对于我来说,的的确确是一次灵魂的震撼。那藻井在顶窗缝隙透进的菊色光线映衬中,极其神秘、极其辉煌、极其壮观、极其瑰丽地映入了我的眼中,我"啊！"地惊呼出声。现在回想起来,那简直是整个中华民族赖以自豪的几千年文明史的精华,一次性地流泻、倾压进了我的眼中心中魂中,令我自豪,令我陶醉,胜过一千次爱国主义的报告,抵过一万次强制性的灌输……

令我惊奇的还有,甘福云在我一旁为我指点、解说,其言辞,竟与我爸爸给我讲过的几乎完全一样。我本以为凭她那么个拾煤渣的、当搬运的人物,不可能懂得这些呢,便不由得问她:"你是怎么知道的？"

"老喇嘛奥金巴告诉我的呀！"她从容地回答。

原来,庙里的老喇嘛奥金巴——我常看见,胖得出奇,两个乳房比女人的还高还大还敪——来查看殿堂时,给她妈妈和她讲过,她都记下来了。

她知道的还不仅是关于毗卢佛和藻井的呢,她带我去看两边墙壁上以浮雕云朵、山川、城池为背景的"天龙八部"雕像。在晦暗的光线中,那些雕像格外狰狞恐怖,她从奥金巴那里知道了"天龙八部"的全部名称:天,龙,夜叉,乾闼婆,阿修罗,迦楼罗,紧那罗,摩侯罗伽。其中最令人毛骨悚然的一位全身幽蓝色的雕像,头部像一只鸷鹰,张开的嘴里却排列着尖利的牙齿,伸出的双手是巨大的鸡爪,斜立着仿佛就要从那壁上跃扑下来……我一看便尖叫一声,不由得拔腿往门外跑去,谁知让甘福云一把揪住了胳膊,为不在女孩子面前丢份,我只好煞住脚,任一颗心怦怦乱跳,对她说:"我不想看了,这里头太黑！"

"什么太黑！是你害怕了,对不？"

甘福云一对小眼睛闪闪发光，她盯着我，颇带快意地说："你怕什么呢？别怕，那就是夜叉。告诉你吧，那不是母夜叉，那是男夜叉，奥金卪说，其实就跟观音菩萨不是女的一祥，神佛菩萨罗汉跟天龙八部什么的，都不分男女，所以说，夜叉就是夜叉，那夜叉浑身蓝色，就是蓝夜叉吧！我如今也不怕你叫我夜叉了，叫我蓝夜叉我还得意呢，为什么呀？奥金巴说了，这蓝夜叉是护法的好神，他不吃好人，专吃坏蛋，专吃捣乱鬼，专吃害人精。别看他丑，他心可好哩……"

但是出了那毗卢殿，我仍心神不定。

五

殿外阳光灿烂，人影儿墨黑。

"怎么着，请我看电影吧？"甘福云要我兑现诺言。

"行呀，赶明儿吧！"我有点想赖。

"别赶明儿！这就去！我的活全干完了，我这就能去！"甘福云逼我前往。

我拖着脚步随甘福云往庙外走，走拢前门内那片火灾后仅剩殿基的空旷处，我计上心来。那片地方是各种表演性摊棚的集中地。我把甘福云领到了那个演"破电影"的棚子前。棚主见有生意来了，便扯开嗓门嘶叫起来："看破电影噢！"

我立即抢上几步，递过五百块钱，说："看电影！"

甘福云一旁使劲摇晃我胳膊："我不要看这个破电影！我要看蟾宫的新电影！"

那棚主便劝告她说："嘿！我这电影才绝哩！蟾宫一万年乜演不了这些片子啦！你听我说它破，以为它不好是不是？你回去问问你妈，是得一只新瓷碗值，还是得半只破金碗值？来吧来吧，您往里头瞧来往里头看！看，没几个人，我也开演，您这不是福气吗？……"

很多年以后，我才体会出，当时甘福云眼里充溢着多么强烈的失望感，而且还掺杂着被出卖与被戏弄的愤懑……

"我不看这个！"她脸涨得通红，大声地喊。

"你不看，我看啰！"见另外几位顾客都把眼睛凑拢到窥视孔上了，我便残酷地置甘福云于不顾，自己走过去看那"破电影"了。棚主开始放映，还是那些老掉牙的片段。不过，有一小段外国人赛马的电影是以前没有的，我为了表示那"破电影"很精彩，故意跺脚叫好，并嘎嘎嘎嘎地笑。

三分钟过后，电影演完了。

"怎么着，怪你吧！"我对呆呆站立一旁的甘福云说，"我可是请你，谁让你自己不看呢？"

那棚主便招徕甘福云说："小姑娘，你咋不看呢？你也开开眼呀！"

甘福云紧抿着嘴，两片嘴唇都不见了，鼻子下头只是一条缝。

我对棚主挥下手说："咳！她还看个啥呀！她自个儿又没钱！"

棚主分别再打量了我们两人几眼，脸上现出一个讨好我、鄙夷她的表情。确实，我那时穿戴虽然朴素但新衣新裤新袜新鞋，究竟带出家庭小康的味道。甘福云呢，她的衣衫上有很多大块补丁，扎小辫连猴皮筋、绒线绳都没有，有时是两小截木匠用的弹墨线。

棚主朝甘福云摆摆手说："不看就别挡道儿啦！让有钱的主儿好过来看呀！"

我和棚主都没有想到，甘福云忽然朝前大大迈上一步，满脸喷火似的大声宣布："我看！"

接着，甘福云便把右手伸到衣衫里面的一个暗兜处，先把一枚生锈的别针松开，然后从那里拿出一叠脏兮兮的小钞来，数出五张一百块钱票子，郑重地递给棚主，再把其余的钞票小心翼翼地放回原处，再用别针别好。然后，她斜了我一眼，瞪了棚主一眼，便雄赳赳地迈步走向了窥视孔……

我很扫兴，趁她看那"破电影"时，我溜了。我对她有点嫉妒，因为她身上有那么多的钱，比我阔多了！我想那一定是她干临时工得到的工钱，她自己有钱，还让我请她看电影！抠门儿大仙！好一个蓝夜叉！

六

那天晚饭后，甘木匠家突然传来了一片孩子们的哭声。我妈妈赶着过去，看是怎么一回事儿，我跟着，我妈进了他们屋，我却留在窗外，只从窗外偷觑。

原来，是甘木匠要惩罚甘福云，让她伸出左手，正打算用木尺，打甘福云的手心。

甘福云又紧抿着嘴，鼻子下面，现出个不见嘴唇的"一"字。我注意到，哭的是她的弟弟妹妹，她倒并没哭。

我妈自然马上去劝。甘木匠哪里听劝，而且甘木匠的妻子很支持丈夫的做法。我从窗外旁听，弄明白了是怎么回事——甘福云干那临时工，是每天开一回工资，每回一千块钱。她已经干了十多天，以往每天，她都能按数上交挣的那一千块钱。可是今天她回到家，却只交了五百块钱。问她，开头她还撒谎，说不留神丢了，后来说了实话，却比不说实话更糟糕——原来她是用五百块钱看了那"破电影"。后来我能很深刻地理解，甘木匠夫妇认为她花五百块钱看那"破电影"，简直是荒唐透顶，"抽疯了！""中邪了！"用文明的词儿说，便是彻底地堕落，家里这么大一群人，五百块钱买腌咸菜疙瘩能买两疙瘩哩，够吃三五天，好，她今儿个一个人竟拿去看了什么"破电影"，不教训教训她，让她记住下回再犯绝不宽饶，行吗？！

当着我妈的面，甘木匠便用那木尺一记一记地打甘福云的手心。她两个不大不小的弟妹吓得大哭，另外几个弟妹呆呆地站在一边。多年后我回忆那一幕，省悟到甘木匠还是手下留情的，并且打满规定的二十记，也就中止。但是你想用惯了斧头锤凿的手，无论怎样加以自控，那木尺落在甘福云掌心，也仍有超出常人的力量。第二天我见着甘福云时，她正背着最小的弟弟——就是如今发了大财买了院子买了小轿车亲自指挥工人修车库的甘七——到街上买菜，我注意到，走到卖冻虾的摊子前，她弯腰从地上拣起些溅落的冰块，捏在左手心中，那一定是为了用冰块缓解被打肿了的手心那钻心的疼痛……

甘福云又多天不理我，我也不理她，但我暗暗观察，她对于自己的父亲母亲，并没有什么怨恨的表情，她照样去当临时工，照样干各种各样的家务事。晚上，还坐在马缨花树下,把当时才一岁多的甘七揽在怀中,哼哼唧唧地给他唱歌,逗他玩……

本来,我是应该把进到毗卢殿,看到毗卢佛、大藻井和天龙八部的情景,跟我爸爸吹嘘一番的,可就因为发生了看"破电影"的事件,我就没讲。我爸爸因此也就终生没有去看过他所向往的那些古建筑精华和佛教艺术珍品。

七

那以后,一年的"六一国际儿童节",部里工会决定向部里所有职工的未成年子女发放节日礼物,工会派出了干部,专门到我们宿舍大院的传达室发放给我们大院的儿童。我们院里有资格领取礼物的孩子们顿时在传达室前排起了长龙,唧唧喳喳活像一座让牛郎织女跨越的鹊桥。

我家只有我一个属于儿童,而且,随着上面几位哥哥姐姐陆续走上工作岗位,我家的经济状况在大院中渐渐升入上层,我的零花钱标准,也升到平均每日一角钱(那一年已实行币制改革,原一百块钱算作一分,原一千块钱算作一角,原一万块钱算作一元,余类推),那回发放的"六一礼物",是每位儿童一纸袋小人酥糖。那时候小人酥糖于我已不算稀奇,我已能吃上上海出的大白兔奶糖和北京出的义利太妃糖,所以对于排队领取,并不积极。

甘福云对于那回的发放礼物,不消说表现出高度的热情。她闻讯去排队领取时,已居中游,但她兴高采烈地等待着轮到她的时刻。她将代表全家八位儿童一次领取(那时甘木匠夫妇又生下了甘七的弟弟甘八),因此她怀抱中将有让全院儿童羡慕死的一大堆糖果!

事隔多年,我实在已无从分析当年我那样干的心理动机,也许不过是仅仅想恶作剧一下吧。我把八九颗已成为"麻壳"的玻璃弹子,搁放在月洞门里面甘福云经过时必然要踏脚的地方,然后,自己远远站到一旁,还招来几位和我一样惯会恶作剧的男孩,等待着那戏剧性的一瞬出现。甘福云领到那八份糖果了,她用双掌和两

只上臂，小心翼翼地托着那八只叠放在一起的糖果纸袋，如覆薄冰般地小心翼翼地
迈着步子，满脸漾着幸福的微笑，朝月洞门里走去。一进月洞门，就该到她家了，
而这时，她的几位弟妹，不顾她母亲的吆喝，都迎出了屋门，他们即将分享那工会
赐予的甜蜜福利……

可是，甘福云往月洞门里一伸脚，正好踩在我预先布放的那八九颗"麻壳"上。
于是她一下子跌了个马趴，怀抱里的糖果袋，顿时飞落一地，袋破糖滚，一塌糊涂！

就在她跌倒的一瞬，我高兴地双脚跳起，拍着巴掌大笑起来，跟我站在一处的
几个哥儿们也跟着我起哄，又跳又笑。

忽然，我听到一种极不熟悉的声音，使我灵魂悚然，我不由得立住脚，煞住笑，
呆望过去——那是趴在地上的甘福云的哭声，那也许是我一生中所听到的最凄厉最
痛苦最愤懑最绝望的哭声。

真不愿再回忆那些细节。我的朋友忘却，你的筛子眼，不能再阔大些么？

我原以为，甘福云是不会哭的。事实上，我也只看见听见过她这一次哭泣。这
哭泣纯然是我一手制造出来的。

当年那部里的工会，不知是哪位干部，想出了那么个送每个儿童一纸袋小人酥
糖的主意，那真不是个高明的主意！而且，也许是为了实惠，为了节约开支，是从
糖果厂里，直接批发出来的，因此那些小人酥糖，都没有包上糖纸，而是赤裸裸的——
偏发糖前一晚，下过一阵雨，那月洞门里面的地面上，或者还汪着水，或者还湿黏黏的，
从甘福云怀抱中撒出去的小人酥糖，大多数都飞溅撒落到了积水中，或粘在潮湿的
泥巴地上……

在人类文明史的进程中，那当然是一桩太微不足道的小事；在我波诡云谲的一生
中，那当然也算不得一桩多么值得挂齿的事情……然而写到这里，我的灵魂忍不住
颤动，至少，对于我自己，需要深入地挖掘，恶，为什么有时候会那样轻松自如地
驾驶着我们驰骋？

我父亲、母亲陆续下班回家以后，我一直提心吊胆地等待着甘家来将我告发，
或者甘福云来，或者她母亲来，或者竟由甘木匠本人亲自出面，因为我的所作所为，

实在太伤天害理！

　　天快黑净了，甘家谁也没有到我家来。我忐忑不安地坐在书桌前，做不下功课，心猿意马。忽然，我嗅到一阵香甜的气味，或者说，是有一种香甜的气味，钻进窗隙，窜进了我的鼻孔中。我想那不是马缨花树上头一批花朵的香气，那香气该是淡淡的，并且不该有甜味；我不由走出屋子，进行侦察。于是我发现甘福云和她母亲两个，在她家的小厨房里忙活。我悄悄走近，从小厨房的小窗朝里一望，明白了：她们已经将那些弄脏的小人酥糖，用水淘过，现在正把损坏的小人酥糖，放到一只铁锅里，兑上些水，先化成糖浆……

　　当天黑净了时，她家的一大锅像大饼般的糖浆（或者叫做糖酱，因为小人酥糖里有许多别的成分）已经冷凝成了一个整体。甘福云用一把刀，将那整体竖切成一条条，再横切成一块块。于是，她家便又有了一堆消过毒的小人酥糖。只不过外面没有一层珠光罢了……甘福云他妈便把那些自家加过工的糖果，分给她的一群孩子们。甘福云最后也分到了一份。她和几个弟弟妹妹，坐在马樱树下，快活地击掌游戏，不时吃上一颗糖。她似乎已经把被我暗算的事，全然忘却了……

　　我心想，也许她并没有悟出，她的跌倒，是我设计陷害。她一个人捧着八包糖果走路，本来就有点像杂技里的走钢丝表演，跌倒，似乎也并不足怪。

　　但是，第二天早晨，我一出屋门就发现，我那屋门外的窗台上，不多不少摆放着我那使她跌倒的九颗"麻壳"。

八

　　有一天，是个星期日，妈妈忽然从院子里跑进屋，神色紧张地说："不好！甘师傅把自己砍了！"一边说一边急急忙忙找红药水、绷带。

　　爸爸正在看书，一听就从沙发上蹦起来。我拔腿便往院里跑。

　　那时候，甘木匠常利用业余时间，为院里邻居们打制家具。这样也可以就便挣一点外快，补助生活。那天他是为内四合院里的一家处长打制大立柜，那家的木料，并没有事先在锯木厂解成板材，所以甘木匠必得先费很大力气，把那料分解为可供进一步加工的板材。也许是因为他连日公活私活都太繁忙，身体疲劳，精神不济。也可能仅是因为一时失手。不知怎么的，他右手一斧子砍下去，竟砍在了自己左上臂上，顿时砍开的肉翻着，鲜血溅了他自己一脸一胸……我跑过去看热闹时，已经有几个男子汉扶持着他，帮他掐住血管止血。他却依旧叉开腿站着，像一尊被夕阳染红的宝塔。胡须抖动，两眼中充满惭愧与自责……

甘木匠住进了医院。尽管治伤有工费医疗的保障，对他家来说，那仍然不仅是人身之灾，也是经济之灾。

那一年，我和甘福云都小学毕业了。我继续升学，甘福云却不再升学，她在隆福寺商场里干临时工。回到我们院里，她除了分担父母的种种家务外，还揽去邻居们的被单床单，通过洗涤这些物件，再挣一点钱补助家用。

我从中学上完学回到家，往往会看到月洞外我家的晾衣绳上，晾满了一溜洗得雪白的被单，风吹动那些被单，被单翻卷着边角。快干的时候啪嗒啪嗒发响。

上中学跟上小学确实完全不同。中学生跟小学生的心理状态简直不可同日而语。我到中学去不用再穿过隆福寺，功课渐渐繁重，我也难得专门去那里头逛，而隆福寺里面也渐渐改变了模样，不再有庙会的风味，变成了一个"合并同类项"的大型百货商场，实行"公私合营"以后，更盖起了售货大厅，许多原有的项目不是禁止了便是自动消失了，比如那演"破电影"的。小学生时期的那些个见闻经历，慢慢地都变成了遥远的梦影。再后来，春梦了无痕，我简直都不记得有过那么些事了。

和甘福云不再是同学，我们便简直断绝了来往，尽管仍住同一个月洞门里的小院，磕头碰脸的时候很多，但在我心理上，她简直是一个同我不复存在任何关系的人物。我无论如何也回忆不出来，那一时期我同她迎面遇上，是不是会对她点个头或笑一笑，因为我心里面，就连故意不理她的想法也不曾有过。她见到我是不是对我点个头或笑一笑，我也连一星记忆都搜寻不出，因为我心里面，从不曾有求于她的一点头或一微笑。

后来，记不清是上完初一还是没上完初一。有一天妈妈在饭桌上说："福云病了，这回真是病得不轻，不吃不喝的，又不好好平躺着……总倚着被子在床上靠着……"我也没顾得往下听，因为我一边吃饭还一边偏头看一本美国童话《绿野仙踪》。饭后，大概爸爸妈妈都去了甘家，他们劝甘木匠别净拿自己工费医疗领来的药给甘福云乱吃，她那病状看来不是一般的伤风感冒，还是该正经送到医院里作一番检查，对症下药。必要的时候，得住院、动手术。爸爸说可以帮助他从部里申请特殊补助。妈妈说可以为他家在院里募一点捐。临末了爸爸妈妈给他们留下了三十块钱，甘木匠夫妇说也好，先借下，赶明儿有了，一定还。第二天甘木匠大概用自行车驮着甘福云去隆福医院看了病，带回许多的中药。那以后我们小院中就总弥漫着一种煎中药的味道，一点也不像我后来在《红楼梦》里看到的那种描写，似乎有一种与花香、脂粉香比美的药香。不，我们那月洞门小院里的药味，简直可以说是一种古怪的臭味，可惜了那时候的马缨花，它们再不能以其淡淡的幽香构成我们小院的特色。

如今回想起来，甘福云得的那种病，就是肝癌！三十多年过去，尚且仍无特效药可治，何况当年！可怜她很快就出现了腹水，甘木匠只好单为她架了一张床，让她没日没夜地围着被子，倚靠在枕头垛上，痛苦地呻吟。不呻吟时，甘福云便呆呆痴痴地朝屋门外望着，我想她一定是望着那马缨花如何迎风飘落到地上……

有一天我从学校回来，在大院门口忽然撞见了甘木匠。甘木匠正背着甘福云朝外走，伛偻着身子，下半边脸全是黑森森的胡子。甘福云用两只细得像麻秆一般的胳膊，搂着她父亲粗壮的脖颈。我不由得问："你们上隆福医院么？"

甘木匠回答我："不，上蟾宫，看电影。"

我吃了一惊。一瞥已经脱了形的甘福云，她那双从未曾美丽过的小眼睛里，竟放射出一种幸福而满足的光芒！

后来我才知道，那是甘福云一生中头一回到正式的电影院看了一场电影，并且那也是她最后一次，是她那样一个生命实体存在期间唯一的一次。

我直到很久以后才憬悟，上小学时，每逢班上组织看集体场电影，文体委员收钱时，收到我们那一排，甘福云总是说："我请假……"我那时何曾在意过！她家事多，请假就请假，跟我什么关系，我简直没有想到。因为她家没有钱供她看电影，所以她就一场也没有看过！而那时的小学生集体票，不过只要五百块钱（相当于今天五分钱）！我也才恍然大悟——那一回她带我进毗卢殿看毗卢佛、大藻井和天龙八部，提出来让我请她到蟾宫看一场电影，该下了多么大的决心，付出了几乎全部的自尊，抱着多么巨大的期望，企盼着多么难得的快乐啊。而我，却把她引到那"破电影"布棚前，骗了她，耍了她，并且使她挨了父母一顿好说，一顿好打！

但是那时，上中学的我仍然不能消化这一切，不懂得生活，不懂得人，不懂得别人，也不懂得自己。

我只是多少有一点奇怪，天气渐渐转凉了，甘福云的病不见好转反在加重，可是甘木匠还是把她的病床，安放在她家一进门的地方，并且总半掀着她的门帘，让她那幅病容，展露出来。从我住的那间屋子的门窗望过去，尤其明显。那是为什么呢？不怕人家觉着刺眼、觉得恶心吗？

甘福云本来就绝难同漂亮两个字联系在一起——她父母生她的时候，就先天不足，后天又过早承载着生活的重负，所以，她那平板的颜面上，小鼻子小眼，从无半点妩媚。她的头发总是黄焦焦的，也从未丰茂过。她脖子有点短，背很早就有点驼，脚丫子却相对比较大。自打得了病后，她头发一把把地往下脱落，脸色发青，嘴唇发黑，再加上腹水愈来愈严重，望上去，确确实实让人联想起在毗卢殿里见到的那个蓝夜叉。那时候，我有过这样的胡思乱想：甘福云，也许真是天龙八部里的夜叉，托胎生在了甘木匠他们家里吧？

九

甘福云死了。具体怎么死的，死了怎么拉去火化的，甘木匠夫妇哭没哭，她那些弟弟妹妹们怎么个反应，我当时没注意，没过问，所以全无印象。

我对她的死，回想起来，似乎还有一丝快意。因为从我那屋子的门窗望出去，可以不必看见那样一尊蓝夜叉的丑陋面容了。

我敢打赌，我们那大院里，人们很快就把甘福云这样一个无足轻重的人物忘记了。她到这个世界来生存过，生活过，但她去得匆匆。她去的时候，还不到十七岁。

我们家，不久就搬走了，部里盖出了一批宿舍楼，楼里家家有厕所，冬天有暖气。这在那个时代，算很了不起的设施了，那时候不仅不懂得什么电冰箱、洗衣机，就是烧煤气，也没怎么听说过。无论是罐装煤气还是管道煤气，部长家里也没有。但当干部的，毕竟待遇不同一般，我父亲当时已升到正局长，母亲已升到正处长，所以我们搬往了新宿舍楼。甘木匠是帮着我们搬家的员工之一。临完事的时候，妈妈非留大家伙吃饭，却都说不吃，都要走。妈妈就留大家喝茶、吃西瓜。后来大家都走了，妈妈收拾茶杯，忽见一个茶杯底下，压着三十块钱。妈妈正发愣，我告诉她："那是甘叔叔喝过的茶！"妈妈这才"啊呀！"一声。原来，当年为甘福云去医院看病，爸爸妈妈给过甘木匠三十块钱，他想着今后见面不那么方便了，所以帮着搬完家，便还上了那钱。

那以后我爸爸妈妈都调动了工作，爸爸到了另外一个部，妈妈到了一所大学。我后来上完中学，又上大学。甘木匠及其一家，完全成了与我们生活轨迹无关的一种存在，我不记得那以后有过那样的情况，我们一家人坐在一起吃饭或聊天时，提到甘木匠，或他家的什么人。我们简直把甘木匠一家忘了。至于已经死去的甘福云，那就更不在我们意识之中了，我敢说连意识流里也不曾出现过有关她的萤光流痕。

后来我们一家，特别是爸爸妈妈，随着时代潮汐浮沉。"文化大革命"期间，爸爸妈妈都受到冲击，但挨斗不算太惨，时间个算太长，起复得都算较快。"文化大革命"还没结束，爸爸妈妈就双双被从"五七干校"召回，安排到原来工作过的部里任职。到车站去接他们的，有那部里的一位干部，有一位汽车司机。为装运随车而来的行李，他开的是辆卡车，而随司机来帮着搬运行李的，便是甘木匠。

那一回爸爸妈妈同甘木匠的遇合，激起双方内心里已经偃落板结的感情。不消说，他们恢复了来往。爸爸妈妈住在部里临时安排的住处，那其实就是一间空着没派用场的办公室。房间虽大，却全然无法安排居家生活，做饭的火炉只好放在门外走廊上，过来过去的人们都觉得碍事。爸爸妈妈他们一忙又忘了封火，经常火熄断炊。遇上食堂已经关门，就只好到街上去现买吃的。逢到星期天，他们不愿意到别处去。兼以甘木匠竭诚邀请，他们便带些吃食到甘家消磨。那时候甘木匠仍然住在那条胡同35号大院的那个月洞门小院中的那两间小平房里。部里的干部们宦海浮沉，起起落落，搬来搬去，甘木匠却始终是木匠，哪朝哪代哪宗哪派也得有个木匠给他们干木匠活儿，他江流石不转，始终如初。他活着时子女中头四个子女那时都已经工作，有进厂当工人的，有入伍当兵的，有当电车售票员的，有下乡插队的。剩下还有四个在上学。甘七那时可能已上到初中。那时候35号大院已经爆满，人们再没有俭省房租的念头，只有扩大住房的欲望。但那像甘木匠那样的底层工人是不可能再分配到住房的。于是他们便全家动手，在那马缨花树下盖出了简易的小房，把住房总面积大大地加以扩充，总算还能对付着够住。

我当时已是一所设计院的技术员，正下放劳动锻炼。接到爸爸妈妈一封封报告好消息和新情况的信，很是兴奋。他们起复后的来信中可能提到了甘木匠，但我没留下什么深刻的印象。后来我终于也可以回到北京。回北京那天是个星期天。我兴冲冲地赶到爸爸妈妈的住处，结果意外地撞了锁，只见门上贴着一张留给我的条子，让我到甘木匠家去"欢聚"。

说实在的，那一天我毫无同甘木匠一家欢聚的欲望和心情，我只有一肚子的话想单独对爸爸妈妈倾诉。但我只好去了。进入那所我曾度过了童年和少年时代的35号大院，我并没有产生什么沧桑之感，也并没有勾出多少回忆，我的灵魂被打磨得粗砺，我无所谓地甚或说是有点不耐烦地走进那个破败的月洞门，对于月洞门里院落变得那么狭小我并无惊异之感，对于已由完全陌生的人入住的故居我甚至都没有怎样顾视。而进入甘木匠家后，一见那么一大屋子的人，我只感到烦乱……

甘木匠，他那也已经头发花白的脸皮起皱的妻子，陪我爸爸妈妈围坐在一方炕桌旁喝酒吃菜，其余几个子女——当中一定有甘七——则在屋后的床铺边不知在做功课还是在嬉闹。整个屋子里弥漫着劣质烧鸡和劣质白酒的气味，一地的花生瓜子壳儿和鸡骨头。尽管我自己也下放了锻炼了同吃同住同劳动了，但看见爸爸妈妈已然起复后竟如此这般地赶着来与甘木匠夫妇共享一种我们不能理解的快乐,我还是大为吃惊。

我还没来得及招呼他们,就只见甘木匠迎着我站起来,他满脸红光,剃了个光头,胡须也尽行剃去,半个脸青青的全是胡子楂,倒显得比当年年轻许多。他见到我似乎格外地高兴,右手举起个酒杯,伸向他自己唇下,左手举起个酒杯,伸向我。那裸露的左下臂,有着一盘凸出的蚯蚓般的伤疤,我清清楚楚地听见他说:"好啊!我女婿来了——来来来来,咱爷儿俩干上一杯!"后来我不再记得什么。我似乎是强忍着不耐烦度过了那一个傍晚的。但随父母返回那间临时当做家的办公室时,我见他们似乎很快乐,也就没流露什么。

十

后来粉碎了"四人帮",后来我父母搬到了离甘木匠他家很远的万寿路居住,后来他们越来越忙,而我自己也成了家,娶妻生子,我同父母也只在节假日期间相聚一见,甘木匠渐渐又从我们的生活圈子里逸出。起码在我,是几乎想不到他来,更想不起他那一大家子人……

我妈妈突然查出来长了癌,是在肝部,这如同晴天霹雳。当医生把实情告诉爸爸和我时,我们两个男子汉一下子都流出了眼泪,我们不能接受这个事实!

然而妈妈接受了这个事实。她沉着、坚毅、冷静、顽强,同癌魔进行了不懈的斗争。

我不想叙说关于我妈妈死于癌症的事情。这对于世上千千万万其他的人来说也实在算不得什么。几乎每天都有癌症患者在死去。人们已经习惯于癌,习惯于死亡。

我只想说说那一天,母亲也已经出现腹水,并开始脱发。她倚在病床上,当时病室里只有我们两个人。我握住母亲的手,母亲也握住我的手,我望着母亲,母亲也望着我。我不知道该跟母亲说什么才好,母亲却神志清明地对我说:"希胜!你记得甘福云吗?甘师傅的大女儿,甘福云,她去世,该有二十多年了吧?我这病,就是当年她得过的。你知道她临死以前，为什么非要她爸爸把她病床搁在一进门的地方，又为什么要她爸爸，总把那门帘子半掀着吗？从当年你住的那间屋，望过去，正好能见着她吧？其实，是她为了能常常见着你！她对你，有一种特别的情感，临到快死的时候，她就跟她爸爸坦白了——连她妈妈她都没直接说。她是趁她爸爸一个人在身边的时候，也许是那回她爸爸背着她去蟾宫电影院看电影的时候，悄悄跟她爸爸说的。我想，她也没有特别深刻的意思，只是那时她已经快十七岁了，以她那样的家境，她的早熟，是必然的。你也未必真那么可爱。说实话，那时候你恐怕是鸿蒙未开，浑浑的，而且有时候非常可恶，非常讨人嫌。但你想她的生活天地，只有那么样大，我们两家，正巧住对门，又同在一个月洞门里头，同享一棵马缨花树的荫凉芬芳。上小学时，你们俩又坐同桌，她的感情寄托，也只能落在你的身上……所以那时候，甘师傅就对她说你快点儿好吧！你病好了，我跟卢大爷卢大妈他们说去，让那卢希胜，娶你当媳妇！甘师傅打那以后，对你就特别爱惜，心里头总认你做他的女婿。现在你长大成人，娶妻生子了，我把这些个事情说给你，你该不在意了……想起来，甘福云实在不幸！没等上富裕的日子到来就那么死去了，也没能享受到许许多多最平常的人生快乐，比如爱情、婚姻、生儿育女……就流萤般地湮灭了。而我，我很满足，我付出了许多，也获得了许多，工作、事业、婚姻、家庭、子女……我该有的全有了。而回顾一生，我也没有多少亏心、有愧的地方，我如果这就去了，也并无遗憾！……”

听了妈妈这些话，我从默默流泪，到痛哭失声。妈妈用甘福云同她作对比，回顾一生得失，如闪电霹雳，照亮了我的良知，撕裂着我的麻木，我眼前浮现出一个蓝夜叉来。我从此坚信，那确是护法的吉物，而并非狰狞的恶臭……

我走出那条胡同，心里渐渐平静下来。

我不想打听，那甘七究竟靠什么发了那么大的财；也不想打听，他另外的兄弟姐妹，是都发了财，还是各有各的命运。我并且不想打听，甘木匠和他的妻子，是否还都健在，对于子女的发财，他们是怎样的一种心理反应，他们是将与甘七同住进那重金购置的小院中，还是仍固守在那月洞门中、马缨花树下的老房子里……是的，我都不想打听，因为那一切，同我实在都没有什么关系。我只知道有一桩事是无须打听的，就是在这条胡同的 35 号大院里，在那个月洞门里面的小院落中，在那株巨伞般的马缨花树下，活过，并且又死去了一个名叫甘福云的女子，她临死前，默默地爱着一个绝对没有爱过她，并且不可能去爱她，甚至在今日的回想中也丝毫不爱她，今后也不可能通过臆想去爱她的，那么一个比她小一岁的男子。那个绝对不爱她，并且简直心目中没有她，甚至连真正花力气去鄙弃她欺侮她也不曾有过，无非是兴之所至、偶一为之地戏弄她、伤害她一下的男子，对她唯一的印象，集中起来，不过只是一个怪诞的符号：蓝夜叉。

我不想再打听什么。我曾去隆福寺——现在那里是一幢现代化的高楼，称之为"隆福大厦"。平日里就开放着五层营业大厅，各层间有电动滚梯相连，里面发售着一切最时髦的什样百货，从进口原装食品到香水发胶减肥霜，从金银首饰到卫生间用具，从真皮沙发到卡拉 OK 演唱机——探问过：原来寺庙里的那些文物，比如说毗卢殿里那举世无双的藻井，究竟到哪里去了？人们告诉我，所有能用来修筑地下防空设施的东西，"文革"期间都用于"深挖洞"了，算是"化废为宝"、"古为今用"吧。至于那架藻井，据说原也拟用于当做洞中撑柱的，但无论如何也拆解不开。后来又打算干脆用斧子劈碎烧砖窑用。但据说斧下只爆金星，锛得持斧人虎口几乎开裂，而那木料却坚不可摧。于是乎，有位老职工告诉我，听说是运到雍和宫里存放去了。我曾又去雍和宫里询问过，那十几年里雍和宫几易归属，现在被询问的人茫然无知。看来也并不在雍和宫中。那么究竟哪儿去了？"藻井知何处，剩有游人处。"藻井如此，其他人事又何堪探问。所以，我想就一概勿再打探吧。逝去的就让它逝去，湮灭的就让它湮灭。

我的朋友，忘却，你好！把你的筛眼，再豁大些吧。我拥抱你。

1991 年 3 月 20 日写完于北京安定门绿叶居

菩城雨霏

这不通。颜老说。

是的。菩城是个虚拟的地名,雨霏是什么?要么,说雨雪霏霏,说霏霏细雨,总之,霏字不能这样单用,语言要注意规范。

可是,他难以解释。菩城雨霏这四个字梗在他心头很久了。

那天,他对鹃说,他要写篇小说,这回,要动真的,不是讲个构思给她听,而是在电脑上一个个字地敲出来,到时候,他会给她软盘,希望在静静的春夜里,雨霏的情况下,她打开那软盘,细细地品。鹃问他,小说什么名儿?他喜欢她这样问,别的人多半会首先问:什么题材?什么主题?而鹃最关心的是题目;他就告诉她《菩城雨霏》,为了使她明白那每一个字究竟是什么,他用签字笔在她手心里写下了那四个字,她看清楚以后,脸上漾出笑漪,把写了字的手掌半蜷起来,仿佛怕那四个字像蝴蝶般飞出去。他心里有股暖流淌过。

2

人才市场。

这通吗？他没有问过颜老。真该问问。

从门口就是一锅人粥。二十元一张入场券，在人粥里，他像一枚红枣，随着沸腾的情绪，游动到售票窗，仿佛抢劫似的，用二十元劫来一张入场券。

场子里更像一锅腊八粥。很难接近那些摊位，高悬着的招贤榜倒很醒目，欢迎博士、硕士加盟，两年以上工作经验者优先，双外语优先……那么，像他这样的学士，刚毕业的，如何能竞争上岗呢？

而博士、硕士们也在愤懑。场外大横幅上写着，这里面是百强企业联合招聘会，报纸广告上也是这么招徕的，但摊位根本不足一百，而且，大量的一看就知道在千强以外，几个人们估计确实属于百强以内的摊位，接待桌几乎被掀翻，不少求职者填好的表格散落地下，人声鼎沸中，那企业的工作人员早不见踪影，他们害怕被挤扁，抱头鼠窜了。

出现了抗议者。那是人粥中的旋涡眼。呼喊着退票退票。要主办单位负责人出来对话，给个说法。

他游离旋涡，游出人粥，挤出门，一身臭汗。

天空黄焦焦的。仿佛才烙好的大饼。沙尘暴将至。

菩城雨霏。

想到这四个字，心里舒服些。

3

麦当劳里照例一派兴旺景象。

他和派克对坐。派克要了两客香草奶昔。派克在麦当劳只吃奶昔，称唯有奶昔才既使他精力充沛又灵感勃发。派克是一家小报的记者。小报，这通吗？它的发行量远远超过那几份公认的大报，在街道和地铁的报摊上它处处抢眼，是红男绿女首选品种之一，它其实很大，放个屁，满城飘味儿，但人们却又都说它是小报，它的小，是另一种含意；语言这玩意儿，没法子较真。

派克是他中学同学。说是偶然路过这人才市场，天赐良机，有了好新闻。派克已经把稿子用伊妹儿发往了编辑部，明天就见报。派克把超薄的笔记本电脑放在奶昔旁边，那显然是派克的爱物，倘若能吃，派克一定把它像奶昔一样吞进肚子里。

你愁什么？派克对他说，你有颜老这棵大树好乘凉。

他吃了一个巨无霸汉堡包，啜着大杯可乐，摇头。你还不知道颜老？这世界上完美的事物越来越稀罕，颜老学问不消说了，在他那个专业领域里，谁可争雄？而人品，就拿鹃的求职来说，也是后门不走前门不求，让她自己去张罗的。颜老有口皆碑如许年，到了这酷评成风的年头，谁能对颜老酷出半个不字？就连你们小报，今天糟改这个泰斗，明天开涮那个名流，可是一到刊登关于颜老的文字，却总是捧场，前些天那篇歌颂颜老伉俪情深的文章，属名悄闻，可是你写的？有的细节，只有我能提供，而且我只跟你讲起过……拿给颜老看，颜老很不以为然；当时师母下楼买菜去了，颜老让我把你们报纸藏起来，说别让她看见吧……

派克说自己不写那种锦上添花的东西。他说派克你这家伙何尝写雪中送炭的东西。派克笑了，露出一口四环素牙，说，我不添花也不送炭，我喜欢爆炸性。

他衣袋里的 BP 机嘟嘟叫。取出来看，是鹃的急呼，让他赶紧回电话。他要去店外街头找个插卡电话，派克递给他手机，说你怎么还不置个手机，这可是求职必备品啊；不等他回答又笑了，说你倒也用不着，颜家有女初长成，养在深闺你认识……抓牢靠些吧，别让她跟断线风筝似的飞了，你要随着她飞才好，好风凭借力，送你上青云……以后光颜老的著作权收益，五十年里头就够你们俩旱涝保收！

派克的话他全没听见，接过手机他立刻给鹃拨电话，电话一遥就听见鹃的哭声。

4

菩城应该是怎样的风光?

有一条河,把菩城分成两半。河边有些吊脚楼,楼板悬空,用些高高低低的木桩支撑,居民在楼板上打地铺,躺在地铺上,从楼板裂隙间,可以看见江水流动。江水清澈吗? 能辨认出游鱼吗? 很难想象下去。倘若鹃问,你家乡真的那样吗? 他将回答:是,而又,不是。应该能从楼板间隙,看到混浊的水流里,有水蛇呈连续的S形疾游。

大街上没什么好描写的。百货公司也都改称商厦,楼面使用玻璃幕墙装饰,一楼散布着化妆品柜台,二楼是女装,三楼卖男装,四楼是珠宝、电器、精品、音像制品、文具……五楼是美食城,而地下一层,则是超市。颜老这些年周游列国,据他说全世界的百货商场几乎全是这样格局,而麦当劳的黄 M 标志总附着在商场某一隅,显示着世界大同的意味。但这世界大同与莫尔、马克思、康有为等所宣谕的世界大同显然并不是一回事。那究竟是怎么一回事?

所以,他要着重描写那独特的东西。雨霏。不说雨雪霏霏,不说霏霏细雨,就是雨霏。

雨霏,这两个字给他心中一份温馨的熨帖感。

就像忽然有人从身后,伸出双手猛然捂住了你的眼睛。那是少年时代常有的事。为什么随着人的成长,这样的感受会越来越少?

猜猜,我是谁?

惊喜不置。或者一猜一个准儿,或者竟没猜中,那扭头相视的欣喜更加浓郁。

刚进大学头两年,这种欢欣还曾有过。

现在却如断了线的,远去的风筝,睁大眼睛使劲眺望,那风筝连一枚黑豆的大小都不及了,很快就要完全没有任何踪迹了。

还没完全结束,就都忙着找工作。开始,交流信息还算真诚,很快,发现彼此是最可畏的竞争者,信息独享就成为最自然的状态了,接着,便发生着越来越恐怖的事情,谁把谁的回函偷偷拆阅并且撕碎扔进垃圾桶了，谁把谁的电子邮件偷偷下载做了手脚并且去李代桃僵了……相逢开口笑，过后不思量，这算文明的了；乌眼鸡似的，恨不得你啄我我啄你，虽然粗鄙，倒还直率；微笑战斗，明是一盆火，暗是一把刀，搂肩膀的手臂里满是阴谋，涂蜜的嘴通往的是充满算计的心肠，那真是防不胜防……谁还会没有任何利益前提地，只为着交往的快乐，而从你身背后，伸出他温暖的双掌，猛不丁轻轻蒙住你的双眼，哗，谁? 谁? 可爱的人儿，你是谁? ……于是扭头看到一张欢笑的脸，真诚的欢笑，不打折扣的真诚欢笑，两个人就都双脚蹦，哇哇大叫，你捶我肩膀我捅你胸膛……

　　菩城雨霏，想写的就是这种东西。

　　那为什么要雨霏? 应该是菩城阳光，菩城彩霞或彩虹……

　　可是，就觉得，偏要菩城雨霏，要的就是那么个劲儿。

　　雨霏，鹃，你会喜欢。

5

　　鹃的哭声似乎被撕裂，很快变成断续的漱口声，他大声问：怎么了? 你怎么了? 你在哪里? 却完全没有了声音。派克拿过手机，贴了下耳朵跟他说对不起，没电了。他冲出麦当劳，奔向眼中看到的第一个街头公用电话，却发现那是个投币式电话机，他没有钢蹦儿，懊恼地再往前跑，终于找到个插卡式电话，他把 IC 卡插进去，往颜老家拨，没人接，再拨，还是没人接；掏出 BP 机查对，鹃是让往她家回电话呀! 他再拨鹃所在的机构电话，占线，连续地拨，永远占线；他来回试那两处，拨来拨去不得要领；终于接通鹃机构的电话，接听者却让他换拨另一号码，不等他多说，那边立刻挂断，而那另一个号码更是永远地占线……

　　他愤然拔下 IC 卡，跳向马路边，立刻拦截了一辆 TAXI，直奔颜老家。

6

　　他父亲是颜老的小学同学。但除了在一个小学念过书，他父亲和颜老很少有相似之处。他母亲呕气的时候数落父亲，总会拿颜老说事儿。颜老一路苦读到大学，都四十出头了，赶上改革开放的好年头，还到美国去拿了硕士和博士，学成归国，学术成就骄人。父亲呢，高二就辍学了。母亲不听父亲的种种申诉，总而言之，无论有多大的困难，就是大学不取你，自学也该成才啊，却在辍学后，百般无奈中，从京城返回了家乡，困守一个小单位，白了少年头，又秃了壮年顶。父亲回嘴说，不回乡我们怎么会有这个家？母亲就气更不打一处来，说前世里造的什么孽，让月老硬跟这么个家伙拴到了一处！尤其是，提起颜老，人家大学毕业，分配在京城，多少摩登女郎追求，结果怎么样？到头来还是回老家娶了邻居的贫寒女！那是怎样优美的爱情故事！还看什么言情小说，什么言情电影肥皂剧，看看活生生的颜大师伉俪吧，恩爱夫妻百样甜！父亲就说现在我们离婚也还来得及，你等咱们家乡的什么大师来找你吧！母亲就恨恨地说，你把我榨成了这副鬼模样，倒好意思说这样的便宜话！父亲说你徐娘半老，风韵犹存！还冷冷地提起什么人，那一定是真正有影儿的事，母亲没听说完就急了，尖声叫出一个女人的名字来，指着父亲鼻子说，你不就盼着跟她破镜重圆吗？父亲跳起来说你不要血口喷人，我跟她什么时候是一块镜子？我倒的血霉，竟跟你做成了一面镜子，而且是生满绿锈的铜镜，居然砸也砸不碎！母亲就高喊砸呀砸呀砸呀，父亲就会用下巴指指呆立一旁的他，说你知不知羞？当着孩子！母亲就哭起来，赌气说我脸也不要了，这日子别过了……他目睹这样的场景多了，也就不再惊悚无措，甚至于，当他在大学宿舍的铺位上，静夜里回忆起这些，竟然憬悟出，那就是他父母谈情说爱的方式……是的，比如上面那样的一场对话的最后结果，并不是双双走向办理离婚的机构，而是母亲叹口气说，今天讲好晚上做条红烧鱼的，却到现在还没走出门去买，那卖鱼的汪胖子鱼档上，怕是只剩下瘪眼睛的死鱼了！说着提起篮子亲去买鱼，而父亲呢，也就找出蒜头，平心静气地坐在厨房间剥蒜，还哼起了一首他听起来很觉新奇的歌子："麦苗儿青来菜花儿黄，毛主席来到咱农庄，千家万户齐欢唱啊，好像春雷响四方……"那旋律极其婉转优美，为什么现在电视里从不演播这首老歌？……

是的，菩城有这样的歌声，从前，是年轻的生命大声地合唱，现在，是一个奔向花甲的老人，剥蒜时不经意地哼唱……雨霏，在雨霏里，菩城的歌如生命，缕缕不绝。

7

几乎每天要吵几场的父母，在培养他上大学这个问题上，却从来没有吵过。现在马上要领取学士证书，他写信回去告诉他们，他正在积极求职，争取在京城发展；父母却不仅来信，甚至还把长途电话打到他们宿舍楼，光是接电话的人去找他，找到他，他提起听筒，已经过去十来分钟，但一贯精打细算的父母却舍得那样地打长途电话，为的是告诉他，他应该考研，他们会一直支持他取得博士学位，每月该贴补他多少钱，都承担得起！还告诉他，已经跟颜老伉俪都通过话，也都支持他们的想法，不要急着进入打工族，能多学点东西该有多好！父母在电话那边你抢一嘴我抢一嘴，他心里计算着这电话费怕快要一百块了，也就不再解释，胡乱地连连回应说好好好是是是……

来京城入学，父亲写了封给颜老的信，其实父亲跟颜老同年，谁尊父亲为老呢？颜老之称却流行好几年了，大概是从获得了那个了不起的头衔以后吧，先从他所在那个机构叫开，蔓延到社会，以及派克那样的记者的笔下，所以父亲也就称他颜老，颜老曾经觉得刺耳吗？不知道，反正当他拿着父亲的信，闯到颜老家里时，颜老只是高兴，还有师母，他们热情地接纳了他，颜老甚至还眼角噙着泪花，回忆起跟父亲在胡同里逮萤火虫的事儿，说是没想到后来失去联系几十年，让这么大个儿子又来挂上了钩！颜老也确实该被叫做颜老，他的容貌可以形容为鹤发童颜，不像父亲，远远看去，剃光的秃头闪闪发亮，身体也不发福，倒像个刚退役的足球运动员。

头一回去颜老家，就见到了鹃，他以为那是颜老的孙女儿，颜老却介绍说是女儿，一对属相，鹃竟比他大一岁！但在他眼里，鹃就是妹妹，而且是小妹妹。鹃的声音娇滴滴的，笑起来头总往一边歪，无缘无故总在害臊。就连这天从电话里传过来的哭声，也活像是小姑娘嘴里发出来的。

8

开头，是每个月去一次，后来几乎每个周末都去。唉唉，那是多么温煦的一个港湾。跟颜老，可称结为忘年交了。

每回，他在颜老的书房里勾留的时间最久。听颜老闲聊真是人生难得的精神宴飨。咳唾皆为珠玉，七穿八达美不胜收。往往，开始的时候，颜师母也在书房，静静地坐在一边，用粗大的棒针织毛活，多半是织毛线帽，织出来送亲友邻居，光给他就织了两顶；颜老跟他对话时，师母微笑地听着，偶尔插进一句评议，一声感叹，一点补充，一个问题……后来，总是无声无息地消失，那是去跟小时工凤妹一起，准备晚饭去了，而在他和颜老谈兴仍浓时，书房门会被轻轻地打开，鹃探进头来，倒好像她是个客人，怯生生地说："可以打断你们一下吗？……开饭了。"

是从哪一回起，他才和鹃有了第一次正式的单独接触？大概是某一个周末，他去了，鹃开的门，告诉他爸爸妈妈都出去了，是某国大使馆的科技文化参赞宴请，他说，啊，那么我就不进去了，鹃说，对，你别进来了，不过，你等等，我也正想出去走走，我们一起走到大街上，好吗？

他们就一起走出那个楼区，走到大街。到了街口，两个人站住，互相望，他的眼光停留在鹃脸上足有两分钟，鹃却瞥了他两秒就歪过头去，颧骨上泛出樱桃红。他说再见。鹃也说再见。可谁都没马上挪动。他问鹃去哪儿，鹃说还没想好。鹃问他去哪儿，他也说没想好。两个人就都笑了。后来他们进了附近一个公园，那里头有个围着竹篱、摆着农村石碾的露天茶座，他们就到里头坐下来，聊天。不记得都

聊了些什么。也没坐多久。鹃坚持要付账，说自己已经工作，挣工薪了。他说尊重
女权吧。鹃听了笑得很开心。

有回母亲来电话，居然提到了鹃，而且露骨地表示，他若能娶到鹃该有多好！
鼓励他作为男青年应该主动追求，女青年即使心里头一万分愿意，多半也装出若无
其事的样子，很少会主动表达什么。他心想难道父亲就那么主动地追求过母亲吗？
母亲曾经心里一万分愿意却装得若无其事吗？人在世上是多么好笑。他就笑对听
筒那边的母亲说："癞蛤蟆想吃天鹅肉。"母亲生气了，质问："你骂谁？"他就说
骂自己。那回母亲的电话费花得最冤枉。但月底依然接到母亲填写的汇款单，金
额比以往还多了五十块，附言里说：你可能会多些花销了，多给你五十，但节约仍
是一个大原则。

渐渐地他和鹃有了更多的单独接触，而且是越来越亲密的接触。但那亲密的程
度，至今也仅达于拉手散步而已。有一回派克私下里问他，跟鹃亲嘴时，鹃会不会
用下唇撩他的上唇？他如聆今古奇谈，对派克正色道："你别忘了她有着怎样的家庭
教养！"派克乜斜着眼睛，嘴角打弯儿，不过毕竟唔了一声。

前些时和鹃单独在一起，他提起准备写小说。鹃说那可是个即将灭绝的行当。
他说，对，逼近灭绝的东西，有着醉人的凄美。他那小说的题目叫《菩城雨霏》。这
题目就很凄美，不是吗？鹃说你这么独特的美学思想怎么形成的？他说独特不到哪
儿，其实，凄美说是颜老在书房闲聊时，不经意地道出来的。鹃就说，真羡慕你！
他说你怎么羡慕我？应该是我羡慕你，你从小守在颜老膝下，该承接多少颜老的思
想火花！鹃说你不知道，这几年里你从爸爸那里聆听到的，比我从小到现在所承接
的，要多许多呢。我爸爸喜欢你，已胜过喜欢我了。鹃说爸爸也曾经是个文学发烧友，
据说写过两本子诗，一大本小说，还是章回体的，可是后来退烧很彻底，那些东西
都自己一把火烧掉了，全身心投了了现在做出骄人成绩的专业，据她所知，爸爸近
十年来已经不读任何文学新作，书房里有几格书架上排满老的文学书籍，但也很少
翻动，她记忆里，只有《红楼梦》，还有一本薄薄的，西班牙阿索林的散文集，爸爸
在静夜灯下品读过。鹃问他，如果《菩城雨霏》写了出来，会先给爸爸看吧？他说不，

会先给她看，而且，可能根本不会给颜老看，闲聊时说说题目，道道构思罢了，怎敢真拿那种东西去占用颜老的宝贵时间？

9

怕司机弄不清颜老他们那座楼的位置，他就说，麻烦你开到那条街的银行，司机以为他是要进到银行里去，就问是不是要取外币存款，入股市炒 B 股？不等他答话又说这些天有不少乘客搭他的车到这个银行，看来 B 股要火起来！他说 A 股 B 股都一边去，他急着有别的事，请从银行门口右拐。但这天右拐不了，恰在拐进去的地方，又在挖沟，不知是又要埋什么管子或什么缆线。他付了车钱，跳下车，立即有人迎上来，低声问："您是进，还是出？"还打出手势，大概是表示买汇和卖汇的不同比价。他绕开走，却又有人斜刺里冒出来，快速地告诉他倘若他的外币存款不符合所规定的日限，可以很方便地帮他解决问题，保证他顺利办妥 B 股入市手续，而协理费只需付不多的人民币……他惊异于这些人开辟新生意之迅速之精明，倘若他闲来无事大可约上派克来此明查暗访一番，但此刻他耳朵里还潴留着鹃的哭声，并且牵动着他的心，一阵阵地有针刺般的惊悸，他就挥动手臂，游泳般地，逃离开那块是非之地，绕开挖开的沟渠，右拐进颜老住的那个楼区，直奔颜老所住的那座楼房而去。

10

颜老所住的那座扁长的四层楼在周遭高楼里显得很扎眼，不能以鹤立鸡群形容，倒无妨说是虎卧驼群，它是一座专家楼，每个门洞里只住八家人，每家都是双厅双卫，他去那里或离开那里的时候，常不免暗自喟叹：将来能成为这种公寓楼里的一个户主，吾愿足矣！尽管这社会上还有住得更神气的富商巨贾，单栋豪宅附带花园泳池，但比起颜老这样的住宅，总还缺乏一种清贵的雅气。

那楼前有几个孩子在绿地间的甬路上踩滑板车玩耍，欢笑声减轻了他心里往上蹿动的不祥之感。他进到颜老所在的二楼，按门铃，没人应答。楼上有位衣着鲜洁、面容修饰得非常仔细的老年妇女款步走了下来，显然是打算出门去，并非因为听到他的动静才特意下来观察。他和那位妇人对视后，不禁问：颜老他……？妇人蔼然道：不是去新加坡了吗？颜老出境活动就像一般人常去公园一样。他十多天没来，这样的情况不足为奇。怎么师母她……？这回他是自言自语，那妇人却主动告诉他：散步去了吧。妇人身影消失了，他还呆立在颜家门前，推敲鹃究竟为什么呼他，而且哭得那么伤心……

忽然兜里的BP机嘟嘟响。取出一看，是派克留的号码。他没心思给派克回电话。他下楼转到有公用电话的地方，给鹃的机构打电话，居然一打就通了，鹃的同事说鹃请假走了，问去哪儿了，答回家了吧；问出什么事儿了，答不知道。他就顺便给派克挂个电话，派克劈头告诉他：颜师母去世了！我正发特稿呢……你怎么还不到医院来？他觉得天塌了一块下来，砸在头上肩上，又碎裂成无数锐利扎人的东西。天知道派克是怎么先于他得到这消息的！

11

派克从医院的那条长长的廊道尽头朝他跑过来，老远就大声问他：嘿，你记得颜老是怎么说的吗？……他根本不要听派克的问题，迎上去一把抓住派克衣袖，大声吼：她们呢？派克反问：你说谁？他抛开派克，朝里边跑去……

乱作一团。鹃已经不哭了，但眼睛肿得像两枚美国布朗。一些人围着鹃，有医生和医院负责人，有颜老所属机构与颜师母所属单位赶来的领导与办事人员，还有派克之类的，以及比派克更莫名其妙的什么人，他挤不到鹃跟前去，更不知道颜师

菩城雨霏

母的遗体被推往了什么地方，无望走到跟前跟师母告个别。一切景象，包括人们的话语及脚步和触碰东西的声响，都显得空洞而荒谬。他有好一段时间完全不能正常思维。

他只能从护士那样的外围，探知到事情的大致轮廓。颜师母在家里突感身体不适，打电话让鹃回家，鹃回到家里，一看这回情况比以往严重，立刻打电话叫急救车，但急救车因为街口开膛挖沟开不进去，急救人员只好下车跑到颜家，用担架把颜师母抬到急救车上，这样就延缓了对她的抢救，刚送进医院，还没安顿到急救室的病床上，病人就因心肌梗塞而气绝，后来任医生们采取什么手段，都无法使她回生。派克又靠近他身边，跟他交代一番。原来派克的第三任女伴西米恰好在这所医院工作，觉得派克应该就此抓条新闻，马上与派克联系，派克迅疾赶往现场，派克觉得如要构成新闻，光是某某名人夫人去世不行，必须要有个亮点，于是决定突出报导颜老伉俪生前双双决定逝后把自己遗体捐献给出来，供医学解剖使用，为此派克飞快地从网络资料中搜寻出了五年前颜老等十五位学术界名流联名签署的有关文件，现在派克希望他回忆一下，颜老就此跟他有过什么对话？不直接涉及捐躯的话语也行，只要是体现出彻底唯物主义的生命观的言论都可以，一时想不起很具体的，概括平时从颜老那里获得的有关印象也行……

他哪里有心思帮助派克完成那报导稿。他只想接近鹃，想握住鹃的手，握得紧紧的。他瞥见鹃在强忍悲痛，应答着身边那些人的慰问。他觉得鹃已经用眼波的余光感知了他的到来，并且也恨不能马上单独跟他在一起，渴望着与他手握手，紧紧地……可是，他无法强挤到鹃跟前，而鹃也无法突围到他身边。他注意到，那位高鼻梁的尤大夫，正紧贴在鹃身边，并且似乎就要用自己的手去紧握鹃的手。一种复杂的况味涌动在他心间。颜师母生前特别看重这位尤大夫，每次门诊总是找尤大夫，有时尤大夫也会出现在颜老家，从某种意义上说，尤大夫是颜师母的专职保健医生。在颜老家餐桌上，他常听见颜师母引用尤大夫的话，比如多吃富于长纤维的蔬菜防癌，人体不可或缺谷氨酰胺什么的。有次他和尤大夫一起被留饭，在餐桌上，他发现尤大夫居然直愣愣地盯着鹃喝完一整碗汤。他可是从来不敢当着二老，把目光在

鹃身上久久停留的。有一回他听颜师母偶然说起她们家乡的俗谚：女大三，抱金砖；男
大五，入相府。不知怎么的他马上想到了尤大夫在餐桌上当众宣布过，比鹃要高五个
属相。为此他胡思乱想了好一阵。难道鹃随了尤大夫，就能入相府？尤大夫这辈子了
不起当上他们医院的院长，或者到医学院兼个教授罢了，难道还真能当上卫生部长？

　　尤大夫有什么用？颜师母被送到了尤大夫跟前，尤大夫还不是就那么任她死去
了？望过去，那只有几米远的尤大夫，高鼻梁腻脸皮，不知在跟鹃絮絮地说什么，他
觉得那真是个祸害，难道他祸害掉了颜师母，还要再祸害掉鹃么？尤大夫伸手要握鹃
的手？啊，不，是拿过一份什么文件，要鹃在什么地方签字……

　　那里的每个人都觉得自己非常重要，只有他似乎反是多余的。

12

　　菩城雨霏，那样的情景下，旧巷中的青石路面，润泽闪光。那些边缘已然变圆
的青石板，承接过了多少生命？几多踩踏过它们的生命已经陨灭？那生命的记忆，
是否嵌入在了石板的深处？

　　本来，在《菩城雨霏》的整个构思里，只有爱，没有死。像他那样才二十三岁的生命，
叩问死的秘密实在还排不上日程。何况，关于爱，该探究的已经太多太多。

　　在颜老书房，静静的晚上，没有电视机，没有音响，天花板上有个吸顶灯却几乎
从来不开，只有书桌灯和沙发边的方几上那盏青瓷瓶为底座有着八角银纱罩的台灯，
发出淡雅的照明光，使书房里的亮域与阴暗处边缘暧昧，而那些分布细碎的、似明若
暗的光影暧昧处，总让他觉得充满了神秘的、欲说还休的话语。有时候，他一边听着
颜老非常随意的谈论，一边凝望着那些氤氲着神秘的角落，以至竟忽略了颜老所述，
而把置身在神秘的言说氛围中，当做了最醉心的享受。

　　雨霏，这两个字摆在一起不通，但也不能说完全没有意义，那意义不过比较暧昧
罢了。有一回他提到暧昧，颜老接过去说，暧昧是一种难得的境界。科学研究领域里，

有些临界区域，可以说也就是暧昧之处，那是最让科学家怦然心动的所在。他问过颜老，爱与死是永恒的主题，这个文学艺术的命题对不对？颜老回答说，不仅是在文学艺术领域，在科学领域，比如染色体研究，爱与死也是永恒的主题，现在对人体的基因序列快要精确排出，生命的死亡之谜会在生命的情爱之谜之先被揭橥。他就问，爱是生命得以生殖的前提，这个谜底不是早被揭橥了吗？颜老就摇头，用很沉重的语气说，纵观人类，俯视人间，世上多的是没有爱的生殖啊，而与生殖无关的爱，又有谁能从最根本的因果上予以诠释？

也有过那样的时候，他坐在沙发上，因为偏身专心聆听颜老过于低沉的语音，一只胳臂搭在了沙发靠背上方，手掌很自然地扣在了那肥厚的沙发背脊，而颜老说到兴奋处，会从书桌前的皮转椅上站起来，在光亮与阴影间踱来踱去，他也就会把脖颈，随着颜老的移动而转动。有一回颜老说及生命的不可避免其衰老，即使破解了染色体之谜，人类的寿数甚至有望延长至两百岁乃至两千岁，而终于还是要衰老、死亡，感慨万端，恰好走到他所坐的那架沙发后面，顺手摩挲着他的手背，喃喃地说，你这是青枝绿叶啊，多么光润，多么鲜丽，而我呢，其实不过才到花甲，却已经有树皮龟背之态，你不觉得吗？颜老摩挲他手背良久，又用自己那粗糙的手背和他的手背反复摩擦，吟起了古诗古句，人生非金石，岂能长寿考？年命如朝露，人生忽入寄……他就忽然鼻子发酸，想到只有他，才知道颜老有这种心灵的焦虑，而那些只从传媒上了解颜老的人们，一定会以为这样功成名就的人物，哪里还会有这样的内心痛苦呢？他不知道该怎样回应颜老，愣愣地保持原有的姿势，久久未动。

在菩城，那个还保持着古老的青石板路面的小巷，清晨，雨霏，也还会有古时就有过的，叫卖鲜花的声音响起，那该是鹃那样的嗓音，买杏花来哟……

人无论可以活得多久，最后终有一死。死是不用争取，人人自然都会遭逢的。然而爱情呢？起码从文学经典里，我们就看到了不少没有爱情的生命，到死也没被人爱过，甚至于通过顽强甚至惨烈的一番追求，也还是无爱而终，这有多么可怕？

所以，在《菩城雨霏》里，对爱的不懈追求，将是贯穿其中的旋律。

在那篇小说里，那个反复出现的，还铺着古老的青石板的小巷子里，巷子一边的吊脚楼里，还有那装着才从树上剪下来的杏花枝的竹篮，都会伴随着一声声迢递的卖花的吆喝，永远激动着写作者的情怀。那声音是鹃的，还没有变为成年人的厚重，稚气而缥缈……

13

无论如何也跟颜老联系不上。新加坡那边的邀请单位说颜老已在头一天离开，飞往了香港。有新加坡的签证，在香港可以免签停留一周。颜老曾给家里来过长途，说打算在访新结束后，到香港看看大屿山顶上的天坛大佛。这几年颜老出外访问都并非随一个团，而是独去独回。到新加坡的费用由新加坡邀请方出，到香港一游的费用他自己承担，所以他在香港究竟住在哪家酒店，除非他再往家里打电话，简直无法知道。也许是颜老觉得自己飞来飞去家里人都习惯了，反正过几天也就回到北京，所以到了香港没来电话。

颜师母去世后的第二天，派克的报导就见报了，并且也上了互联网，因为抓住了将遗体无偿捐献给医学院作为教学解剖使用这个亮点，这篇报导迅疾被滚动式摘发。

他竟久久未能实现握住鹃的手，以手温以及皮肤接触时的特异感觉，把他心底里对她的安慰完整而细腻地传递给鹃的愿望。

颜老家的一个厅堂布置成了灵堂，悬挂着一张放大的颜师母照片，堆满了各色人等送来的花圈、花篮、花插、花束，一些挽联被贴到了墙上，一些摊放在沙发上。白天时不时总有吊唁的人跑来，还有想挖掘出更多新闻素材的记者钻进来采访，派克的那个第三任女伴——所谓女伴就是说跟派克有同居关系——西米，说是自动来陪伴鹃，怕她晚上一个人害怕，身体有了不适可以有个懂医的人及时合理照顾处理，不过西米最重要的任务其实是帮助派克搜罗出更多的可资报导的东西，派克已经扬言要立刻动手写一本关于颜老伉俪情深德高操洁的报告文学，其中会配以大量图片，包括医学院解剖颜师母遗体的现场照片。

他到颜家时，灵堂里有好几拨人。他觉得所悬挂的那张遗像选择得不好，不知为什么偏把这张像拿去放大，照片上颜师母的表情显得迷茫无措，完全体现不出其贤惠慈蔼谦和澄明；有一束花大概是委托花卉公司速递时没告诉清楚用途，完全是喜庆用花的红艳组合，但也被放在了遗像下；贴到墙上的挽联措辞极为鄙俗，而一首精心结撰的悼诗却被扔到了沙发一角……凡此种种，依他的意思都该立即调整，然而却无从下手。最令他不快的是，迎上来和他握手的不是鹃而是西米，瘦尖脸细长眉的西米摇摇披肩发，对他说正等你来呢，快，把颜老那旷达的生命观再给我们讲讲……我们是谁？他没看到派克的身影，西米是在全权代理。他问鹃呢，西米说鹃太可怜，给她吃了安眠药，上帝保佑她睡个安稳觉。西米竟又在全权代理鹃。这真怪诞。

忽然尤大夫匆匆忙忙走了进来，领带系歪了，换衣服的时候怎么那么慌张？此人一贯是西服笔挺革履锃亮，领带系得中规中矩一丝不苟的呀。也不跟他打招呼，径直靠近西米问颜鹃在哪儿，说必须马上跟她个别谈谈。这就不仅怪诞而且荒唐了。西米，尤大夫，他们算鹃的什么人？他们凭什么操纵她？

他叫声尤大夫，说我应该先去和颜鹃单独谈谈，颜师母出事情的时候，她马上给我打的电话；又叫声西米，说你别给颜鹃乱吃什么药，她现在最需要的是什么，我清楚。说完，他就直奔鹃的卧室而去。

14

大屿山原来很寂寞。整个香港地区里，最大的岛是大屿山，比那个人们从照片和影视镜头里看熟了的有着巍峨楼林的香港岛大许多。现在大屿山建造了机场，又以大桥和香港岛相连，热闹多了。大屿山岛上有山，山顶上有佛寺，寺外顶峰上建了座露天大佛，其体积与轮廓线颇似北京天坛的祈年殿，所以又被人称为天坛大佛。

颜老顺着通向大佛的汉白玉石阶，款款向上。不时停下来，仰望欣赏。那趺坐在巨大莲座上的大佛被飘动的云朵衬托得格外庄严神圣。心弦不禁为之瑟瑟颤动。

忽然想到在阿富汗，塔利班正在动用现代化武器摧毁世界最高的巴米扬大佛，那是玄奘到西域取经时朝拜过的，属于全人类的宝贵文化遗产，但是，极端主义者就能干出这样的事情来。极端主义者不能容忍异教。连在一个空间里和平共存也不行。颜老扪心自问，在世界各种宗教里，最倾心的，还是天主教。颜老父亲是天主教徒，毕业于天主教会办的学校。颜老小学上的也是教会学校。中学入学时那学校也还是教会的，到初二的时候，收归国家，编号称呼。改革开放后有了出国留学、访问的机会，在意大利和法国的天主教堂里，特别是在梵蒂冈的圣彼得大教堂外的圆形广场上，颜老心中腾升出的敬畏感是真诚而浓酽的。天主教也排斥其他宗教，虔诚的罗马天主教徒连同属一个源头的基督教派、东正教派的教堂也是绝不会进去礼拜的，遑论参拜佛寺佛像。但颜老心里却在最尊天主的前提下，也尊佛道，连摒弃任何偶像的伊斯兰教，也肃然起敬，也曾到新加坡对游客开放的清真寺里去参观过，心灵似也获得了一番沐浴。这种情怀是否该称为泛神论？

颜老笃信建立在通过有严格限制条件下的，反复进行，其成果加以数字化确定的实验，而结晶出来的理性科学。但在穷究不尽的科学之上，冥冥中一定会有值得人类敬畏的神秘力量存在。个体生命之渺小脆弱，能因对那无以名之的永恒存在的敬畏，而获得坚实的心灵支撑么？

站到天坛大佛下面，山风吹拂着颜老一头花白的发丝，再仰望，已经看不见大佛瑞相，只见天宇高邃，浮云瞬息万变。忽然泪水盈满眼眶。我的生存有多么艰难啊！天哪，天哪，有谁能像我自己这样，知道这一点？承认这一点？理解这一点？体恤这一点？……

参礼完天坛大佛，颜老乘地铁回九龙。地铁车厢里那段时间人不算太多。颜老坐在座位上，仍旧沉浸在礼佛的感悟中。他身旁有个香港居民正翻看着一份报纸，报纸某版下面有一角小消息，源头是派克抛在网上的报导，那条消息的标题是大陆名流带头捐献遗体供医学教学研究解剖使用，消息第一行劈头便提到颜老及颜师母的名字。但阅报者始终没去看那条消息，更不可能知道消息里提到的丧偶名流就赫然坐在自己旁边。

15

他没敲门也没喊一声就推门进了鹃的卧室。一眼便看见鹃侧睡在床上，脸庞落在枕头窝里，比平时看上去丰满得多；一只手垫在挨枕的脸颊下，那表情姿势充满了卿需怜我我怜卿的意味，令他心漾酸楚的波环。

安眠药果然见效。鹃睡得很熟。他站在床前，俯身望着她，搓着双手，不知该怎么办。

他还是头一回进这间屋子。不由得把眼光从床上移开朝四边张望。整个儿来说，给人一种儿童间的感觉。特别是屋角的那只一米多高的大狗熊玩偶，如果是小时候的生日礼物，早该收进橱柜或者转送别的儿童了，却至今保留着；走过去细看，很新，像是才买没多久，这就更奇怪，而且蹊跷——是谁买来送给她的呢？为什么不是我？我怎么就没想到过送大狗熊？他又注意到屋子里各处地方摆放着大大小小不少的镜框，里面都是各个时期的留影，绝大多数是鹃自己的，也有一些是与爸爸妈妈在一起的，还有跟同学、同事在一起的，咦，这张，尽管搁在了最不重要的一处角落，却对他的眼睛具有强大的杀伤力——是怎么回事儿？颜师母坐在一张轮椅里，一边是颜老，一边是鹃，细辨背景，是在医院的庭院里，这次住院大概是他认识颜家以前的事情，照片上的三位颜家成员都比现在稍微年轻一些；颜师母那回是为什么住的院？这倒不算太重要的问题，问题是，照片上，还有另一个人，不是别人，就是尤大夫，站在了颜老的另一边，靠后些，是个谦虚礼让的姿势。那么，还可以猜测出来，给四位拍照的人，该就是西米了。男大五，进相府，这俗谚又响在了他耳边。他也曾跟颜家三位成员合过影啊，细细搜寻了一遍，绝无镶镜框摆放出来的。他心中膨胀出愤懑与沮丧。

西米走了进来，举起右手食指，朝他左右摇晃，又朝门外弯动，嘴唇里还嘘嘘出声示意他别在这屋里说话。他无奈地随西米走出了鹃的卧室。

16

菩城的闺房虽然简陋，却似乎更有诗意。

在吊脚楼临江的闺房里，竹篾编就的墙体上，只薄薄抹了层灰泥，刷了点白浆，但上面挂了面圆圆的玻璃镜，就是那种最普通的廉价玻璃镜，菩城雨霏里的女主角，每天就用它照脸，那是张红扑扑的脸膛，动不动，还会害起臊来，于是红上加红，颧骨就红成最熟最熟的樱桃，那樱桃会终于寂寞地落到地下，碾为红尘吗？还是会被窗外飞进的鸟儿，什么鸟儿？喜鹊太大，麻雀太俗，那么，是黄莺儿，究竟黄莺儿什么模样？写小说的人并没真见过，但还是要写，甚至描写那黄莺儿的翅膀怎么菊花绽开般地一闪，就把那最熟最熟的樱桃，生生地衔走了，而写小说的人心就疼了，就写不下去了。

但菩城有雨霏。还是要写下去。那吊脚楼临江的闺房里，墙上还挂着一张照片，对，只挂了一张，而且屋里别处也不挂不摆任何镜框任何照片；那墙上挂的照片，是两个人光着脚在河边卵石滩上追跑，一个男孩一个女孩，女孩在前男孩在后，哎，仔细看看，也许是男孩在前女孩在后，青枝和绿叶，绿叶和青枝，春日丽阳下，活泼泼地，跳腾，欢嬉……

菩城的事情很简单。至少，在远离闹市的沿河一角，那还有吊脚楼的深巷里，还铺着古老的青石板，雨霏时，石板闪出银光，还有穿着木拖鞋的少男少女，手里捧着刚出炉的烤红薯，因为太烫，就不住地把那红薯抛起接住，再翻动抛起，再接住，他们脚下踢踢踏踏响成一片，他们嘴里咿咿呀呀哼着歌，哼的什么歌？是在唱：活着，活着，高兴也活，不高兴也活，人只活一次，所以要快活……活着就要爱，爱你就要说出来，说出来你就要问行不行？好不好？问妥了你就要做……

17

他觉得自己不仅成为了多余的人，还成了招人嫌厌的角色。他悻悻地出了颜家，走到街头，进入地铁，他无意于购买小报，可是地铁站台上的报摊陈列的一份小报上，大字标题强行蹦进了他眼里，写着医学院教学研究解剖用尸体紧缺，他就知道那一定是派克快速在电脑上打出的，那部关于颜老伉俪的报告文学的引言。派克的文章一般至少要一鸡三吃，报纸上、网络上使用外，还要扩充注水成书，有时更做到一鸡四吃五吃，比如还投给杂志，发往境外。他忍不住买了一份那样的小报。在车厢里他匆匆扫描了一遍派克的狗屁文章。这个屁一定会有人爱闻。很有猎奇性。天知道派克引用的那些统计数字是真从有关部门抄录来的还是揣摩着编造的，还跟几个西方国家的同类统计数字作了触目惊心的对比。文章里强调在医学教学与研究中解剖人尸的重要性，那行文真能让不少读者因为我国这方面的尸源不够，从而影响医院和医生的整体临床水平，而联想到自身看病时所会遇到的风险，一颗心怦怦乱跳起来。派克称自己上医院看病，总是坦率地问医生学医时单独解剖过尸体没有，倘是限于条件从未有过足够的解剖经验的医生，则他敬谢不敏。这绝不是真的，但读来却极具撩拨性。还写到我国有时利用死刑犯尸体进行解剖。这是敏感话题。而有的读者最喜欢阅读敏感话题，越读越上瘾，越上瘾就越千方百计找来读。派克的文章最后才归结到自愿捐献遗体供医学解剖的重大意义。文末向读者预告他下面将讲述颜老及其老伴的动人故事。这其实也是那本即将上市的新书的广告。

他不应该读那狗屁文章。但是却读了。他把那张小报抛在了车厢座位上，但直到出了地铁站，他还觉得被屁味裹胁着。他想回到宿舍楼第一桩事情就是取了换洗衣服马上奔澡堂。

18

走回宿舍的路上，沙尘暴又来了。浑黄的旋风使身前身后都仿佛有一群猫头鹰在殴斗，除了飘飞以及钩挂在树杈上的白色塑料口袋，前面什么也无法看清。有时他不得不转过身子倒着迈步。鼻子里嘴巴里都有麻碜碜的感觉。

好不容易回到宿舍，玻璃窗嗡嗡响，屋里到处铺着一层浮土。但究竟比露天清明多了。室友都不在。他马上弯腰去取床下的脸盆，却在一瞥间看到他的桌位上多了些东西，忙撇下脸盆检视，啊，他惊叫一声，是个印着公司名称的信封，旁边有个大芦柑，芦柑下面还压着张纸条，上头写着：冒昧地帮你拿了回来，怕在传达室搁久了弄丢。必是喜讯，祝贺！还签了名。他迫不及待地拆开那封信，是一张正式通知，让他星期一去公司面试。真想不到！广种薄收地寄资料求职，这家公司本是最不敢高攀权当游戏人生才起哄似的寄去求职函的，自己几乎都把它忘记了，却巴巴地来正式公函约去面试！可见人活着都有走运的时候。而睡在自己那架床上铺的室友，在竞争如此激烈的情况下，还能为他想得如此周到，且以一枚硕大的芦柑表示祝贺，心肠如此优美，也是原来估计不足的。可见美丽的事与人不是仅仅存在于菩城的雨霏之中！

把那通知函收妥以后，洗澡时，在喷头泻下的水流中，他感到分外温暖爽快，暂时把沙尘暴和颜家的不幸都置之了度外。

19

在颜老的书房里，尤大夫正与西米密谈。西米大模大样坐在颜老书桌前的那把大转椅上，转至背对书桌，正对长沙发的位置，跷起二郎腿，抽着一根加长女士烟，一脸胸有成竹的表情。尤大夫与其说是坐在沙发上，不如说是陷在了沙发里，双手不住搓动，一脸的麻烦。

小时工凤妹跑进来，为做晚饭的事请示西米，西米严厉地对她说，以后想进来

站 冰

要先敲门！又不耐烦地挥手让凤妹赶快出去，跟她嚷，叫你煮粥就是煮粥，放几杯米还用问我？你以前没煮过粥是怎么的？！凤妹知趣地往外退，西米让她拉紧门，门砰地关上了，西米再把眼光投向尤大夫，尤大夫的高鼻梁上沁出了一些细小的汗珠。

什么情况让你那么揪心呀？西米说，你也算见过不少大世面的人物了，几声乌鸦叫，你慌什么？

尤大夫已经跟西米讲了，先是医院内部，有人提出来，颜师母本人既没有捐献遗体的公开声明，也没有留下亲署的遗嘱，因此不能贸然将她的遗体加以解剖；后来，颜老他们机构也有位领导提出疑问，说是颜老确实是与另外一些名流联署了死后捐献遗体的文件，但那只能认定为颜老有那样的意愿，不能随便类推到他的妻子；这样，究竟颜师母的遗体能不能用于教学与研究使用，就成了问题！

西米一再地跟尤大夫强调，颜老伉俪，是社会公认的两位一体，或者说是两体合一，思想感情绝对丝丝相扣、息息相通，怎么能想象出，在死后捐献遗体的问题上，他们俩人会有不同的态度？至于颜师母没签署文件，那是因为她并非名流，再说虽然这几年她常有住院的情况，毕竟都不是什么绝症，这两年看上去更健康，谁能预见到她会突然死于心肌梗塞？她自己更没那个思想准备，所以不急于写出遗嘱，都是万人可以理解的！

尤大夫说，毕竟这是个关乎法律上是否成立的问题，你又不是不知道，我在咱们医院负责这方面事务，担着责任的，而我的那几个死对头，你最清楚，他们个个把眼睛瞪得茶杯口那么圆，恨不能揪着我一根辫子，让我不摔个筋斗也脸上添个疤……

西米说，派克的报导已经登了出去，转载成风，好评如潮，这是好事，美事，谁出面反对，谁就是逆潮流而动！等颜老一回来，当众说明这是颜师母跟他口头交代过的遗愿，那些挑你毛病的还不顿时成了小丑！

尤大夫说，我担心的是，颜老如果突然知道这个噩耗，连他也一下子过去了，那怎么得了！其实，还是应该等颜老回来，再料理一切也不晚，派克也太抢新闻了，这样的消息时效性不大，晚几天再登一样有人看……

西米狠狠弹掉一截烟灰，说派克的死对头比你多，再等几天，人家不但消息抢在前面，连书都攒出来了！这年头，谁敢耽搁工夫，动不动就过时、过期、过气，等？长脖老等，就只能喝西北风！

尤大夫叹气，说其实我跟颜师母那么熟，早该找个茬口，闲聊时候试探一下，说不定她听明白了，也就留下个捐体的遗嘱了……

西米说你不是让颜鹃在那份文件上签名了吗？那起码她女儿是认可的。

尤大夫说那在法律上还不能替代本人的遗愿，只是在死者有遗愿的前提下，家属对医院实施的一个认可。而且颜鹃那天当着那么多人，说了她母亲生前没跟她说过遗嘱一类的话，她也是跟我们，还有绝大多数人一样，从她父亲的态度上，推论出她母亲也一定是愿意无偿捐体奉献科学的罢了……

西米不再跟尤大夫争论，她盯着尤大夫细细打量，猛吸口烟，再吐出一串烟圈儿，对尤大夫说，你眼神里藏着掖着东西呢，你究竟还在担忧什么？不愿意跟我说？哼，我今天猜不出，明天还猜不出？你就老实告诉我吧！

尤大夫用食指揩去鼻梁上的细汗，只是说，我还不能判定，不能判定……

20

他往颜宅打电话，西米接听，他说请找颜鹃来接，西米说颜鹃身体精神状态都不好，有什么话由她转达吧。他坚持要跟颜鹃通话，西米说你要了解什么情况，我都可以告诉你。他问跟颜老联系上了吗？西米说快了。已经通过香港有关机构在查各个旅店的旅客名单，也跟所有颜老在香港可能会见的人士一一打去电话，相信很快就能与颜老联系上。况且颜老随时有可能往家里挂电话，所以希望大家不要再往颜宅打电话，非打不可时也应说话尽量简短，以免颜老来电话时因总是占线便放弃通话。西米说完这些话，不等他气得摔电话，先就挂机了。

他有奔往颜宅的冲动。西米总不至于把他拒之门外吧。西米算颜家的什么人？他以往在颜家进出自如，何尝有西米什么份儿？西米的进驻当然是派克的巧招，西米一定会牢牢操纵住鹃,并且会在颜老书房里随意翻查颜老的资料甚至日记,为派克速成那本为了骗钱的破书搜集材料。鹃现在究竟怎么样?身体精神当然都受到极大损害,但心里千万要明白啊,不能让西米派克尤大夫他们反宾为主啊!

但他悲哀地想到,鹃一定是糊涂的。鹃是受惊吓的小鸟,本该到真正的大树浓荫里去休憩,却有那倒竖的脏拖把冒充树木,骗得她躲进那散发着秽气的脏布条里去寻求庇护安慰!哎,鹃啊,鹃啊,我该怎样把你搭救出来?

这一晚他在铺位上辗转反侧,以至上铺的室友不得不把头伸向他抗议,说你这人,不就得了一封面试通知吗?哪儿就至于兴奋得这样烙起了两面焦大饼!后来他只好强忍着不动弹,但一双眼睛怎么也合不上,便痴痴地望着玻璃窗一角。那一角窗外有树木的枝条在路灯照耀下不住地晃动,他就觉得那是鹃难以平静的心投射出的阴影。面试通知?那东西确实令他短暂地忘情,但在生命中,于他更重要的,还是……

还是菩城雨霁。吊脚楼里的姑娘遇到了可怕的伤心事。卖杏花的竹篮空了,并且掉在了混浊的江水里,水蛇在竹篮内外游动。姑娘的哭声嘤嘤的,如哼唱着一首悲凉的歌。应该有一柄青枝绿叶,轻轻地,给她从头到脚抚慰,但是那青枝绿叶如风筝般飘荡在高高的云层,怎么也降不下来,一股恶浊的气流顶着,不让青枝绿叶降下来,从窗户进入那吊脚楼的闺房。巷子里的青石板也在叹息,一些铁镐在撬青石板,一个声音宣布那里要改铺柏油路面,呀,那里已经成了柏油路面,一些摊档出现在路边,摆着一些大红的塑料水桶,塑材单薄而粗糙,还有好几个专卖小报的报摊,报纸上印着些遗体的照片,还有很大的头像,很熟悉的面容,谁呢?那头像咧开嘴巴,露出一口灰色的四环素牙,派克呀,你怎么跑进菩城来了!这里没有你这家伙的位置!他就掀翻那报摊,雨霁,不,竟下起了倾盆大雨,他走开,找雨伞,有人递给他塑料伞面的伞,他不要,是小说里的那个男孩子不要,男孩子说,我要抹桐油的纸伞,菩城的小巷里还能找到那样的伞,橘红色的,于是手里有了一把,他说,快,躲到我这伞下面来呀,那姑娘就抱着肩膀跑过来了,他们就在一把大伞底下,一路走,肩膀挨着肩膀,一挨就好烫好烫,他就问她愿意不愿意,她就点头说愿意愿意,他就跟她亲嘴……呀,她用下嘴唇撩拨他的上嘴唇,他很惊讶,就揉眼睛，仔细端详，呀，不是那个姑娘，是谁？瘦脸细眉披肩发，西米！你这坏东西，找你的派克去！……

　　早上他跟上铺的室友道对不起，说我一夜失眠，扰得你一夜不得安宁。室友说你后来睡得很沉呀，呼噜打得很响。他就糊涂了，弄不清自己到底是怎么一回事儿。

21

　　有人喊他去接电话，他问来电话的是男的女的，回答是你想得美呢，是老头儿！他去接，那边喂了一声，他就说爸呀，我马上会给你们写信，有的事情电话里说不清，有的事情一下子还不会出结果……那边酷似他爸的声音却对他说，对不起打搅了，我的通讯录上有你这么个号码，就试一试……啊，他愣住了，是颜老！那边不住地喂喂喂，以为电话断掉了，其实是他因为实在没有想到所以惶惑而失语，十多秒后他才忙问您在哪儿呢，颜老说在香港机场，马上就要去登机，说是昨晚和今早都往家里挂了电话，奇怪总在占线，刚才打过去也是占线的忙音，想必是家里电话没挂好吧；往颜鹏的 OFFICE 打也占线；没什么特别的事，反正剩下的这些港币角子带回北京也没意义，就打这投币电话，打完算了。现在她们那里都打不通，顺便就挂了这个电话，问这几天见到你师母和颜鹏没有，都还是老样子吧？

　　他紧紧握住话筒，手瑟瑟发抖，努力使自己理智起来。他问要不要去天竺机场接机，颜老说你知道我是最主张轻装简行的，从不在外采购什么东西，照例不必来接，我自己叫辆 TAXI 方便得很。听那声气颜老就要挂电话了，他不得不硬着头皮说，颜老您要做好思想准备……颜老没听明白，还在说不必来接，不必。他就鼓起勇气说，颜师母得急病，在医院里……颜老的声音顿时紧张起来，问怎么了怎么了？他先说不要紧，但那声音连他自己听来也很虚伪，颜老在那边就大声命令他，让他实话实说，究竟严重到什么程度？他想到头来总要告诉颜老的，这个打击颜老怎么着也是躲不过去的，与其让别人告诉颜老，莫若由他首先报告，他就说颜老您要撑住，师母她已经在前天因突发心肌梗塞抢救无效而去世了！这回是电话那边十几秒没有声音，急得他大声地喂喂喂，但终于那边又有了声音，看来颜老的心脏承受住了这个打击，没有昏死过去。颜老在问，颜鹃怎么样？他说当然非常悲痛，但是别担心，不会出问题。他就接着报告，现在家里设了灵堂，师母单位等着颜老回来商量追悼会遗体告别等活动的安排……颜老说我们早约定好的，无论谁先走了，这类活动一律免了，他就说，理解二老的思想境界，这不，还把遗体捐献出来，供医学教学研究解剖使用，这都是一般人难以做到的，从昨天起有关报导已经见报上网，普遍的反响是敬佩、感动……那边颜老的声气忽然显得非常怪异，什么什么什么谁决定的谁擅自报导的岂有此理……把他着实吓了一跳，接着那边几乎半分钟没有了声息，他觉得颜老在那边机场的公用电话旁这下是实实在在地昏死过去了，他身子不由颤动起来，感到自己闯了弥天大祸。可怎么是好呢？正当他惶乱无措时，却又传来了颜老的声音，清晰而坚定，跟他说你马上替我给医院打电话，告诉他们颜鹃母亲从未有过死后捐出遗体的决定，我们亲属也绝不同意，在我没有赶到医院以前，谁也不能擅动她的遗体，否则我要诉诸法律！我自己也要马上跟医院打电话，不过我角子已经不够续了，时间上也来不及了……接着，电话就自动挂断了。

　　他愣了阵神，马上要给那医院打电话，这时两个同学过来说你有完没完，该让我们打了，他说我有急事，那两个同学就说光你的事急么，我们都是煲电话粥侃大山的？他就让开，转身跑出了宿舍楼，他决定马上叫辆 TAXI 去医院，那比打电话更有用。

22

　　大清早颜鹃接到尤大夫电话，尤大夫问西米在不在？颜鹃说派克约她出去了，说定中午以前回来。尤大夫连说好好好太好了，你等着，我马上去，我有重要的事情跟你说，你放下电话以后再别理别的人，有人按门铃你从猫眼看清楚，不是我就别开。颜鹃说西米已经把门铃线拆断了，门外也贴了敬领悼情无力接待请勿打扰改日必谢的纸条。尤大夫说太好太好，我到了会敲门你要看清楚给我开门。

尤大夫很快就到了。头发梳得一丝不苟光可鉴人，脸刮得净若银盘，高鼻梁洁白如玉，一身墨黑的西服，扎一条暗蓝色领带，进得门后就主动用双手握住颜鹃的双手，发现颜鹃的手冰凉，心里不落忍，就弯下腰，想用自己的脸颊去温暖颜鹃的手，颜鹃不解地抽出了自己的手，尤大夫就说咱们找个僻静的角落谈，去你的房间好吗？一看颜鹃很不理解的样子，就说那么去颜老书房吧，但走到书房门口又说别在这儿，万一西米回来，她会马上来这儿的，咱们，要不去厨房吧，颜鹃就问为什么，怎么了，但也就被动地跟尤大夫进了厨房，那厨房颇大，里面有副小餐桌，他们就坐到了餐桌旁。

尤大夫盯着颜鹃眼睛，问，鹃，咱们相处得很久了，你说，我是可信赖的吗？颜鹃不解地望着尤大夫，尤大夫又问，鹃，你回忆一下，我跟你撒过谎吗？颜鹃马上答没有呀，怎么会呢？尤大夫就说，鹃，有个情况我必须告诉你，只告诉你，告诉你一个人，时间有限，也许西米马上就回来，她有你们门钥匙能自己开门进来，我跟你说的，不希望任何人包括西米什么的知道，颜鹃睁大眼睛说那为什么呢，尤大夫就说鹃啊鹃，我单刀直入了，你听了要挺住啊，你知道，在医院里，遗体处理还有尸体解剖之类的事情，包括跟医学院那边协调，技术上都归我管，你妈妈的遗体，现在被派克那么一报导，成了捐献给我们供教学科研使用的了，我还让你在一个家属认定书上签了名；颜鹃插进去说，是呀，这怎么啦？尤大夫说可是现在没能找到你妈妈亲立的捐献遗体的遗嘱啊，法律上有漏洞；颜鹃说，我爸爸回来肯定同意的，我也同意呀，我妈妈她自己也一定有这样的意愿，只是事情来得太突然了啊。尤大夫说，我要跟你说的主要还不是这个，你哪里知道，谁也不知道，现在只有我和我的两个助手知道，我们对你妈妈的遗体进行防腐保存处理，结果，我发现……尤大夫说不下去了，颜鹃望着他，问，发现什么了？怎么回事？尤大夫就说那我就直说啦，颜鹃说为什么不直说，尤大夫咬咬嘴唇，说，我发现，我们都清楚地看到了，你妈妈，她始终还是个处女！她的子宫没有承担过生育任务，甚至于，她的处女膜都没有被戳破过……我也仔细考虑过，有的已婚妇女，后来会因为种种原因，阴道口又长出东西，闭合上，或者是子宫肌瘤所致，但我一再观察研究，我的两位助手意见也一致，你妈妈不属于那种情况，她的子宫和阴道都始终没有病变，我们可以万无一失地得出统一的结论，这是一位终身没有男人跟她做过爱，也终身没有生育过的，性闭锁的妇女！

尤大夫鼓足勇气说完这些话以后，就直愣愣地望着颜鹃。只见颜鹃一动不动，仿佛一尊石像，脸庞渐渐变得比雪还白。尤大夫怕颜鹃昏死过去，随时准备起身过去把她抱住。颜鹃忽然哇的一声哭了，双手掩住脸庞，摇晃着肩膀，连说你胡说你骗人你骗我你吓我你乱讲……尤大夫就起身走到她身后，双手分别搁在她双肩，随着她的摇动哭泣，手掌越来越用力地按住她的肩膀，努力给她一种从物理性转化为心理性的支撑。后来颜鹃和尤大夫双双顺势抱在了一起，颜鹃搂住尤大夫的腰，把头倚在尤大夫肚子上，尤大夫先抱住颜鹃的肩膀，后来又不断用双手抚摩颜鹃的发丝……

颜鹃在尤大夫肚子上哭了一阵，又转过身，使劲揉眼睛，喃喃地说，太可怕了我不信这不是真的这不可能你弄错了你在吓唬我你要害我……尤大夫就抓过她的手，紧紧握住，蹲在她面前，望着她的眼睛，诚恳地说，我很抱歉我这样做很残酷真的很残忍我该死，可是我想来想去应该让你知道，一个生命不能在这样的事情上混沌下去，我既然了解到真相我就有了一份不可推卸的责任，我的良心推动我来找你告诉你，再残忍这件事我也非做不可，鹃啊，鹃啊，你要理解我，谅解我，鹃啊，我要郑重地向你宣告，对于你，无论从哪方面，特别是情感上，我一点都不会变，不可能变，没必要变，在漫漫的人生道路上，你可以相信，你至少还有我，永远愿意为你效劳，为你献出一切！鹃，你要坚强起来，面对现实，应对命运……

颜鹃又变成了一具石像，嘴角悲哀下弯的、凄怆的石像。尤大夫望着她的眼睛，增加了握她手的力度，对她说，鹃，你要镇静，这是绝秘，我们再不能让它扩散，尤其要防止西米派克知道，绝不能让他们从传媒上捅出去。那两个助手，我已经警告了他们，而且，只有我才是这方面的专家，他们说了也是不能算数的，我出面否认，他们就成了可耻的造谣者，饭碗敲碎，还可以对他们起诉。但是，现在最急迫的，是必须中止遗体捐献的事情，马上安排你妈妈遗体的火化。为此你必须马上跟我到医院去，跟我们的头头脑脑说清楚，现在你回忆起来，妈妈明确跟你说过，她的想法跟你爸爸并不一样，是不打算死去后捐献遗体的，你可以这样解释，就是你知道，你妈妈私下里，始终保持着天主教信仰。

当然，还有个你爸爸什么时候回来，回来以后会是个什么态度的问题。我现在有了新的估计，你爸爸他是不会同意解剖你妈妈遗体的，如果我们快刀斩乱麻把你妈妈遗体火化了，他回来反而会舒一口长气！也许各个方面都会有人站出来说，至少应该等你爸爸回来，跟遗体告别以后再火化呀，你就可以拿出你爸爸联名签署过的那个文件来说事儿，那上面除了表示死后捐献遗体，还有不搞遗体告别，不开追悼会等好几条，你就说除了遗体问题，后面几条是你们家人的共识，这两天家里的灵堂你本来也是不主张搞的，因为朋友们坚持，才让了点步……现在你家的事你完全可以独立做主，只要你肯坚持，谁拦得住？

尤大夫不能肯定颜鹃把自己所说的意思都听全了听懂了，但发现颜鹃的脸色开始有了血色，不过那血色增加的速度离奇地迅疾，很快颧骨就变成了樱桃红，尤大夫觉得不妙，大声地呼唤鹃啊鹃……

23

菩城的吊脚楼外有枇杷树，开花时候好香，结出果子好甜，《菩城雨霏》那篇小说里的姑娘啊，你在春雨里卖完杏花，还可以在初夏的熏风里卖枇杷，走在那青石板上，你用银铃般的声音吆喝，又大又肥的鲜枇杷耶……在夏日的雷声里，屋檐的水柱像水晶的帘栊，在那帘栊后面，是闺房的窗户，你倚窗而立，你想看清楚，那边的柚子树，树上那些落了花没多久，结出的拳头大的柚子，被雷雨大风劈落刮落了多少，于是那小说里的小伙子，也就是原来的那个男孩，男孩长大了，现在是小伙子了，他就跑去告诉你，没落多少，没落多少，柚子和人一样，要顽强地成长，成熟！秋风初起，满巷里飘着大柚子的香气，那是带着苦味的香气，于是你们就一起摘柚子，数柚子，那些下边尖尖的，只能倒着搁的，是公柚子，那些下边平平的，能正放着的，是母柚子，姑娘问，这有科学根据吗？小伙子就说，有比科学更重要的啊，就跟着我这么说吧，来来来，我们把柚公柚婆搁到箩筐里，我们一起抬出去

站 冰

叫卖，我们一起吆喝，爱吃沙甜的，买柚婆啊，爱吃酸甜的，买柚公啊……姑娘，你抬不动了，你就别抬了，来，让我一个人背，你把箩筐扶上我的背就行了，我的脊背很宽很厚很壮实呢，你要我背的，我全能背，你不要我背的，我也要为你背呢！来啊来啊……飘雪花了，我们卖什么？生活里总有能支撑我们的资源，来来来，我们从窖里取出红薯，我们自己制作烤炉，我们能把红薯里的蜜汁烤得吱吱地流淌出来，哎，好香好香，这又是一种香味，跟杏花、枇杷、柚子都不一样的香味啊，这个世界多奇妙，连香味都有这么多种，就凭这许多的香味，我们也该享受生命啊……

姑娘，你为什么哭了？不要哭。你喃喃地自问：我是谁？我从哪儿来的？你也是问我呢，在我的怀抱里，你要我回答你，为什么你跟我不一样，简直不知道自己是从哪儿来的了？我就告诉你，其实，这并不重要，重要的是，我们都是有尊严的个体生命，我们要爱惜这生命，享受这生命……姑娘啊，每一个生命，都是孤独的，都要孤独地走完人生之旅，为了避免孤独，才需要寻找伴侣，才需要努力溶入群体，但首先应该承认孤独，面对孤独，不要害怕孤独……姑娘，你像秋风里的树叶瑟瑟抖动在我胸怀，我是青枝绿叶，并且会很快长成粗壮的树臂，在这树臂的葱翳里，你尽管构筑避风躲雨的巢儿，而且，如果你愿意，那将是我们共同的小巢……

姑娘，你指着那巷子以外，你说，那边是些水泥预制板盖的，千篇一律的房子，还有那些总搞不平整的玻璃幕墙，那墙下有着叫卖小报的摊档·那报上的文字烫伤了你的心，还配着照片，更像刀刃般割着你的肝肠，于是小说里的小伙子心肝也在寸断，而写作者也就写不下去了……

但是，还有比文字，比写作更有用处的方式，那就是用一个孤独者的心，去温暖另一个孤独者的心。这并不一定需要文字，甚至也不需要语言。姑娘啊，社会，人生，人性，有时候确实暴露出那狰狞的一面，我们在意料之外，除了吃惊，甚至恐怖，还应该镇定，应该理智。至少，我们还可以净化自己的人生，淘澄自己的人性。

你反复问自己，我从哪里来的？从哪里来的？姑娘啊，我知道，你那深深的痛苦，根植在哪里。世界上，人类中，一对夫妻抱养别人的孩子，从小瞒住那孩子，施以亲子之爱，甚至爱得超过一般父母，这是常有的事，文学艺术旦，已成滥觞，本不足奇，一旦揭破，震惊之余，很快也就可以释然。但是你现在不能再待在原有的那个被称为家的空间里，那里面实在有着太多的东西，包括无数的报刊文章、电视节目录像带，都报导着你父母的堪为人间恩爱夫妻与道德伦理的楷模，他们的夫妻关系，你们三人世界的情况，通过传媒的揄扬，简直成了供全社会使用的一把衡量是否正常、高尚的尺子。你不能忍受这份虚伪。你为他们和你自己感到深深的羞耻。你说，那沦肌浃骨的耻感，快把你的生趣咬啮干净了！

是的，菩城的有着吊脚楼的小巷里，不曾有这样虚伪的存在。姑娘对小伙子说，你父母，他们可以大声詈骂，甚至在气头上，会粗言秽语相伤，但是他们却有着正常的夫妻生活，当他们把热水瓶摔到有裂逢的楼板上跌得粉碎时，所损失的，也不过是一只热水瓶的价值罢了。但我所生活的那个几乎被全社会称颂的空间里呢，一派温情，一片文雅，可是却遮蔽着多么可怕的东西！我的生活里碎裂掉的，怎样估价也不可能充分！小伙子就搂过姑娘的肩膀，抱紧她说，宽容吧，怜悯吧，那层柔纱被扯破后，所呈现的真相也许确实可以用狰狞来形容，但是，吊脚楼外，江边卵石滩上，还有拉纤的纤夫，听他们从胸臆里呼出的号子吧，悲凉啊，人生如拉纤，谁能轻易摆脱社会给你套定的纤绳？他们二老，既早早被社会定位在那个纤位上，不管多么吃力，也只好把派定的角色扮演下去，把那纤绳拉断为止……再说，姑娘啊，生命多样，人性神秘，我们又怎么能断定，他们之间没有真正的情爱，也许，那只不过是，比一般人特别一些，为我们所不理解罢了，想想逝者身前的痛苦，揣揣存者心中的煎熬，我们除了宽容、怜悯、通达、憬悟，还能有别的什么选择呢？

但是姑娘的哭声依然不断，像吊脚楼窗外涨水期的江潮声。那位医生本来说得好好的，可是，秘密还是泄露了出去。医生赌咒发誓，说自己确确实实守口如瓶，但这世界，这社会，有的人实在坏得超出善良人的想象。那位小报记者，及其那个所谓的伴侣，真是无所不用其极，他们对那两位助手，不仅是高档餐厅请一顿海鲜，也不仅是西洋式俱乐部里请桑拿按摩兼夜总会的听歌观舞品 XO 洋酒，他们给二位办了新马泰的旅游，结果，那天所拍的照片所录的磁带的复制件就落到了他们手里，其中最隐秘处的镜头当然不能使用，但他们既然掌握了证据，也就可以放肆折腾，妙的是他们还是做正面文章,但那切入角度之乖巧,比乒乓球比赛中的擦边球还奇绝,结果他们炮制的那本所谓报告文学大大畅销,铺天盖地覆罩各处,还有据之拍摄电视连续剧的报导,传主还并没有公开作出反应,倒是他们,放出了传主要跟他们打官司的消息,这就惹得更多的俗众奔走相告,一读为快,一时间真叫洛阳纸贵,两位伴侣满盆满钵大丰收,听说已经用那笔丰收买了本田雅阁轿车和城郊的一个跃层式单元。他们真是青面獠牙啊。但医生甚至比他们更狰狞,因为,为什么那天要拍照、录像?为什么没把这个举措告诉给她?医生解释说只是为了自卫,怕火化后透了风声被指控污蔑时说不清楚,说万没想到那两个助手会那样地见利忘义。可这解释说得通吗?为什么为什么,人性之恶,竟达到了这样的程度?包括那些原来对二老崇敬有加的俗众,怎么现在对那种下作的印刷品如此热衷?没读的,听人说,自己再夸张变形渲染地加以传播,那是怎样的一种乐趣?这下才能理解,当年为什么有人爱看杀头的场面,爱看演过英雄角色的名演员被剃了阴阳头挂上大牌子被反绞着胳臂游街,悲苦啊,人,人性……小伙子就对她说,人性里善对恶的征服取代,确实比人生理上的进化要缓慢许多许多啊,姑娘恸哭着说,不,我终于明白了一个残酷的真理,就是人性里的恶,是一种恒定的东西,要么外在有力量抑制它,要么内心有力量压抑它,它才蛰伏,如此而已,你我都不例外的!小说里的小伙子于是把她搂得更紧,用下巴摩挲着她的头发,殷殷地对她说,从如此沉重的思考里解脱出来吧,要知道,我们还有菩城,还有菩城雨霏,还有润泽的青石板路,沿着那路还能找到朴实的空间,诚实的生活,优美的情愫,诗意的氛围……听,空中有黄鹂的鸣声,桂花的香蕊随着霏雨坠落,巷子深处有真切关爱你的人在等候你回家,你屋子里的镜子在微微晃动,不是因为地震,而是它获得了灵性,渴望着迎接你颧骨上的两颗红樱桃……

姑娘依然在小伙子怀里哭泣,更加伤心。她说,那个夜晚,她和爸爸抱头痛哭,哭累了以后,爸爸坐在沙发上,她跪在爸爸脚下,她抱住爸爸双腿,哀求说,爸爸爸爸,如果妈妈不是生育我的妈妈,那么,请您一定跟我说实话,您究竟是不是生育我的爸爸?爸爸就浑身颤抖地说你怎么这样问我?我当然是,我是的,我确实是的!她就摇着爸爸的腿问,那么,生育我的妈妈究竟是谁?她还在吗?她在哪里?

爸爸就说她也死了，早就死了，你不要问了，你两个妈妈都死了，你难道还要我也死吗？她就把脸贴在爸爸腿上，请求道，亲爸爸啊，您跟我一起做亲子鉴定吧，做完了我就死了心了，就再也不问为难您的问题了，我们父女俩就开始新的生活……爸爸一下子又泪流满面，一些泪滴落到她的头发上，就仿佛滚油一样烫着她的心，半响，她听见爸爸清清楚楚地跟她说，我不能，不能，我自己不能，社会塑造的那个我也不能，那是不能够的啊。她就苦苦哀求，爸爸却把她扶开了。她绝望了，站起来，走回自己房间。爸爸跟了过来，敲她关紧的门，她不开，爸爸就在外面高声说，你不要糊涂，难道我们家必须死绝吗？我们都是善良人，为什么我们遭遇得这样惨？她就打开门，擦干眼泪对爸爸说，我不死，您也别死，但是我们不能像以前那么相处了，过几天我会离开这里，我还会不时地来看望您，我永远铭记您和妈妈对我的抚养之恩，还有那许多许多的美好时光，但是毕竟现在那一切都成为了过去，我必须携带着永恒的疑问，去走完我自己的人生之路，您就继续让社会完成对您的塑造吧，我却要自己塑造好自己……

《菩城雨霏》那篇小说里的小伙子就牵着那姑娘的手，让她和他并肩站在一起，跟她说，你把一辈子的眼泪都透支了，来，我给你揩干眼睛，啊，你不哭了，你的眼睛不混浊了，你的眼睛里有了蔚蓝的天空，乳白的云朵，有了春雨中的杏花，夏阳里的枇杷，又有了秋天的金柚，冬天的蜡梅，还有了那个虽然耽误了那家跨国公司的面试却丝毫也不后悔的年轻人，是的，那篇小说的题目不大通顺，甚至是大不通顺，但阅读文字的快乐有时真的能够超越那些死板的规范，我不是把那小说题目写在你手心里了吗，打开你的手心，啊，泪水和汗水已经使那几个字一个比一个淡了，不信你跟着我读：

菩城雨霏

城雨霏

雨霏

霏

2001 年 3 月 21 日写毕于北京温榆斋

泼妇鸡丁

鱼香肝尖

老板娘打开冰箱，立即发现问题。

"大乱！"她高声呼喊。

其实完全不必高喊，大乱就在她身旁。

"咋啦？"大乱明知故问。

"你以为我不知道你那点心思！"老板娘点破，"往天你都按规矩，头几天搁进去的，先拿出来化冻，这会儿你把一早才冻上的也拿出来了，还都搁在这边一堆儿！是不是想单给何凯他们用？"

"是呀！这算啥错误呀？反正这些个东西都得卖出去不是，先卖后卖有啥区别呀！再说何凯笑梅到底是自己人嘛。您瞧这边，头半月冻上没卖完的那块牛脖子肉，这不拿出来了吗？等会儿外客来了，咱们猛推铁板牛柳，多搁点作料，有几个人能吃出它蹲冰箱的日子来呀？"

"什么？你要把我辛辛苦苦招来的回头客全撵跑么？！"老板娘双手叉腰，配上她那肥胖的身材，活像一只双耳罐。

鱼香肝尖

何凯是榆香园里的保安。位于园区的这个榆香居饭馆的主要功能其实是物业公司的食堂，给保安提供免费三餐，给物业其他人员提供低价餐，其次，才是对业主以及其他进来的食客提供点菜供应的餐馆。

"咳，哪有您说的那么严重。想回头的，怎么他都回头，不想回头的，怎么他都不回头。"大乱辩护。

"都给我换进去！"老板娘气咻咻地命令。

大乱只好再捣腾一番。但是，最后他还是把早上买来的新鲜猪肝留在了案桌上。老板娘脸虽胖，嵌在额下的小眼睛却很尖，马上指着那猪肝，鼻子里重重地哼出几声。

"不是要拉拢回头客吗？这是为雪教授预备的呀！过一会儿，她必来电话点鱼香肝尖。"

"你怎么知道她今天要点菜？"

"您又怎么知道她今天不点呢？是不是不盼她点？不要她点？"

老板娘用肥拳头捅了一下大乱胸脯，大乱夸张地弯腰哇哇叫疼。

"好啦好啦，抓紧备料！"老板娘扬起下巴，朝厨房外喊，"佟妮！笑梅！还没来吗？谁给喊一声狐狸去？不喊，他就钉在了那牌桌上，再到不了锅台！"外头毫无回应，她就边往外走边捶自己胸脯："别干啦别干啦关张吧关张吧……"

软炸里脊

榆香园的中庭花园里，一丛叶片开始泛红的黄栌树前，铁木组合的休闲长椅上，何凯和笑梅紧紧靠坐在一起。

何凯换班休息，要到第二天早上才值班。笑梅该到餐馆上班了，却实在舍不得离开。这天是何凯生日，他跟食堂老板娘讲好了，要办一桌二百元的席，给自己祝寿，请保安队的战友们喝酒，其实更重要的，是以此来表达跟王笑梅确定关系，也就算订婚宴吧。老板娘先嫌二百元太少，大厨胡学理和二厨一溧子都跟她说够了够

賢妻炸彈

了，他们能用二百块钱操办出一桌像样的席来，而且还保证老板娘能有些个赚头，"就少赚他们点吧，笑梅没少给你出力，何凯他们保来保去还不是先保了你们一家的安，人家又定在九点开席，不影响餐馆晚上生意，你有什么过不去的！"老板娘也就同意了。但老板娘没想到丁溁子，也就是绰号大乱，那么个平时马马虎虎的傻小子，却为何凯笑梅的这顿宴席，煞费苦心，细细筹办起来，一早采买来的原料，都体现出精益求精，到了晚餐备料时间，本应把冰箱里头两天没用尽的原料，先取出来化冻使用，他却偏把早上新买来的原料，取出来预备着，而且明显是为九点宴席预备，都特别搁置到了一处。

大乱的好意，笑梅早已知道，她跟何凯透露，大乱一早买到了极新鲜的里脊肉，虽然冰箱里还有头天剩下的一长条里脊，大乱绝不会给他们下那个料，他必用今天的里脊肉，发挥他那平时懒得一露的刀工，备出好料，再由狐狸·也就是大厨胡学理，烹出好菜。

"真想吃软炸里脊啊！那也是狐狸的绝活，每回端给顾客，光那模样，就让人笑口相迎……"

"究竟好不好吃啊？我看你还总给人送上一小碟沙子……"

笑梅就用头撞何凯肩膀："你懂什么！那是炒热的胡椒盐！"

尽管一个端送过无数次，一个眼见过无数次，但这两个农村来的打工者还都没有吃过软炸里脊。想到今天晚上他们就将享用到如此的美味，心窝里真跟栽了棵茉莉似的，熏得魂魄阵阵飘香。

他们毕竟是 21 世纪的中国青年农工，光电视里的见识就足够他们坦然当众示爱了。何凯穿着保安服，只是因为不在班上，没戴那红色贝雷帽，极其懒散地斜倚在长椅上，满脸巴不得有人看见才好的表情。他那双两梢往下微弯的眼睛，显露出十二万分的惬意。笑梅穿着水红的外套，黑色紧身踏脚裤，一头丰厚的长发从脑后盘到顶上，扎了个跟外套呼应的水红蝴蝶结，她撒娇地往何凯脖子窝里钻，双臂搂定何凯身子，何凯也就顺势用一只胳臂弯过去搂住她的一边肩膀。

"笑梅！你就等着老板娘骂你吧！"是佟妮来叫笑梅上班了。

锅仔一品炖

冯团长老远就看见何凯那副狂样儿了。妒得牙痒，却不能不装出见怪不怪的表情。

何凯眼睛紧盯着团长，而且是紧盯团长眼睛，那团长有种，毫不躲避，甚至似乎连眼皮也不眨，直线朝何凯走来。

笑梅眼里没有别人，还那么放肆地搂定何凯。

冯团长在他们面前站定，很威严的样子，尽量把语气放舒缓，对何凯说："晚上少喝酒。"

何凯没等那话音落定就回答："你喝多少我喝多少，兄弟们也一样。"

在稍远处站住的佟妮又大声呼唤："笑梅！该去啦！"

笑梅就抽出胳臂，猛地亲了一下何凯脸蛋，跳起来，朝佟妮跑过去。

何凯不改懒散的姿势，眼睛还只盯着团长。从那微弯的眼梢，漾出一种意味深长的笑意。团长恨不能扇他一巴掌，却费大劲忍住不让牙筋抖动，含混地朝他点下头，转身走了。

何凯望着团长宽阔的后背，大声说："队长，晚上请一定赏光啦！"

对方没回头，听见一声回答："忙啊！看情况吧！"

何凯怎么又叫队长？究竟是团长还是队长？

原来，那保安队长的姓名，是冯团长。一般人管他叫团长，保安队队员们管他叫队长，有时保安队的小兄弟叫溜了嘴，管他叫了声团长，他会觉得是讽刺，拉下脸来，甚至发火。

有业主问过他："你这名字好有趣。爹妈怎么想的？"他就挺不好意思地解释："咳，他们没文化……我们那么个山窝窝的人，以为团长就很大很大了……他们希望我能当个团长，光宗耀祖么……"他爹妈的这个盼望也不能说设想得太低，倘能实现，那不光在村里，整个镇子，乃至全县，都会轰动一阵。但是，他虽然果然参上了军，表现得很好，入党受奖，却全无提为军官的可能，时代变了，不是凭打仗就能拼出个团长师长乃至将军的了，何况现在进入和平时期，也无仗可打，抗洪救灾有点像

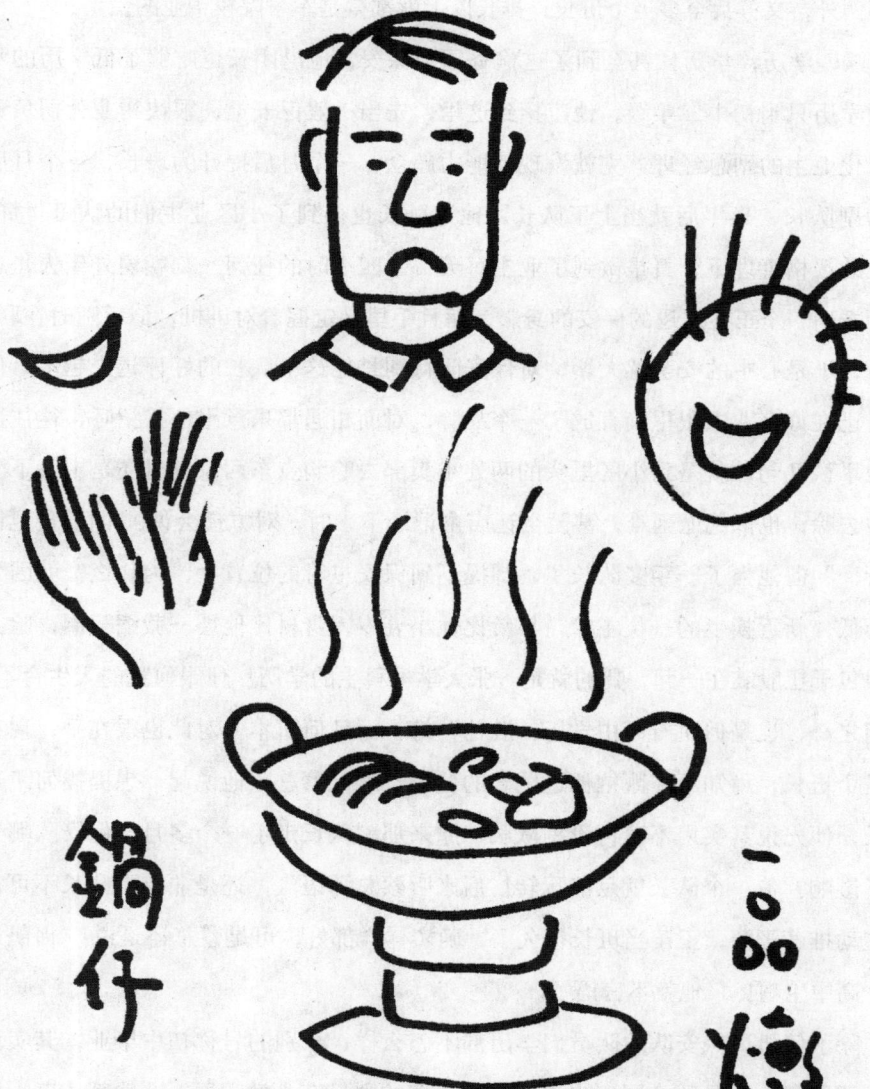

鍋仔　一品燉

打仗，真有致残牺牲的，但那顶多也就挣个英雄称号；如今什么地方都讲学历，军队毫不例外，义务兵至多当个班长，排长以上就都得是军事院校毕业的。

唉，学历，学历！甚至到了这榆香园当保安，他冯团长也吃够了低学历的亏！他的学历只到初中二年级。他应招到这里，先当一般保安员，很快物业公司负责保安绿化卫生的副总经理蔡宪就发现他能力超众，一个月后提升为班长，三个月后提升为副队长，半年后就当上了队长，他这队长也得到了小区业主们的认可、赞誉，在他的严格管理下，真是做到了业主每天二十四小时的任何一刻朝窗外望去，总能至少看到一个正在巡逻的保安的身影，而且手里必定握着对讲机，似乎随时在联络、报告，于是心中的安全感大增，对保安队特别是他这个队长的好评越来越多，他觉得自己在许多业主眼里简直成了一个品牌，对面相遇都乐意跟他打招呼，往往还亲热地攀谈几句，就是到小区里头的两处小卖部去赊购点东西，有时还是由底下队员帮他去赊，也都绝无困难，甚至当让店主记录下来时，对方还会说："团长自己记得就行！"但他当了一年多队长了，却提不到保安主管的位置上，为什么？就因为他学历低，新近换上的一位主管，年龄比他小五岁，身材比他矮一截缩一圈，脸上五官跟包子扭般皱在一起，凭的就是一张大学本科生的学历！他跟何凯的天生合不来，原因之一，也是何凯有高中学历，胜他一筹，而且何凯本人对此也很在乎，现在何凯是个班长，焉知不在觊觎他这队长的位置？那天蔡总跟他说起，想提拔何凯当副队长，他先说其实用不着再设副队长，原来那副队长走了一个多月，保安队哪一点受了影响？他一个队长就足能玩转！后来听蔡总那语气，还是非有副队长不可，他就主动推荐王茂，王茂当班长很久了，确实样样都好，可是蔡总还是说："何凯好歹是个高中生啊！"他就不言语了。

除了何凯，保安队的队员们学历都不怎么样，个别的号称初中毕业，其实连澳大利亚跟奥地利是两个国家也弄不清，更多的则只有小学学历，一般都才二十岁上下，在他三十岁的冯团长前头一站，先就被他的块头威严震慑住了，加上平时聊起天来，他的见多识广，幽默风趣，更让他威信倍增。但何凯是他心上的一根刺。有回何凯跟他说起什么三角函数，那是高中课程里才有的，他听得实在不耐烦，忍不住说："我跟大家布置的指标,你达标了吗？"他布置的是,要求保安队无论新老队员都要在年底以前,对每一位进出大门的业主,全能说出是几楼几门几号的,那可有两千多户啊,谁能有那样的记性呢？何凯语塞,而他却立刻用下巴指着那边进大门的一位男子说："21 号楼 203 的。"

何凯今天才过二十一岁生日。可是何凯却有女朋友了。还不是一般的女朋友,是在生日宴上就要当众订婚的未婚妻啊。估计没多久他们就要正式登记结婚了。冯团长对此尤其痛心疾首。痛的是自己。自己这么老大不小的了,媳妇的影儿还没见着。而且,从农村的角度来说,这样的岁数已经是只有娶寡妇的份儿了！

何凯的可恶,还表现在并不直接跟他顶撞冲突,却在许多事情上很微妙地跟他过不去。比如那回物业公司因为他带领部下及时扑救了一家厨房的起火,奖了他一百元,他就说拿那奖金请包括何凯在内的四个参与救火的部下撮一顿,就在榆香居,本来有免费晚餐,再点三个热菜,来几瓶啤酒,五十块钱打住,也就很不错了,其余几个队员也是这么合计,他让他们点菜,有的点个鱼香肉丝,有的点个宫爆鸡丁,每样无非七八块钱的事儿,他让何凯点,何凯大模大样地点了锅仔一品炖！单它可就是三十八块钱的价啊！笑梅端来时,告诉他们狐狸给他们多下了一条海参,他可只看见猪肉丸子跟白菜粉丝,何凯带头一顿猛撮,海参鱿鱼什么的他一点没捞着,除了肉丸子也就捞了点笋片蘑菇,结果那天热菜四个,凉菜四个,加上啤酒,算下来他花光了奖金不说,还亏了十来块钱！在物业公司拖欠三个月工资的情形下,能这么样泼撒地花钱吗？何凯安的什么心？

东坡肘子

"38 号楼 502 订个东坡肘子！"老板娘接完电话,马上命令佟妮,"快,趁没散摊,去买个肘子来！"

榆香园外头有个露天的农贸市场,每天下午开市,天黑收摊。这样的营业时间,

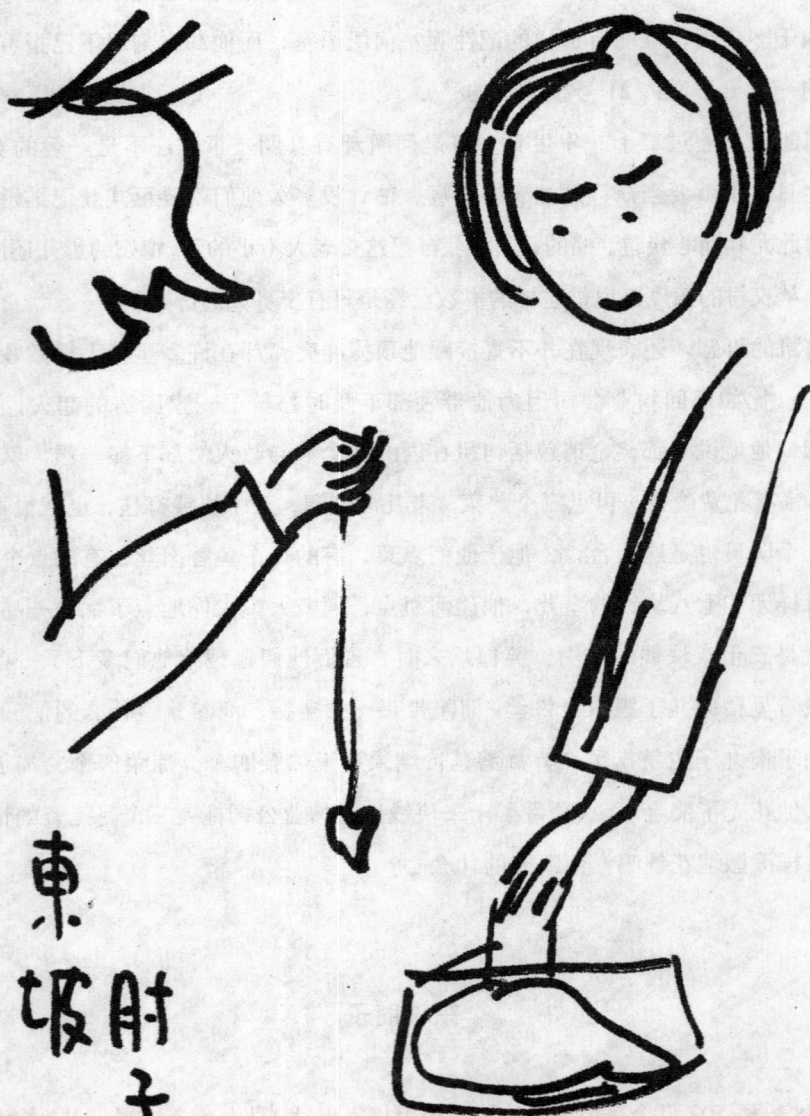

東坡肘子

是适应小区居民的购买习惯形成的，这些居民很少有一早买菜的，多半是晚上才回家做饭吃。榆香居的原料一般不从这里买，因为多半质次价高，都由大乱天蒙蒙亮就蹬三轮到八里路外的康垈镇的早市去买，但临到比如今天这样的情况，业主点菜送家，如果缺原料，那就到近处临时抱佛脚。

"哎呀，就回他话今天没肘子，让他再点个别的吧！"刚离开小卖部那边的牌桌，满肚子还是输家晦气的大厨胡学理很不乐意，他除了要赶出应付保安的伙食，还打算精心料理出一桌给何凯笑梅的宴席，实在懒得伺候这样的主顾。一般来说，像东坡肘子、毛家红烧肉什么的，都是事先做好存在冰箱里，顾客点到取出来加加热端出去，大前天做好五份东坡肘子，这天中午卖掉了最后一份。现在都什么时候了，拿生肘子炖，要占一个灶孔，费老大工夫，别的菜做不做了？

老板娘却坚持："那陈大师能急慢吗？他那画儿，人家说如今好几千一幅呢！不从他那儿挣钱从谁那儿挣？早该准备足肘子的！佟妮，钱都给你了，怎么还不动身？"

佟妮刚掀帘子出去，大乱紧跟着也蹿了出去。

"大乱！你是她尾巴呀？你不拌馅儿啦？"老板娘尖声喊。

哪里喊得回来。也只好由他。

大乱眼看要二十五了。先追笑梅，笑梅让何凯得着了，大乱不嫉妒，心下算了算，何凯二十一，笑梅二十，又都来自江西，而且两人的村子位于邻县，年龄相当，缘分自在，为他们成全好事吧！后来就追佟妮。佟妮上个月才来，脸庞虽说没笑梅那么花朵儿似的，身条实在够柳枝儿味道，而且是二十二岁，安徽来的，听老板娘透露，家里很穷，这就让大乱挺有信心，他不怕女家穷！他要给她脱贫！他是二厨，端东西本不是分内的事，他却总抢着帮佟妮搬火锅汤煲什么的，有回佟妮不慎烫着了手指，他立刻从衣兜里掏出一小瓶獾油，一只手捏花梗似的捏着佟妮的手指头，另一只手蜜蜂采蜜似的往那手指头上涂獾油，还低下头噘出嘴唇，徐徐地给吹气，那回老板娘看见没有吆喝他，也不惊动他们俩，还在心里暗想，我那死鬼要能这么疼我一次就好了！老板娘那死鬼，就是他丈夫，也就是这饭馆营业执照上写着大名的那位，眼下去三十里外的地方，跟人家合伙开发什么钓虾塘去了，快三个月没回来，想必包的那二奶，哼，指不定都人工流产去了！

　　佟妮在前头走，知道有尾巴，也不回头。到了市场卖猪肉的几个摊位前，来回张望有没有好肘子。大乱却抢在她前面把肘子买下了。佟妮把钱递给大乱，大乱不接，只说："你留下吧，我买了两个，一个是我送何凯他们的，一个我会拿些零钱给老板娘，就说是找头。"佟妮冷笑："我占这便宜？你把我当成什么人？"大乱忙认错："不妥是不妥，把钱给我吧给我吧，下不为例下不为例！"佟妮这回不是冷笑是热笑了："看你，也不算什么大错，怎么就跟要进局子似的？"大乱听了高兴，追到快步往回走的佟妮身边，跟她说："局子不要进，我想进的是……"佟妮就停住脚步，扭头问："你想进哪儿？"大乱只觉得心在乱蹦，一只手提着那两个装肘子的劣质塑料袋，另一只手从胸兜里掏出一样东西，费劲地说："……你，就不能开扇门，让我进去么？……"夕阳照射下，大乱手里那东西泛出彩虹般光晕，那是一个镀银的鸡心项链，他把那项链往佟妮手里送，佟妮摆手跳开了："我可不要！"

生煎馒头

　　保安队这晚的伙食是生煎馒头。保安队里多数小伙子是北方人，头一回吃这个时不禁嚷嚷："明明包子，怎么偏叫馒头？"大乱就跟他们说："行呀，下回我们不搁馅儿！"王茂高声说："我们家乡那块，管大馒头叫大包子哩！"冯团长就接着说："好！以后咱们这里的大馒头一律要搁鲜肉馅儿！"小伙子们就拍手欢呼起来。那一顿狐狸煎了三锅，还不够供应。后来就几乎每周有一晚是吃这东西，老板娘让大乱多兑些高汤，就着撒有香菜叶的高汤吃，三平底锅也就够填饱他们这些人的肚皮了。物业公司是按每个人头一天七块钱向榆香居付保安队的伙食费，老板娘天天喊不够，常望着那些狼吞虎咽的小伙子们大声唠叨："在家吃死老子，在外吃死买卖！"但她在绝对不能没有些个赚头的前提下，也还是指挥狐狸、大乱，有时还从善如流地听取狐狸、大乱的建议，精打细算，巧做安排，尽量地让这些个离乡背井来打工的小

生煎
饅頭

伙子们不但能吃饱，而且也常能觉得吃饭很香，她对那伙食费的控制，是平均一人一天五块五左右，每月从中赚个八九百块钱。

已经有换下班来的保安进食堂等着吃生煎馒头了，排在领饭窗口外的头一名是个子瘦小的侯伟，老板娘见了他就笑："又是你排第一！"侯伟解释说："我一会儿当班。"老板娘轻拧一下他耳朵，笑得满屋子共鸣音："是呀是呀，不叫你小猴儿，叫你大尾巴（"巴"的发音类似"贝儿"）！我说大尾巴呀，你别一领生煎馒头就是十个，你先领几个吃着，不够再领嘛！吃热的多好！就是到时候别人领完了，我让狐狸给你下面条，开小灶，好不好？"侯伟确实是保安队里体型跟饭量最成反比例的一位，在满堂哄笑声里，他脸红得几乎跟头上的贝雷帽混成一片。

老板娘猛想起大乱、佟妮居然还没回来，不禁气愤，对一个人在那里准备开饭的笑梅大声嚷："大乱、佟妮怎么还不回来？！"正用大盖子闷锅的狐狸听见了就嚷："粘在市场成糖瓜儿了！"老板娘一时无奈，就对排在领饭窗口外头的王茂几个说："你们要想开饭，就先给我去把大乱找回来！"谁听她这个命令？她就急得自己往门口走，大声嚷："大乱——"

恰好有两个中年妇女进来，像是来吃饭的顾客，望去眼生，大概不是榆香园的业主，跟动作急促的老板娘险些撞个满怀，没生气，倒笑了，问老板娘："怎么高喊大乱？""这叫什么词儿？"老板娘煞住脚，忙满脸堆笑，解释说："大乱是我们这儿的二厨。"其中一位妇女就说："太平年月，大乱大乱地叫，多不好！"老板娘依然一脸堆砌的笑："我们都是乡下来的，乡下人的想法，是越反着叫，越有好果子吃呢。"另一位妇女就点头笑道："是呀是呀，叫狗娃，以后反能出人头地；叫丑丫，以后说不定是个大美人儿；大乱大乱，叫着也就天下不乱，有意思有意思！"老板娘亲自把她们引到一处座位，递上菜谱，介绍道："来个铁板牛柳？我们大厨最拿手的！"其中一位妇女嗅觉灵敏，问："是桑及米豆吗？"老板娘一时懵了："您要什么？"另一位妇女笑了："她是说上海话，上海话说起生煎馒头，就是桑及米豆。没想到你们这儿晚上还有这东西，好！我们就吃这个！"老板娘心中暗暗叫苦，就算能把"桑及米豆"的价位抬得高点，又能高到哪儿去？两位闹半天不是什么值得多招呼的主儿……

这时大乱急冲冲推门进来，后头跟着冯团长等几个保安，末后才是佟妮，一脸的凄惶，细看，眼睛还湿湿的。

萝卜焖面

大乱顾不得把手里提的生肘子送往厨房，不等老板娘逼进质问，就激动地讲起了刚才的遭遇，也就是为什么耽搁了这许久才回来。老板娘本容不得他啰唆，却因为他一张嘴就提起了暂住证，心就被他的话音牵住了。狐狸闻声跑出厨房，也不接取那肘子，只当听众。原来排队等着领生煎馒头的保安，以及跟进来的那些保安，也围过来听大乱倾诉。

这榆香居的店堂空间，用一列长屏风切割为了两部分，接近厨房的部分，主要用来当做食堂，屏风那边，则是招待点菜顾客的地方，而且在紧里头，还辟有三个用三合板隔成的单间雅座。此刻那两位女顾客坐在屏风那边，只听屏风这边乱烘烘的，莫名其妙。

大乱讲到这样的遭遇：他和佟妮刚走出农贸市场没几步，就有两个人过来，气势汹汹地要检查他们的暂住证。佟妮害起怕来。他们越发凶了。先说要把他们带到集中的地方遣返还乡，后来又说可以罚款了事，张口就是四百块。大乱头两分钟也有点慌，后来马上镇定下来，要那两个人拿出证件来，那两个人里有一个从兜里掏出个像证件的东西晃了晃，另一个人就掏出个小本本，催他们快交钱，说交钱能开票，没带四百，身上有多少先交多少，余下的会写在单据上，补办暂住证的时候再补交……

大乱没讲完，冯团长先骂了出来："放屁！"

大乱是在群情激昂的声浪里讲完整个情形的。他勇敢地索要那两个人的证件，表示必须看个仔细，那两个人表示要去把他们的遣返车开过来，喝令大乱跟佟妮站着别动，佟妮吓哭了，大乱等那两个人转身离去，立刻牵着佟妮的手，一路跑了回来。

蘿蔔

燜麵

站 冰

佟妮到了小区大门前，看见冯团长，也就是保安队长，正在那里安排换门岗，才意识到必须甩开大乱的手。

"那俩冒牌货！要是我，我倒要抓住他们不许动弹，打110报警，送狗日的进局子！"王茂说。

"你办暂住证啦？不冒牌的来了，查出你来，更麻烦！"狐狸说他。

他们都没办暂住证。更准确地说，除了新来的佟妮，原来他们都办过，都过期了，都没续办。物业公司不出钱给工作人员办，但这些保安已经三个月没领到工资，自己哪有钱去办？老板和老板娘也是外地来的，原来都给自己办，也催雇工自办，但物业已经拖欠他们伙食款两个月，他们也拖欠了除狐狸以外的其他雇工工资一个月，他们自己就没办，也没催雇工办。

"可气！什么暂住！这榆香园破土我们就来了，五年啦！"老板娘愤愤地说，"凭什么还不把我们当本地人？年年要办那破证儿！"确实，当年开发榆香园，老板老板娘就随建筑队来这里承包了食堂，建筑队走了，他们留下来，正式在工商部门注册了这个饭馆。

"就是刚来的，他只要是中国人，就没必要办暂住证！中国人在中国人地面上还不能随便长住，这合理吗？"狐狸也挺气愤。

"专找农村民工的麻烦！这榆香园里一大半是外地来的，发了点财，买套房子住着，买辆小汽车开着，穿得鲜亮点，谁问他们有没有暂住证？"冯团长说，"我们保安这张皮，比大乱你们稍稳当点，可也不敢往城里去，半路上遇上谁知真的假的，说是查暂住证，没有，那就一样会倒霉！真他妈想不通，一样中国人，怎么分两种户口？农村户口凭什么就低人一等？再穷一点，就更不算人啦？！"

"说得好！"是何凯也来了，听了冯团长的愤激之言，由衷呼应。

"真是！"老板娘一刹间完全忘了生意，鼓动说，"小凯，这里头就数你肚皮里墨水多，你就写写咱们的冤屈，往上报报，让他们废了这暂住证吧！"

屏风那边的两位妇女不耐烦了，其中一个就走过来招呼老板娘："怎么？你们还卖不卖饭啦？"

　　老板娘这才回过神来，拍了下巴掌，其余的人也就很自然地分散开，狐狸接过大乱手里的肘子，俩人一起进了厨房。过一会儿，佟妮开始给排在窗口外的保安发放生煎馒头，大乱提出一大桶热腾腾的高汤，笑梅给屏风那边的两位妇女端去六只生煎馒头，又说服她们要了一客砂锅豆腐，何凯不吃东西，在战友们面前来回来去地说："留点肚子，九点以后咱们吃好的！"又想到队长刚才真是一身正气，平时真不该暗中跟他较劲，晚上一定要请他赏光，但四面一望，队长已不见踪影。

　　冯团长因为心情一阵激动，完全没了胃口，一个人回到宿舍，那时宿舍里没别人，他就顺势往自己铺位上仰倒，双手枕在脑后，双脚斜出床外，左脚脖子搭在右脚脖子上，闭眼，想心事。

　　三十出头，算得上岁月悠悠了。悠悠岁月里，有的隐痛，不能轻易跟人诉说，只能自己慢慢地消化，那年，他二十三岁，已经换过六种活计，还是挣不到什么钱，听人说南方能挣到大钱，仅仅根据一个渺茫的线索，就只身闯南方去了。居然挺顺利地找到一份挺不错的工作，是在一家位于城郊的玩具厂里当包装工，工资不像在家乡传说的那么高，但每月按时发放，只要不染上坏毛病，比如不嗜烟酒不下馆子，不赌博不找小姐，省吃俭用，能存下钱来。可是有一天休息，千不该万不该，他进了趟城，回来坐错了车，迷了路，天黑了还没找对方向，结果被截住检查，虽有暂住证，人家不信，带到集中地，让交10元钱，借手机打电话，只要能打通找到取保的人，第二天就允许来人领走，他倒是打通那玩具厂电话了，但接电话的说的当地方言，他还不会说那方言，用北方话说，那边听不明白，也不耐烦，挂断了，这样，他就算没保人的氓流了，就被轰上一辆大卡车，运到一处他至今说不清是何处的地方，给收容了。他原来听人说过，收容以后，会安排干粗重活路，比如筛沙子，让你自己挣出路费以后，再将你遣返；他的遭遇却并非如此，被收容有一个多月，并没有安排干活，就是让住进一处地方，很简陋的房子，里头的上下铺不是木头的也不是铁的，是用水泥板砌的，上头也没褥子也没枕头，只有一团黑黢黢黏糊糊，不知道多少人盖过的毡毯；还听人说过，收容站的人不仅粗声恶语，还会动手打人，他的遭遇也并非如此，执行收容的那些人态度固然生硬，却也并没怎么高声吆喝叱骂，更没对被收容的人施以拳脚，他在那里头挨过打，打他的是跟他一样身份的人；他们一到收容站就让把身上带的东西全部掏出来，包括现金，五元以上的钞票，全给装进一个信封，信皮上让自己写上名字，说是遣返的时候会还给你，五元以下的零票，则可以自己保留，申请购买香烟或者方便面什么的；那里头每天供应两顿饭，夹着砂子的糙米饭和煮烂菜叶倒无所谓难不难吃，最难受的是根本不能有饱的感觉，于是里头凶悍的就会来打你，让你把零钱给他买吃的买烟……在那里头也不知道什么时候能把你遣返，有同屋的悄悄告诉他，那要等到上面给管他们的人发下钱来，按人头计算的遣返费，有了那笔开支，才会实施遣返。终于那么一天来到了，他们被叫出来，轰上一辆大卡车，没有人提出来发还那个装钱的信封，实际上有那样信封的人也不是太多，他虽然有个信封，里头有三张 10 元一张 5 元，想起来肉痛，却也没有张口讨要。卡车并没有开到火车站，开到一个荒野地方，就让他们下来，他们一下来，那卡车就调头开回去了。后来天亮了，他们走到一个村子里，问出来，是另外一个省了……他不敢再找回那个玩具厂，因为一路上很可能再被收容；而且他再也不想到那个省去了。他在新到的这个省里流浪了一阵，最后找到了一份烧砖窑的工作。他终于又领到了工资，少，但毕竟是新的收入，他到集上给自己买了条新裤子，把破旧得不像样的那条裤子洗晾后塞在枕头里珍藏起来，那条裤子对他是有恩的，在被收容时，他一直小心翼翼地保护着那裤腰，因为他在裤腰自己缝出的夹层里，藏着一千多元的存折，始终没暴露出来。烧砖窑期间老板让在窝棚里白住，不管吃，但烧饭可以白用柴禾，他就几乎天天自己弄萝卜焖面吃，那做法很简单，往锅里放不多的水，先把萝卜块搁进去，撒上盐，滴点油，煮开，然后把切面铺在上面，盖上锅盖，将面焖熟，每回揭开锅盖，那一股子味道蹿进鼻孔，真觉得是天下第一美味……后来遇上个算命的，说他的福气不在南方而在北方，他才辗转来到了这边，又几经变换工作，才来到这榆香园……也曾跟狐狸说起过萝卜焖面，建议他做来当保安队的伙食，狐狸却说："那算哪一路做法？谁会爱吃？"唉，人跟人，就那么难沟通……

　　忽然他衣兜里的对讲机鸣叫起来，他闻声一个鲤鱼打挺，从床上站立地面。对讲机里传来这样的报告："队长，门岗这儿吵起来啦！"他旋风般冲出宿舍。

剁椒鱼头

38 号楼 502 的陈画家因为家里来了远客，惊呼热中肠，打开一瓶 XO，各执一只雕花玻璃杯，兑冰水欢饮话旧，一时竟忘了向榆香居叫过东坡肘子的事。

来客是当年高中同学。如今定居澳大利亚悉尼。也画画，自然也算得画家，但自己画的难卖，操持一个画廊，卖别人的画。这位画廊老板路先生，回国才几天，得知了陈画家的电话号码，一小时前试着拨了一下，居然一拨就通，尽管十几年不见，陈画家竟立刻听出他的声音叫出他的名字，他直道冒昧，陈画家却说高兴还来不及，道哪门子外国歉！问他在哪儿呢？说出一个地名，哎，离榆香园虽不算近，打个"的"来走环路很方便，陈画家说你若无事何不马上过来一聚？路先生于是很快出现在陈画家这里。

陈画家先带路先生参观了一下自己的住宅。是个跃层的单元，五楼是生活空间，六楼是创作空间，原来有个露天平台，正好改成了玻璃结构的画室。路先生见整个宅子里没有一点原来见过的那位陈太太的痕迹，摆挂的照片都只是画家自己或子女孙辈的，就知已经离异，遂绝不问及嫂夫人；其实他也早另组家庭，陈画家未必清楚，却也不去问及，只跟他打听澳大利亚风情，以及画廊的事。路先生对陈画家的宅子啧啧称赞，唯一代之遗憾的是这楼没有电梯。陈画家却说当时所以下决心买下，平台可建画室固然是主要原因，觉得每天能上下五层楼梯，也等于是买了个大型的锻炼器械，有益于健康。以后真老得动弹不得时，可以再换住处。

路先生满面红光地倾诉他的感受。变化太大了！他原来住的那块地方，简直是站到任何角度望过去，都认不出来了。这边的百货公司、超市，水平跟澳大利亚已经基本平齐，商品满坑满谷，而且那购销两旺的情景，超过悉尼了！原来的老同学，一联系，几乎个个都换了新居，有的开上了自己的小汽车，有的子女有车送来送去，在餐馆请起客来，个个点出满桌丰盛的菜肴，现金支付能力令他咋舌。从宏观上看，目前世界各国经济发展，中国的增长率奇高，可谓一枝独秀；西方各国几乎都遇到这样那样的麻烦，澳大利亚算其中麻烦较小的，但光那连续几年夏季必有的森林大火，

剁椒魚頭

面积之广，时间之长，损失之大，也够烦恼的。真是又一次康乾盛世！但这次回来，街上买了一份什么周末报，令他大失所望，主要板块全是些揭阴报忧的文字，在他看来纯属哗众取宠，这类文字当年他没出国时候也是特别喜欢，到处找来看，看得上了瘾，就跟吸鸦片一样，以至凡遇到好处说好的文字，就视为谄媚取宠；到了海外，才知道到头来人家看你的眼光，主要是看你那背景，你背后的祖国富裕强大了，人家才把你当回事儿，否则难给你个正眼儿，现在澳大利亚人多多少少知道中国人阔起来了，对中国开放了旅游，发现中国游客真能大把地花钱，像袋鼠皮手包、绵羊润肤油、鲛鲨烯营养丸什么的，都是十几份几十份地往回买，海关关员对中国人的笑脸，也就多起来了，连我那画廊里卖的中国画家的作品，也销得动了！澳大利亚现在有多份华文报纸，哪份也没办成这周报那样，都是赞华为主，也不是拿了这边的钱，全是私人的，股份制的，自觉地那么定位，根在中国嘛！路先生把酒论道，滔滔不绝。陈画家觉得，这位老兄的性格一点没变，真诚，直率，易激动，激动起来还特别喜欢挑起争论。但陈画家只是微笑倾听，久不插言。

路先生提出来要看看陈画家的近作。陈画家说近来很懒，只画了几幅架上画，追求一种童趣，在这边的两个画廊里不时地卖出一两幅，价位也都一般。路先生就说冒昧地问一下，"一般"是多少？陈画家说没超出过五千。路先生就没提拿些画到他画廊的事，陈画家自然也没表露出有那个愿望。

陈画家肚子饿了，忽然想起定过东坡肘子，马上往榆香居打电话，问炖好了没有，其实还欠火候，但老板娘照例满口说好了好了马上送去，陈画家说就别送来了，我带朋友过去吃，还要点些别的菜，老板娘顺口推荐铁板牛柳，陈画家说去了再说吧，挂上了电话，转身对路先生说："今天不请你去外头的好馆子——附近的都糟，像点样的起码得开车出去十几分钟——就在我们这里边的小饭馆，其实是个食堂，那大厨小胡手艺居然不俗，一般家常菜都弄得颇可口，你无妨随喜一次。"路先生就抱拳道"叨扰"。

两人从 38 楼出来，夕阳已经很暗，但楼体和其间绿化的景象视觉上还颇清晰。陈画家指点着介绍：在离市中心这么个距离的圆周上，这样的商品楼盘算是价位低的了。旁边这个村子出地，开发商造楼。原来这里都是农田，因为田里有棵老榆树，设计的时候就把它留下来，现在以它为圆心，布置出了中心花园，也搞了些水景，喷水池呀，小瀑布什么的，但我迁来这么久，只见演过一次"水法"，因为那用电用水的费用，都是要计入业主缴纳的物业费的，没几个业主愿意出钱图个虚热闹。村子卖地，是个大价钱，但只见几位村干部的住宅越装修越豪华，开上了奔驰车，肚皮越来越往外挺，一般村民却没分到一分钱，而且没了土地，只能八仙过海，各谋生计，这榆香园里头，每天有来打扫卫生的，搞绿化的，是些村里的妇女和半老头子，算是物业的合同工，每月拿个三四百块工资，是最没办法的一群，有的则在这榆香园外头开黑"的"，因为正式的出租车很少到这里拉活，难遇上，因此黑"的"尽管风险大，被逮住有罚款两万甚至没收车辆的危险，却屡禁不止，我就常坐他们的车，上车司机就嘱咐，一旦警察截住，就说咱们是亲戚，我坐的时候倒没遇上过警察，跟司机聊，有的那乘客见警察拦了车，根本不愿给说好话，自己拍屁股一走，这车就被扣了，不过，一般都能托人给要回来，哪个真让他罚两万？又哪个真让他把车没收？出血那是必要出的，一般的行情是两千块左右，甭托人把车解脱出来；这开黑"的"的一群，不出事每月闹个两三千块不成问题，算是混得中等的；再有就是把当街的铺面房，开成商店，卖建材，开饭馆，还有不少发廊——我头发长了也不敢进，因为多半是提供小姐的地方……这些人有的发了点小财，有的，渐渐做大，就开成公司，包揽工程，参与开发，算是一方款爷了吧……

路先生一边听介绍，一边饶有兴致地四处张望，评价说：这情景，肯定超过一般发展中国家，逼近发达国家了，花木扶疏，路灯也似模似样，停车坪很规整，甬路蛮秀气，只是楼体似乎造得粗糙了一点点，还有一、二层窗户阳台的那些个铁栅栏，看上去怪怪的，这是澳大利亚见不到的，何必呢？……

这时陆续有些小汽车开进来，是一些业主从城里归家。陈画家指点着说："你看，没什么名贵的，大体是些桑塔纳、捷达、富康……甚至夏利、奥拓，中低档的车，偶尔有奥迪、本田什么的出现，少。买这里房子的人，我这样的很少，一部分是城里胡同杂院的，拆迁时拿到一笔赔偿，买不起回迁房，到这里来买个单元住；大多数

呢，是外地来的，在这边做些小生意，发了点财，买再贵的还吃力，就先在这里安
个窝儿；当然，也有些离退休的干部、知识分子，图清净，住到这里；也有些年轻白领，
一套房子一辆车，一个孩子一条狗……"恰好有遛狗的人出现，有的牵着体型很大
的斑点狗和熊狗，陈画家补充说，"有人喜欢这里，也是因为不限制养大型狗，也不
限制燃放烟花爆竹……我嘿，喜欢早晨推开窗户的感觉，空气岂止是清新，还含有
淡淡的粪肥气息，于是淡淡的哀愁，就旋转在我的胸臆……"

路先生拍了下陈画家的肩膊，说："神仙一般的生活了，你还哀愁什么！"

说着，他们已经快到榆香居了。榆香居离小区大门很近，这也是为了招徕非小
区的顾客，它顶上的霓虹灯艳红翠绿，入夜从大门外挺远就能看见。

两位走进大门，就发现那里发生着纠纷。那纠纷已经持续了一段时间，现在进
入了激烈阶段。

纠纷的一方，是一位业主。另一方，是保安——也不仅是保安，保安队长的到
来也没能平息事端，这天保安主管请假不在，物业副总经理蔡宪亲自出动了。事情
的开端，是一辆运装修材料的小卡车要开进去，保安拦住问司机要临时出入证，按
物业管理规定，搞装修的人和车都必须先办好临时出入证，这车和这司机却没证，
司机报出楼号门号，让保安给业主打电话，保安请业主出楼到大门接一下这辆车，
业主接电话一听火了，让把电话给司机，跟司机大声嚷："你别管他们那一套，你马
上给我开进来！"司机就要开车进去，保安就拦，一度非常危险；后来业主跑了出来，
见了保安劈头就骂，保安本是些血性小伙子，怎能吃骂？就对骂，而且很快发展到
使用肢体语言……

围观的人渐多。其中的业主都站在那位业主一边，且不论这件事的是非，七嘴
八舌地把对开发商和物业的不满悉数发泄出来：

"你们就会给罗莉莉当狗！"罗莉莉是开发商的名字。她常被业主狠狠地点名。

"我们交了物业费的，你们就都是我们合伙雇的伙计，伙计怎么能这样对待雇
主？"这榆香园和许多商品楼盘一样，物业公司就是开发商自己的，屁股自然总跟
开发商坐在一条板凳上，不仅不能代表业主利益，竭诚为业主服务，倒成了领导、

站 冰

管理业主的权力部门似的。

"什么讲规矩！那罗莉莉就头一个不规矩！我那单元的面积就愣给算大了三米四六！至今不退我款！"

"卖的时候说得天花乱坠，现在哪样真兑现啦？原来说是有会所，现在会所在哪儿？那 23 号楼，原是按会所设计的，现在改了改都当住宅卖啦！"

"说是六证齐全，住进来才知道，只有那头一排办了售房许可证，我们这些楼并没办，房产证至今拿不到！纯粹是欺诈！"

"这里水质问题为什么总解决不了？卖的时候说龙头里能流出地热无菌水来，现在不热也罢，我们取样拿给有关部门检验，光含氢量就吓死人！"

"夜灯净用些劣质灯泡，三天两头憋坏，我那楼前黑咕隆咚半个月了！"

"眼看冬天又要到了，我们用燃气取暖的，还得按那强盗价格收费吗？"

"他们那个燃气公司根本是无本生意，罗莉莉只出个公司名字，村里只出地皮，从银行里骗出贷款来，糊弄到今天，他们根本还不上贷，不跟咱们谋取暴利，哪儿找平去？"

……

陈画家和路先生路过那乱烘烘的场面时，物业一方正处在不利局面，蔡宪不得不耐着性子说些软话，又劈头责备冯团长，说他们保安不懂事，应该灵活掌握规定，业主是上帝嘛，怎么能跟业主犯混？当着那么多人，就宣布要罚队长和当值门卫的工资，冯团长也只好低声下气认错，心里暗暗叫苦，工资本来就拖欠着，以后发放时竟还要罚扣！最后只得向那业主赔礼道歉，让人家的运料车大摇大摆开进去。人散后，冯团长不由得跟蔡副总经理抱怨，说那回他勇跳到前保险杠上，阻拦住一辆门卫对付不了的违规车，以那司机倒车败退收场，事后不是还在大会上受到表扬了吗？蔡宪就啐一口，骂他："笨蛋！亏你混了三十多！欺单必胜，犯众必败，连这个都不懂！"冯团长末后在晚风里，沿甬路徘徊了好久，自己也觉得真是好糊涂，怎么总不能把这世道人心看透！

陈画家和路先生当然没等那闹剧收场就进了榆香居。那时候屏风那边作为食堂部分的空间里已经没有人了，屏风这边有三桌食客，还有个单间里开出了一桌。陈画家就把路先生引到尽里边的一张空桌，两人坐下，笑梅马上送来一壶免费热茶，老板娘亲自笑迎，递上菜单，又推荐铁板牛柳，陈画家让路先生点，路先生说你熟悉，你点，结果陈画家除了已经预定的东坡肘子，又点了剁椒鱼头和酸辣汤，另外让取一瓶红星二锅头来，说："其实这酒喝着最爽，茅台、XO 什么的都比下去了！"路先生说："悉尼唐人街的二锅头好畅销，不过，比这里贵十几倍！"

菜上来了，陈画家指着剁椒鱼头说："怎么样？不吃先看，像不像幅画儿？"俩人喝酒吃菜，觉得东坡肘子一般，剁椒鱼头味道极佳。

陈画家说："刚才那乱吵的场面，你印象深刻吧？是不是在悉尼很少遇得上？"

路先生说："当然。我都不大习惯这种在公共空间里的争吵场面了。一刹时，我先脸红了，倒好像自己当众尿了裤子似的。"

陈画家说："还有我们这小区外头，村子周边，垃圾总清理不净，也不光这里，城里一些地方何尝不是一样，乱抛东西，往地上啐痰擤鼻涕，永远地脏、乱、差，有人说这个毛病，总得两代人过去以后，才能基本解决。我是赶不上了。你倒好，找了个既安静又干净的地方，远远地来欣赏这康乾盛世。"

路先生就说："你也别以为那边的生活就那么写意。不错，澳大利亚跟加拿大差不多，地大人少，中产阶级为主，家家住得都不错，住单栋小楼带花园的一点不稀奇，是常态生活。不过仔细想起来，一般中产阶级的生活也很枯燥。无非是贷款买栋宅子，每月按规定还贷。平时每周一到周五，夫妻各自开自己的车往各自的上班的地方去，来回两三个小时是家常便饭，回到家就累得不行，洗个澡就睡觉。星期五晚上如获大赦，回家前可能跟同事、朋友或者情人去酒吧消磨到深夜，回家倒头闷睡到第二天中午。星期六下午就开车去超市，把下一周要吃的用的买回家，晚上看看电视。星期天往往得修剪花园草坪，清洗汽车，要么全家去趟当地公园或游乐场，晚上破费吃顿不是快餐的饭，但是点菜会非常谨慎，如果是吃西餐，那得狠下决心，才能每人点份甜点。到了长假，也无非是从旅游广告里，挑一条经济上能承受的旅游线路，去旅游一番。日子也就这么过下去，日复一日，年复一年，最后，退休，生病，死掉，埋在一处什么墓地，立上块碑。你说这样的人生究竟又有多好？"

陈画家就忍不住说："既然如此，你又为什么定居那里？何不也成为一只'海龟（归）'？"

路先生就沉吟地说："我说出了我并不喜欢那里的因素。而我喜欢的，没有说，不说了吧……我是为了自己喜欢的那些因素，选择了在那里定居的。"呷了一口酒，问，"你呢？也有机会出去啊。为什么还留在这里？"

陈画家就说："我跟你说了我不喜欢这里的种种因素。除了故土难离这样的大道理，我喜欢的那些，也许是很琐屑的因素，来不及全说，也不说了吧……正是这些我喜欢的因素，让我选择了这样的生活空间和生活方式……"他指指已经快吃光可食用部分的那个空鱼头壳，说："正像这劈开的鱼头，向我们显示出了某种哲理……"

路先生就呵呵呵笑了："你醉了吧，只有醉人才会说出如此深奥玄妙的话来……"

拔丝苹果

原来保安队宿舍一直安排在物业办公楼的地下室里，这年夏天地下室里渗水严重，墙壁地面总是湿漉漉的，因此后来就搬到了一层的一个大屋子里，这屋子当初不知是怎么设计的，正面完全是玻璃封起的，当中有很大的滑动门，里面虽然很高很大，却没有任何窗户，也许是打算租出去当铺面？一度当过仓库，现在成了保安宿舍。这屋子没有渗水潮湿的问题了，原来在地下室分三小间住的保安员，统统住进来，搬来九张上下铺的钢架床，外加冯团长的一张单人铺——作为队长他享有的特权除了睡单人铺外，还有一张两头沉的三屉桌，三个抽屉放保安日志什么的，算是公用，那两头沉却单由他使用。这大屋子现在一边靠墙竖放着五架上下铺，一边竖放着四架，放四架那边空出来的位置，斜放着那张两头沉三屉桌，上头搁着一台电视机，电视机上顶着一台 VCD 放映机。对门的后墙那里，则是队长的单人铺，特别显眼。此外，有些折叠椅，平时全整齐地倚内墙放着，晚上允许不当班的人看电

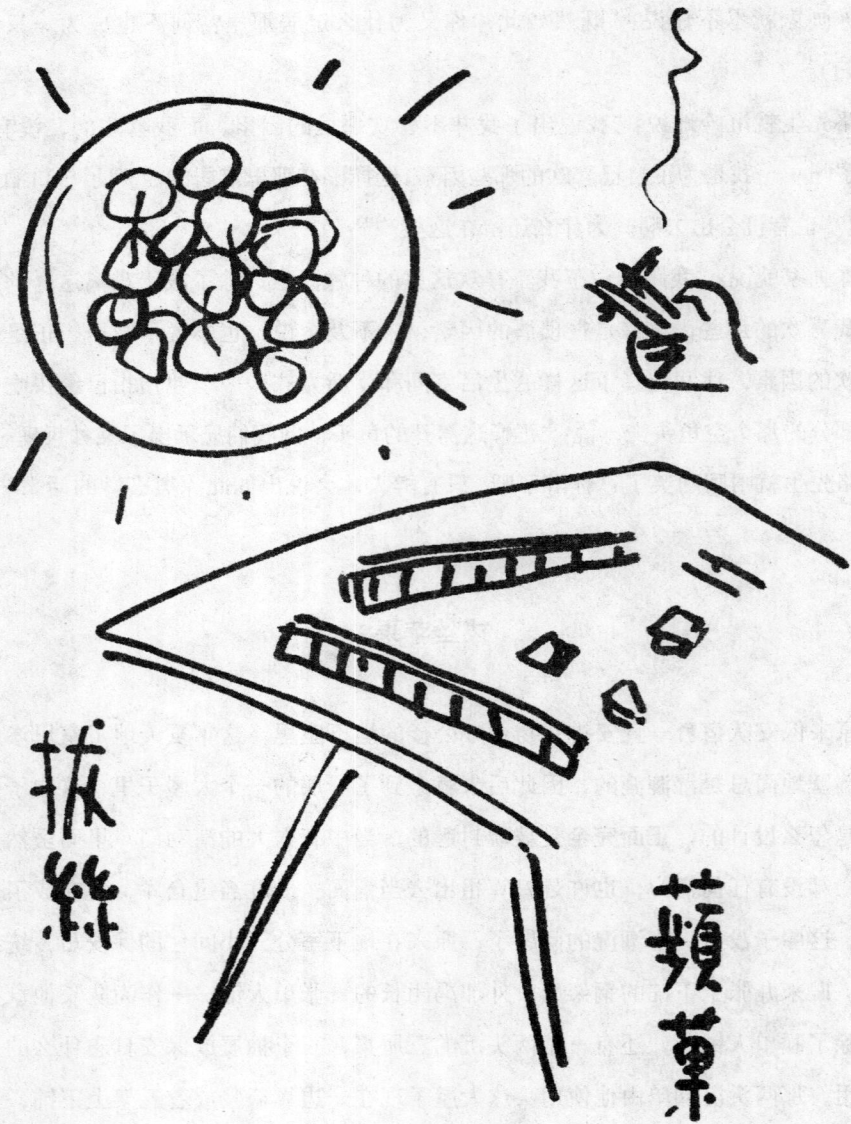

拔絲

蘋果

视光盘时，取来坐着。最近还添了一张折叠桌，不用时也倚墙安放，不过那并不是给保安队员们使用的。搬到这间大屋以后，在玻璃墙门里面，挂上了可以将其完全挡住的蔚蓝色布幔，白天也遮住里头。这间屋门朝北，整天不见阳光，何凯说它是"地上的地下室"。虽然解决了躲避潮湿的问题，新的问题也随之而来——就是鞋臭的问题，原来地下室是当中有走廊，队长命令所有人晚上洗完脚，只许穿干净拖鞋进屋，白天穿的鞋子一律搁在走廊里头。现在洗漱解手还让去地下室，睡觉前脱了鞋子却不好放在屋外檐下，因为那就暴露在业主们眼里了，可怎么办呢？后来还是何凯提了个合理化建议：在进门的一侧安放了一只封闭式的鞋柜，严格地执行脱鞋入柜的规定，这样总算不至于鞋臭满屋。这些从农村来的小伙子们，就这样地生活在一起，为的是管吃管住之外，每月能挣五百块钱——当然，班长能多一点，最多达到五百八，而队长能挣八百。

　　何凯当然知道门岗跟业主发生冲突的事，但他没有过去参与，也不仅是因为他晚上九点有非常重要的事情，他在这保安队，一贯采取"上岗认真，下岗不问"的处事态度。他们的宿舍虽然搬出了地下室，但准许他们使用的盥漱室和厕所，以及存物室，都还在地下室里。存物室里有一溜简陋而结实的木柜，他们每人使用一个，锁头钥匙自己准备。天黑了下来，何凯去地下存物室，打算在那里把身上的保安服换成便装，他有一件前几个月在康垡镇商店买来的米黄底子咖啡格子的夹克衫，胸口上有鳄鱼图案，他懂得鳄鱼是名牌，也懂得这件鳄鱼是假的，而保安队其他小伙子多半对此双不懂，这也许就是他文化水平比他们都高的一个小小例证吧！

　　何凯进了悄无人声的地下室，走廊灯坏了一半，幽幽的。存物室的门永远是不关的，他推开就顺手按灯键，灯猛一亮，他喊出来："你吓我一跳！"那是穿着全套保安服的侯伟，正站在他自己的那个木柜前，大概是刚放进什么东西，才锁好；灯亮闻声，侯伟扭回头，惊悚地望着何凯。何凯并不在意，走向自己的存物柜，他听见侯伟嗫嚅地跟他说："我……回来上厕所小便……"他就知道侯伟是怕他向队长汇报，因为按规定值班时间里是不允许来存物间处理私事的，就一边开自己的柜锁一边说："大尾巴，你真像电视剧里的小特务！你以后别这么缩头缩脑的行不行？"侯伟在他开锁时候已经走掉了，何凯取完衣服也就把大尾巴忘记了。

何凯到宿舍换衣服。那时屋子里只有他一个人。忽然声音先至人随到，蔡宪和另外两个人，全都吸着香烟，大大咧咧地进了屋。"蔡总！汪总！"何凯乖巧地迎上去。任何一位副职，称呼他们时都一定不要带出副字来，以后他如果当上副队长，那不管冯团爱不爱听，所有队员一定都称他何队长，甚至就简称队长，他也会安然接受。那汪总是物业公司负责财务的副总经理，第三位何凯没认出来，有点像园外村街上哪家建材店的老板。何凯不等他们吩咐就麻利地把那张折叠桌拿到屋子当中架好，又去拿四把折叠椅摆放四边。汪总把夹在胳臂里的东西递给何凯，何凯更麻利地进行处理，原来那包在外面的是一方厚绿呢布，里面则是一匣骨粉制的麻将牌。铺好绿呢子布，取出麻将牌，把空盒子放到那边三屉桌的一只抽屉里，再从那抽屉里取出四包雀巢三合一速溶咖啡，四只一次性纸杯，何凯说："我这就去食堂拿暖水瓶。"转身要走，蔡宪命令他："我们三缺一，你去把幡爷叫来！我知道他在那单间里哩！"

何凯出宿舍十几步，停住，深呼吸，心里悻悻然。自从宿舍从地下室移到这间大屋，蔡宪就把这里当成了约人赌牌的地方。蔡宪在这榆香园里有套单元，为什么不在自己家里赌？他家里人怕吵？不值勤的保安队员晚上就睡在牌桌周围，难道就可以吵吗？为了不让业主看见？业主一般确实不会到这宿舍里来，也不至于大晚上的从外朝里张望，何况还有大布幔挡住……但业主看见了又怎么样？一些业主单元里，大白天还开赌局呢！对了，一定是觉得保安队员宿舍里最安全，从哪方面来说都更安全，尤其是一旦有公安局查赌的来，门岗首先会用对讲机向他报告啊……反正，欺负我们这些农村来的小保安！冯团长心里也明白这个，有回蔡宪他们来搓麻，大半夜的还让冯团长起来给他们去叫醒狐狸，给他们做夜宵，冯团长揉着眼睛往外走，在甬路上跟值勤的何凯差点撞个满怀，冯团长骂了声："不是些东西！"路灯光下，何凯从冯团长眼睛里看到的，全是愤懑，那当然并不是针对他何凯。但冯团长既在人家屋檐下，身高也只能做矮人，那些速溶咖啡和一次性纸杯，就是冯团长自费奉献的，也不知究竟讨得到几分好！

何凯朝榆香居走去。接着想，既然三缺一，索性就把狐狸约来岂不痛快！

站 冰

但蔡宪觉得狐狸跟他们这些人不是一个层次的，所以从来没约过狐狸，再，也知道狐狸是个赌王，赢多输少，难对付……狐狸晚上就睡在饭馆单间里，有时去找狐狸做夜宵，他那里也约着人赌呢，也想点补肚皮，因此倒也不厌烦……

何凯从榆香居返回，提来一个大暖水瓶，汇报说："幡爷说他一时来不了，让您先请别的人。"蔡宪就说："这回包的小姐就那么难舍？邪兴！"这时蔡宪打手机约来的另一人进了屋，好，牌局立马开始！何凯给他们冲好咖啡一一递过去。

那咖啡的气味，闻起来好香。何凯还从来没喝过。有一天半夜，蔡宪他们算完输赢走了，一直没睡着的何凯，在一片战友的鼾声里，看见侯伟从那边下铺跳起来，几步蹿到那折叠桌前，把人家丢弃的纸杯一个个仰脖朝嘴里倒，偷饮那剩咖啡呢！他就忙闭上眼睛，一动不动，心里酸酸的。他是绝对不会这样去获得那些自己未曾享受到的东西的！他想获得，而且，将来一定会获得，起码能获得跟这榆香园的业主一样的享受，但那必须是在大太阳底下，通过自己的努力，公公平平，名正言顺地去获得……

趁蔡宪他们游泳似的挥臂洗牌，何凯想溜出宿舍，却被蔡宪扭头叫住："去！让狐狸先给我们来一大盘拔丝苹果！"他应声出得门来，恨得牙痒。糟了！今晚狐狸还不够伺候他们的哩，我那生日宴，还怎么开得出来啊！

京酱肉丝

何凯在榆香园外头的雪松下迎面遇到笑梅。笑梅是给业主送菜去。

"你怎么啦？"笑梅问何凯。他才意识到自己脸色一定很难看。确实，那一刻他本来向下微弯的眼梢，已经被郁闷扯平。"没什么啊。"路灯光下，笑梅满脸欢喜。她欢喜，他也就欢喜，眼梢又活泼地往下弯动。笑梅告诉他："你别给老板娘钱啦。"他摇头："哎哎哎，咱们说得好好的嘛，今晚请的是我的战友，钱我出。再说，上月你也没领着工资……"笑梅就说："老板娘在空单间里，给了我一百块钱，让我别跟

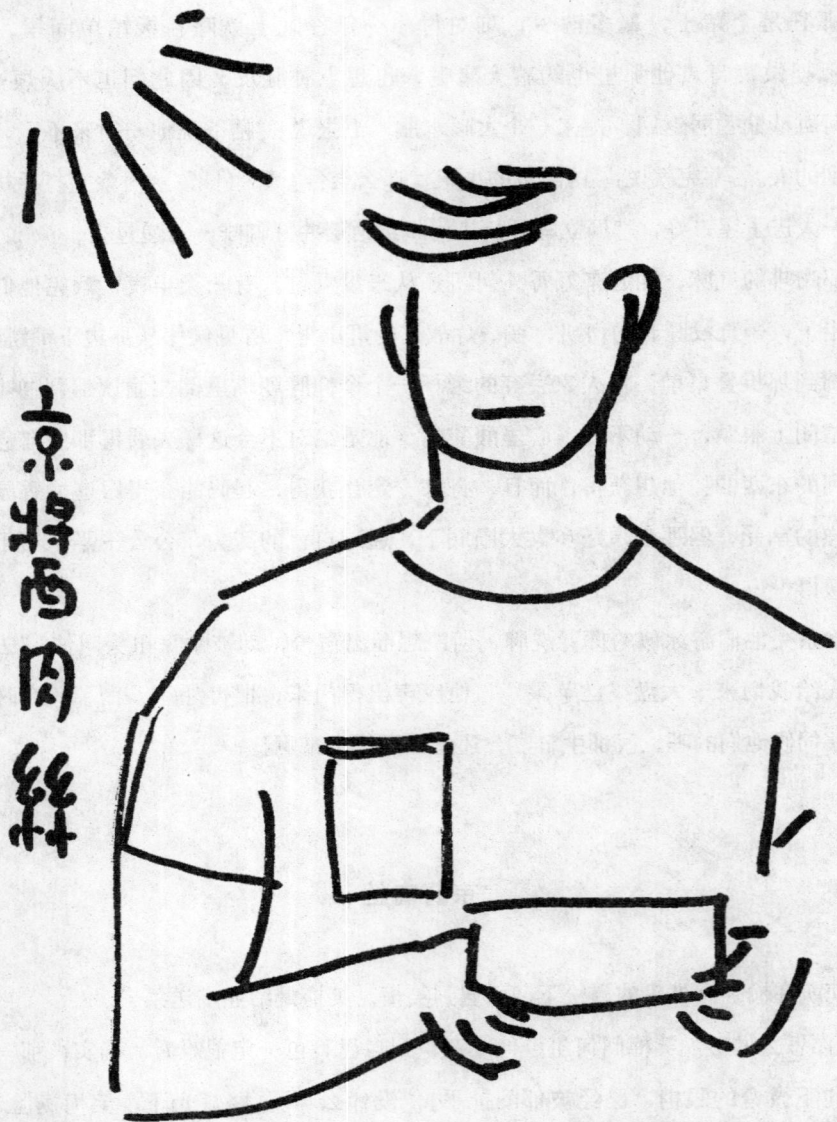

京酱肉丝

大乱、佟妮他们说……"何凯不大明白："她什么时候这么大方起来？"笑梅就解释，老板娘的意思，是单发给她工资，她一个月三百块的工资，扣除一会儿宴请的二百块，不正好一百块嘛！"啊，"何凯就说，"那一会儿我给你二百。"笑梅斜了她一眼，大眼白在路灯光下闪得像颗珍珠，绕过他肩膀送菜去了。

还没挪脚，迎面又来了谢超节，手里也提着个装菜盒子的塑料袋。"给我媳妇打盒京酱肉丝。她实在是馋得不行了。"敦敦实实、眉毛粗黑的谢超节跟他解释。

"我还当你又来征求签名了呢！"何凯脱口而出，说出来立刻有点后悔，马上用别的话岔过去："狐狸的京酱肉丝向来好！那回队长请客我们点过。他给你豆腐皮了吗？要卷着吃的。"谢超节笑笑说："我们统共还剩二百来块钱了。管他的，总不能让娃受委屈啊！"说完点点头往园外走。何凯朝他背影大声说："替我们问巧巧好！"

谢超节是物业公司维修队的一个领班。他出生在清明节刚过的半夜里。农村人认为清明节是鬼节，不能在那一天里出生，他母亲其实在清明一早就觉得瓜儿熟了蒂该落了，为了超出那个日子，硬是忍熬到半夜以后，才把他生了下来，爷爷因此对他们娘母子都很满意，给他取了这么个不解释难理解的怪名字。谢超节二十一岁来榆香园，二十二岁跟园外超市里同龄的杜巧巧谈上恋爱，二十三岁把巧巧带回老家成了亲，两个人在春节婚期过后就又都回到这里，现在他们二十四岁，巧巧肚子里已经有了娃。物业公司拖欠工资，对谢超节影响最大。巧巧怀孕已经七个月，这之前已经不到超市上班，没有任何收入，他们在园外村里租农民房居住，自己开伙，房租水电伙食开支再俭省每月也总得五百块钱，谢超节的工资每月是六百，如果按时发放那维持生活没有问题，现在拖欠三个月了，而且还没有哪怕补发一个月的消息，搞不好还要继续拖欠下去，忍无可忍，谢超节就去找总经理询问，人家回答他罗董没把款拨过来，等拨过来自然就发。那董事长罗莉莉哪里找得见，只能写信，就问两条：为什么拖欠？什么时候补发？信白写了，根本不理。于是谢超节开始给有关部门写投诉信，这事也就渐渐地由他的个人行为，发展为集体行为，维修部的全都拥护他，他就搞了个材料，让大家签名，说他亲自送到那管这号事的衙门，而且要那衙门的正官接见他。在那投诉材料后头，除了几个胆小的，维修队的人差不多全签了名，那天谢超节拿到保安队宿舍征求签名，王茂一见，冲动起来，拿笔就要往上签，何凯心里也想签，但是冯团长拦了一下，先叫谢超节一声"哥儿们"，又叫一声王茂"兄弟"，遂对大家说："我比你们痴长几岁，经的事情多点，心里有想法，讲出来供大家参考。我们当保安的，虽欠着工资，毕竟还管着吃住，处境比维修队的哥儿们强些个，还能撑一阵子。可是维修队的没工资，伙食都起不了，更有要养家糊口的，反一反，太有道理！我也希望超节能成就一桩大事。可是，我的经验，是到头来，闹得再凶，也没什么大用处。前几年我在建筑队干过。那工资更欠得惨，一整年没见着个一张票子，年关近了，有兄弟就上了塔吊，发狠誓，说再不发，就打那上头跳下来，警察来了，在塔吊底下张了个大气囊，报社记者来了，还采访到我，据说当官的后来也来了，反正，轰轰烈烈，拿大喇叭朝上头喊，说一定解决问题，最后那几个兄弟也就从塔吊上下来了。我们就等着发工资。这还能不发吗？那几天，我天天舍得花钱买报纸，买来就念给兄弟们听。开头上头全是给我们出气的话。后来就说上塔吊不可取，应该使用法律手段解决问题。再后来有一天就说那是'塔吊秀'，据说'秀'是英文，就是演戏，装假，文章的意思是，你不是也没真从那上头跳下来吗？我还怎么念得下去？也就不再买那报了。过些天，每人发了三百块，说公司实在没钱，只能以后再说，大家就揣上这三百块钱，回家过年去了。过年回来，找到原来工地，产权已经转手了，原来的公司根本找不到了。谁傻到别的不干，靠投诉过日子？有活就先干着吧，唯愿这新老板能给钱！要么，就再另外找活儿。我说了这么一大篇，你们不爱听吧？我究竟是个什么意思？是个平常的意思，就是这么个情况，老板他真拿不出钱，高官拿他也没有办法。问老板讨一讨，往上投诉投诉，上上塔吊，找找报馆，都是办法。忍一忍，能过得去就先过着。忍不了，另找能开钱的地方。也都是办法。总之别光一时冲动。凡事三思而行为好。"一大篇话说完，王茂也就搁下了笔。谢超节笑笑说："的确，各人情况不一样。你们毕竟还管吃管住，再忍一时吧。"但临出屋前，单把两眼盯着冯团长，跟他说："我要是罗莉莉，我就让你当这物业公司总经理。"冯团长只是一脸惨笑，没再吭声。

　　谢超节拿着那盒京酱肉丝走出园门了，从何凯站的地方还能看见他那模糊的背影。何凯平日与谢超节接触较多，很佩服他。谢超节有股子拗劲儿，追求巧巧的时候，巧巧有回说他"单薄"，他就每天做 50 个俯卧撑。巧巧跟他确定关系后，每天下了班，他就坐长途汽车进城，去上培训班，先后考下了高级电工本和高级管工本，后来又上了个电脑班，还带动巧巧一起去上。有回何凯下班去超市，正遇上谢超节和巧巧并肩往长途汽车站去，那时候天色已经灰黑了，何凯心想，他们从城里学回来，肯定头顶星星了，怎么那么不怕辛苦啊！招呼了他们，何凯忍不住打趣谢超节："是想学成个大老板吧？"谢超节笑吟吟地说："听说过这个话吧：不想当将军的士兵，不是一个好士兵。其实，不想当老板的民工，也不是一个好民工，对不对？不过，我当老板，一定要当个好老板，首先，绝不拖欠员工工资！"当时听了这话，何凯只觉得说笑而已，现在何凯隐隐觉得，也许以后的世道里，就是谢超节这样的老板，取代罗莉莉那样的老板呢！

　　何凯一直目送着谢超节的背影，忽然，心里旋出丝丝缕缕的，难以用语言表述的感动。

巧克力黑莓派

　　一阵小旋风，把些早落的秋叶刮到冯团长身上，令他更感迷茫，不，是更感孤独，深深的孤独。半年前，开园区和市区间班车的聂哥没辞职的时候，他还算有个谈得来的伴儿。叫起来是聂哥，其实只比他大三个月。也只有初中学历，也参过军，也闯荡过南方，也是混到三十啷当岁还没立个业，没娶上媳妇。所以共同语言很多，能私下说些惊心动魄的、丢开面子露光腚子的话。但是，毕竟聂哥还是比他强，比如，他活到这么大，就真还没尝到过女人的滋味，聂哥却尝过，并且不是到发廊厮混，不是跟幡爷那样包小姐同居，那样地尝，是正经搞对象，跟女朋友来真的，岂止搂着亲嘴，是痛快淋漓地在床上发生关系。聂哥告诉他，那女的疯起来，会使劲地把舌头，伸进对方嘴里，又抖又搅，还跟吸铁石似的，拼命把男的舌头往外吸，直到

也伸到她那嘴里……他听呆了，原来他以为那疯劲儿全在下头，没想到上头也热闹
到这地步，就羡慕得不行，有回梦里向往，把他宿舍里那张单人铺摇得嘎啦嘎啦响，
离他最近的王茂就坐起来揉眼睛跟他答"到"，以为是集合哨响了呢……

　　聂哥那对象都跟他那样疯过了，最后却还是甩了他，据聂哥说在最后一次通电
话时她跟他直道歉，说对不起实在对不起，那人有房子，有小汽车，她爹她妈说她
要不答应就跟她断绝关系……聂哥就说祝她幸福，就挂断了电话……后来班车在路
上就出了事故，再后来有一天冯团长去聂哥在园外村里租的房子里找他，那房已经
空了，房东说头天夜里就走了，也没说搬到哪儿去；冯团长回到园里就遇上新来的司
机，原来聂哥跟经理递上辞职报告转身就走，欠薪都不要了……

　　自聂哥走了后，冯团长便完全置身在一群比自己小十来岁的浑小子里，连个能
说说私房话的同伴也没有了……而比他小的，比如谢超节，居然就要抱孩子了；何凯
呢，晚上就要借所谓生日宴，跟笑梅当众订婚了……他自己，什么时候才能尝到……
那个滋味？……

　　尤其是，这天傍晚发生了大门口那场冲突以后，冯团长心绪更坏。他此刻是在
查岗吗？不是，他完全漫无目的地在小区里转悠……

　　忽然，他眼光被一样东西撩拨。那是一栋楼的二楼，一扇闪烁着菊色灯光的窗户，
那窗台上，摆放着一只花瓶，瓶里的花颜色看不分明，但轮廓清晰，那是几株郁金香，
没错，那种花叫郁金香……

　　那个单元里，住着个单身女人。没有人知道她究竟多大年纪。反正，不年轻了。
她的屋子装修得很特别，是西洋古典式，木制墙围上面的墙壁，糊着银褐色的绸子，
被一些带枝叶形装饰的曲线木框包围着。她屋里满铺地毯，也是褐色为主。总之，
她喜欢褐色，连衣服也总是褐色。当然那些褐色深浅不一，也不都是单纯的褐色，
有些偏红，有些偏黄，也有些偏蓝。她的起居室里有钢琴，但没人听见她弹过。她
沙发特别多，更多的是沙发上的靠垫，也就是腰枕，多到堆砌的地步，当然也是褐
色为主。她屋里墙上挂着、到处摆着大大小小的照片，全是她自己，从还是小姑娘
的她到几年前的她，那些照片的镜框都特别讲究，有的挺大，有的小小的、圆圆的，

只有茶杯盖那么大；如果仔细看，就会发现绝大部分是剧照。对了，她是一个演员，或者说，曾经是一个演员。一度很有名吗？不好说。有关中国戏剧电影史的资料索引里，必有她出现，偶尔她演过的电影，还会在电视台的专门频道里播出，就是几年前，她也还在几部电视连续剧里露过面，字幕上会特别在她的名字前标出"特邀"字样，但如今大概除了研究中国戏剧电影发展史的，一般俗众都不知道她。她结过婚也离过婚，有子女，但她的这个居所里至少在表面上，找不出丝毫关于她以前那几个丈夫或子女的痕迹，也不光是没有那些人的照片，整个儿的氛围，是她极度地离群索居。

冯团长头一回进入她那住房，大约在半年前。那时榆香园的管道煤气还没开通，保安队兼管为业主换煤气罐。一般情况下，业主把电话打到物业，物业转告到他，作为队长他自己是支嘴不动手的，但那天他眼前能支使的只有大尾巴，那小子本来瘦弱，又刚得了场感冒，看见大尾巴把煤气罐搬到三轮车上已经喘个不住，他就挥手让大尾巴一边待着，自己蹬车到了那楼，把煤气罐送到了那业主家。冯团长也曾在装修队打过工，这些年见到的豪华装修不算少，但这家的装修还是让他吃惊，是他在现实生活里未曾见到过，却能联想起电视里那些外国古装电影某些场景的怪模样。厨房也很奇怪，不锈钢水池上头，吊着一盆植物，枝叶往下垂，一大蓬，也不是正经绿颜色，带出芝麻酱色，安放好煤气罐，他就伸手去摸那叶片，问："阿姨，这是真的吗？"那女士就说："当然真的。不过别叫我阿姨。现在不是时兴叫老师吗？我在大学教过书，大学老师就是教授，对不对？你叫我雪教授好啦，雪，就是天上下雪的那个雪。"他笑了："还有姓雪的啊！"雪教授就说："小伙子，你牙齿很整齐，刷得很白。这很好，你要保持。"

收了换罐的钱，冯团长要把用完的罐扛出去，雪教授说："小伙子，别忙，先帮我坐壶开水，我实在累得很了，你帮我灌完暖水瓶再走，好吗？"这当然不成问题。可是雪教授要他到卫生间先把手洗干净，厨房那水壶本来就很干净，她也还是要他冲洗一番再灌水放到灶孔上。

等水开的工夫里，雪教授请冯团长在起居室沙发上坐下，冯团长犹豫，她就自

巧克力

里諾泊派

己先坐下，强调说："小伙子，再不坐下，就是不礼貌了。"冯团长便落座，只觉得那沙发既柔软又有弹性，心里想原来沙发的真滋味竟有这么美妙！雪教授说："小伙子，陪我说说话……"冯团长于是说："您别叫我小伙子了，我姓冯，您叫我小冯好啦。"雪教授自然问他叫什么名字，自然是他一说出来对方就先挑眉惊异，听他解释后则笑了起来。雪教授说："我以后就叫你团长。这名字很好。很有力量。是个男人的名字。"后来又随便聊了一会儿，厨房的开水壶火车鸣笛般叫了起来，冯团长就帮雪教授灌暖水瓶。雪教授还要留他沏咖啡一起喝，他说打扰太久啦，雪教授也就让他扛空煤气罐走了，他噔噔噔往楼下走的时候，听见雪教授对着他的背影说："团长，慢些，别闪了腰！"他大声回答："雪教授，我是钢筋腰，没事儿！您休息吧！"

那以后没多久，有天傍晚冯团长在楼外甬路上遇见雪教受，不由得双脚一并，挺起腰，甩起右手到右眉，给她行了个礼，嘴里自然呼"雪教授"，雪教授很高兴，对面站着聊了几句，雪教授就说："团长，遇见你正好，来，帮我做点事！"冯团长就跟着她往她那个单元去，一边说："您还是叫我小伙子吧！"雪教授哪里听他的，只管"团长""团长"地叫。进了屋，雪教授跟他说，想把起居室里的沙发和电视机换换位置。冯团长听她指点完位置，就说："我再叫个战友来吧。"雪教授皱眉："不必。如果你一个人搬不动，那就算了。"冯团长再用眼衡量了一下，就说："我试试吧！"一个人搬弄起来，雪教授一旁几次忍不住要搭手，冯团长都用语言和眼神以及面部肌肉运动制止她，干到一半冯团长脱下制服，后来更脱去衬衫，只穿个汗背心，连最沉重而且最难办的长沙发，也硬是当腰抱持着移动到了指定位置。整个干完了，那背心湿透了紧箍在冯团长身上。雪教授就让他去卫生间擦洗身子，他有点不好意思，雪教授就把他推进去，指给他，哪条毛巾可以用，那个液态香皂怎么挤接，然后从外面拉上毛玻璃门，告诉他她且到那边阳台透气，他擦洗完了她再过来。他很快擦洗完，出来咳嗽了几声，雪教授就返回了起居室。他们坐到沙发上，试试新位置看电视合不合适。冯团长拿着遥控器，一下子点出个"样板戏"，雪教授摆手："不要！不要！"又点出个F4在那里唱什么"流星雨"，雪教授依然摆手："不要！不要！"冯团长对这些节目倒无所谓，要不要都行，甚至也可以不要，但他不理解雪教授怎么就那么厌恶。后来点到一个频道，正在讲关于电灯的发明过程，两个人都看下去了。雪教授就说："团长，你也接受这种节目？"他说："是呀，您以为我是只能接受《凤在江湖》什么的吗？"雪教授就盯着他说："好呀好呀……刚才我喜欢看你搬东西，现在，我喜欢你说这个话，还有说这话的表情……你出乎我的想象啊！"就这么样，他们亲近起来了，双方都觉得待在一起能聊出不少话来。后来冯团长的对讲机发出呼叫声，冯团长接听，一个正巡逻的保安要向他汇报什么情况，问他："队长你现在的位置？"冯团长不假思索地答出另一座楼的楼号来，雪教授点头微笑。冯团长要走了，雪教授跟他说："我希望你常来，帮我做事，陪我说话……这样吧，你注意我这扇窗户，如果我把郁金香花放到了窗台上，就表示在希望你来。如果没有，那你可别自己跑来。"他很高兴。他发现雪教授家里基本上没有假花，只有这瓶木头制作的郁金香是个例外。

那天以后，冯团长一度非常注意雪教授家的窗户，却很多天都没有郁金香花瓶摆放到那窗台上。也没能在园子通道或中心绿地等处遇上过她。只是有回正在吃晚饭，听见老板娘接电话，好像是雪教授在叫菜，老板娘一再地对着话筒说猪肝保证新鲜，中午才买来，刚从冰箱里取出来的……后来笑梅去送那鱼香肝尖，冯团长望着笑梅背影，心里头竟有些个羡慕……

忽然有一天那窗台上的郁金香出现了，冯团长应约而去……那天细看了那些挂着、摆着的照片，才知道原来雪教授曾是个挺有名的演员。接二连三，郁金香出现着。冯团长有一天在雪教授家聊到晚上十点四十五，十一点他必须去主持交接班，真是恋恋不舍地离开。当队长的好处之一，就是如果没有特殊的呼叫，你在换班时出现就行，一般队员不会去想：这会儿队长在做什么？蔡宪和那保安主管一般没事也不会想到他。雪教授会饶有兴致地听他讲自己的身世。他甚至讲到小时候，家里穷，母亲好不容易买回一块豆腐，还没下锅，他就围着母亲转，母亲就切下了薄薄一小绺给他，他嫌少，扔到了地下，母亲一气之下就把他抱起来扔到大门外，把门闩插得紧紧的……他在门外冻饿了几个钟头，愣不哭，到头来还是母亲打开门来找的他……当他讲到在南方某省被收容的那些遭遇时，雪教授眼里涌出泪水，握住他的手，喃喃地说：

"受苦了，团长……谢谢你，把这样的事都告诉我……"雪教授没有跟他讲自己身世，但零零碎碎的，讲到些演戏中的甘苦，引发出些对人生的感悟，他听起来有种在雪天里，用舌头接吮雪花的感觉，心里头酥酥的……

但在夏天的一场大雨以后，郁金香又不出现了。也看不到雪教授的身影。有回在食堂，老板娘接业主叫餐电话，他正在旁边，忍不住说："是那雪教授吗？"老板娘说："不是出国去了吗？我指着挣她的？猫儿食，顶多要份鱼香肝尖……"他就觉得心里头空荡荡的好荒凉。

……此刻，郁金香却突然出现了！冯团长迫不及待地去楼门旁的呼叫板上按了房号，一个懒懒的，却极富吸引力的声音问："哪位？""我，小冯……团长！""啊，那上来吧。"似乎并不怎么热情。上面按了电键，门锁弹开了，冯团长旋风般来到二楼，再按单元门铃，门稍微过了一会儿才开。"我……打搅您了吗？""怎么会？不是有郁金香吗？"进了屋，就觉得有种温馨的气息扑来，迅速裹住全身，而且往皮肉里渗……

开头都说了些什么话，事后全不记得，大概无非互问没见面期间的情况……雪教授坐在长沙发那一头，斜倚着，冯团长坐在单座沙发上，朝着她。雪教授这天穿得特别洋气，连衣裙上身露出很多，再用一块有长穗子的大波肩裹住肩膀。当她站起来走动时，那长长的裙裾拖在地毯上。恍惚中，冯团长觉得雪教授不是一个真正存在于眼前的人，而自己也不是在真实的生活里，倒像是电视里的某一个外国电影里的镜头，跌落到了这榆香园里。雪教授总要求他："再说点有趣的事，你自己生活里经历过的……"他能有多少能让这么个女士觉得有趣的事呢？但他努力满足她的愿望，搜索枯肠，把这样一件童年往事也想了起来讲了出来：那还是上小学的时候，有回他爹得了感冒，从卫生所拿回家一盒药，里头是一排塑料的针管形水状药，他爹吃了一半就没再吃，可能是感冒好了吧，他就偷偷拿了一管到房后头……不是想偷吃，凡药总离不了苦味，哪个孩子会偷苦东西吃？他是把那药管紧上头掐开了，用手指头把那里头的药水挤出来，看见那酱油汤似的药水滋出老远，他心里特痛快，挤挤滋滋的，他自己咯咯咯笑个不停……结果被他爹看见，扑过去掀翻差点把他屁股打烂！雪教授听了以后就扬眉毛、耸肩膀，感叹说："好孩子，你竟能记得自己这样的事情……你很敏感啊……这应该用弗洛伊德学说解释……"他听不懂雪教授那最后一句话，但能让她感觉有意思，这就好……

后来他闻见一种奇怪的甜味，雪教授说："呀，我都把烘炉忘了！我自己做巧克力黑莓派呢！这就熟了，我去取出来，我们一起品尝。"……后来他们就坐在沙发上，吃端到茶几上的那甜点。雪教授喝咖啡，本来也让他喝，他说不习惯，就给了他红茶，其实他也不习惯，包括那"派"，但他很高兴，出外混饭这么多年，为什么只有这个雪教授能这样平等地对待他？岂止是平等，真的，比他自己母亲，待他还好，但雪教授又分明不是母亲，站远点，吊灯光下，看上去只该叫声姐姐哩……

再后来，雪教授拿来一堆照片，还有一个空的照相簿，让他帮着把那些照片插进去，拿到哪张插哪张，不必考虑次序。他就边看边插。原来都是前些时候在国外照的。大多数照片上，背景上不相干的人影不算，拍的都是雪教授本人，有的则是她与别的人合影，跟她合影的有洋人也有中国人，有老人也有小孩，还有跟她很亲密地靠在一起的男士，当雪教授发现他对那些合影表现出好奇，特别地停下来多看时，便说："不要管别的人！你觉得我怎么样？"他就说："真好，显得这么年轻！"雪教授问他："看出来了吗？这是在哪国呢？"他想说美国，又不敢肯定，后来他看出来照片背景上有个东西，猜："埃及……吧？"雪教授夸奖他："了不起！在你来说，能这样判断就不容易了！这是金字塔，不过是玻璃金字塔，埃及的可是石头造的，那要大得多，而且在沙漠上……这是巴黎，PARIS，法国……这是巴黎卢浮宫前的广场，这玻璃金字塔是后建的，是贝聿铭设计的，造它的时候，呵呵，好大的争议，激昂的反对派在广场组织了纠察线……"那些照片终于一一插完，雪教授问："累吗？"他说："不累。这算什么活儿？只是……"雪教授走到那大盆的凤尾竹旁的安乐椅上，优雅地坐上去，轻轻晃动，摇摇头发说："我倒真有些累了！"又叫，"团长，你过来，坐在这儿，告诉我，你刚才想说什么来着？你不觉得累，你只是……什么？"

冯团长坐到那安乐椅一侧的沙发墩上，告诉她："我想说的是……我在您这儿一点不累……只是，我觉得，我们离得实在太远太远了……"

雪教授懂得他想表达的意思，但顺口说道："怎么会远？我们从来没离得这么近过！"一边说一边稍稍偏头朝他一望，这一望不要紧，雪教授只觉得心脏被一只无形的手挠了一把，不由得呼出一个名字来，冯团长听出来那分明不是叫他，很惊讶，就把头伸过去，意思是我是这个人不是那个人呀，这样两个人的距离更近了以后，雪教授的心完全碎了，她觉得冯团长那滑动着的隆起的喉骨．就是那个人的，这么多年过去，那个人竟奇迹般地又来到她的身边，而且是保持原样地，仍然处在青春期里……而冯团长在一瞬间里，看见披肩滑落后，雪教授裙衣上身开口非常之低，那起伏强烈的乳房完全不像上了年纪的女人那种，特别是那深裂进去的乳沟，仿佛是能吸入他整个身体的磁石……雪教授就伸出双臂把他的脖颈揽了过去，忘情地吻他的喉骨，他就俯在她的胸脯上，斗胆吻她的乳沟……最后他们疯狂地接吻，他率先把舌头伸进了她嘴里，她喉咙里发出惊喜的声响，也回敬给他……

是他先惊醒过来的。他一下跳开，眼睛发黑……

"对不起，雪教授……对不起……"他扣紧衣领，立正，觉得脚底下在陷落……

雪教授却仍意乱神迷地仰卧在安乐椅上，闭着双眼，眼角有泪水，却淌不下去，双臂自然下垂着，那安乐椅以渐次减缓的频率晃动着……

人儿菜苞米面团子

这真不可思议！

陈画家和路先生从榆香居回到陈画家居室，坐下来就着香茗又聊了一阵，陈画家说难得老同窗相逢，照几张相留念吧！但是去拿照相机时，却发现竟不翼而飞！那相机就放在客厅一侧的半月桌上，一贯放在那儿，因为常用。拍拍脑袋，是不是放别的地方了？到处找了一圈，没有，就应该在那儿。是喝醉了，糊涂了？路先生也万分惊讶，因为去吃饭以前，边聊天边在那屋里踱步时，看到过那相机，是日本尼康牌，蛮高级的，当时路先生还拿起来摩挲了几下，问陈画家是否在国内买的，多少钱，回答后，还感叹说，折合成澳元，比在悉尼买还便宜些……

难道是，在他们去榆香居吃饭的时候，有贼来过？从哪儿进来的呢？一点溜门撬锁的痕迹没有，去看各处窗户，也都好好的，这居室又在高处，怎么爬上来呢？再说榆香园是封闭式庭院，二十四小时有保安巡逻……

路先生就问，是不是还有别的人，有这居室的钥匙？陈画家说不可能。想了想又说，女儿有一把，但是现在在匈牙利做生意，头天晚上还从布达佩斯往这儿打过电话，难道是她骑着魔法扫帚飞回来，钻窗户缝进来过？……路先生就让他再检查一下还丢了别的东西没有？经检查，还真没再发现什么丢失。两个人就都纳闷。究竟是不是喝酒喝的？先 XO，后二锅头的……记忆错位？

丢了尼康相机还不仅是经济损失。他们好不容易又聚到一起，实在该留影纪念，那相机有很好的自拍功能，里头又装妥了 400 度的柯达胶卷，36 张的，肯定至少还有一半没照……扫兴！真扫兴！

时间已晚，陈画家只好先把路先生送走。且喜刚下楼巧遇上一辆送人来这榆香园后，空着往外慢驶的正规出租车，立即招呼，司机也喜出望外。告别时，路先生握住陈画家手说："此一别，又不知何日邂逅。今天照相机的不翼而飞，倒是个希区柯克式的悬念。下回见面，你头一个话题就是给我揭开这个谜底！"陈画家也旷达地说："人生得失，常在意料之外。今天有朋自远方来，是大大的得，真是不亦乐乎！"两人挥手告别，那"的"哥听了只抿着嘴笑。

出租车开远了，陈画家的情绪从"不亦乐乎"迅速转换为了"不亦怨夫"，他见那边有保安身影，立即招呼："过来过来！"

那保安身形瘦小，开头似乎是没听见，后来倒是个跑过来的姿势，但跑得很慢，跟没吃饱似的。陈画家原来不曾特别注意过保安，现在一看来到身前的是这么个形象，更加有气。

"你叫什么？"

"侯伟。"

"多大啦？"

"十八。"

人兒茶芒米糰子

"虚岁吧？"

"唔。"

"怎么把你招进来的？"

"保安学校介绍的。"

"保安学校怎么招的你？"

"俺爹交了他们钱。"

"交钱就收？就你这个头、身体！"

侯伟埋下脸不言语。

"学过擒拿吗？"

"没……唔……学过队列……"

"学了多久？"

"唔……半拉月……"

"天哪，你那是什么保安学校啊！"

侯伟脸快埋进领口里去了，陈画家眼前只有一顶红色贝雷帽在微微抖动。

"哎，原来是些这样的保安。二十四小时巡逻又有什么用？遇上贼，还不知道谁把谁擒拿了呢！"陈画家叹口气，命令他，"叫你们队长来！"

侯伟抬起点脸，眼睛往上仰看，又赶快顺下眉，慌张地问："怎么……怎么啦？……"

陈画家就说："怎么啦？！我家失盗啦！丢失贵重物品啦！我先告诉你们！你们这样不中用，我干脆打110！"

侯伟这才把手里一直握着的对讲机搁到嘴边，呼叫队长。往常一叫就通，这次不知怎么的没回音。陈画家看他那样无能，就摆摆手说："算啦算啦，废物典型！你去吧！我上楼打110报警。"扭身走了。

侯伟见那业主走了，魂儿才颤巍巍地试着归舍。

陈画家那台照相机，是他偷的。

本来他也不一定要偷东西。

他家很穷。那地方自然条件极差。冬天很长。只有春天到了，地里冒出青芽了，最穷的人才觉得，自己死不了了。地里的青芽，指的不是庄稼，是野菜。有种野菜，刚蹿出来的时候也就寸把高，掐下嫩芽，剁碎了，加点盐，和上头年没吃光的苞米面，蒸成大团子，那是他家最美好的饭食。那野菜，掐过的，只要根还在，就还能活，长起来，最后能蹿得齐人腰高，不过一旦长起来，如果不是大荒年，大家也就不去吃它了。当地叫它人儿菜。……他爹原是农民，后来在小煤窑挖煤，有回出了事故，窑里死了好几个，他爹命大，没死，但轧断了一条腿，这以后就只能靠坐在地上敲矸石，挣很少的钱；那些敲出来的矸石，小煤窑的老板用来掺在煤里头，往外卖，好多赚些钱。他一个哥哥也在小煤窑里挖煤，爹说他就别干那玩命的活了，给他凑了些钱，再借些钱，让回村里过完春节的邻居，带他来了这个地方，进了所谓的保安培训学校，混上这么个事由儿。如今城里大兴土木，到处是商品楼，各个楼盘对保安的需求量很大，是个新兴行业。有的保安队挺正规，有的就那么回事儿。大体而言，离市中心越远的楼盘，保安队的质量就越良莠不齐。

侯伟跟绝大多数战友一样，从农村来到这大都会，一般都是直接从车站来到所谓保安学校，很快就来到这榆香园，或者经亲友介绍，直接来到这里，来了第二天就参与值勤，三班倒，一年三百六十五天都如此，没什么星期天休息一说，所有节假日都如此，因此他们就没进过城，最远的足迹也不过是去趟康垡镇，没见识过榆香园以外的城市生活。但侯伟刚开始非常满足，因为这里管吃管住，发的那身保安服也挺体面，也曾领到过几个月的工资，给家里写信时寄回过在康垡镇拍的一次成像的戎装彩照，还寄回过三百块钱，让他那缺了一只腿的父亲和缺了半嘴牙的母亲高兴得不行，逢人就把那相片拿出来显摆，看到的也不知道那孩子究竟是封了个什么级别的军官，怎么头上戴着那么个怪模怪样的红帽子，反正，都不禁肃然起敬、羡慕不已。有的就想把自己的儿子、孙子也送进城里当这种管吃管住的"保安军官"。

榆香园保安队的队员们，对园里业主们比自己富裕的生活状态，心理上都有不平衡存在，但每个人内心里那不平衡的侧重点不同。侯伟最不平衡的是什么？是人家吃得好？穿得好？住得好？有小汽车？……谁也难猜到，他心理上最难承受的，是那些独生子女的玩得好。尤其是到了星期六和星期天，那些上寄宿学校的孩子回到园子里，玩什么的都有，最刺眼也最刺心的，是有些孩子开着电动小汽车，在通道甚至甬路上横冲直撞，一副目中无人的骄横模样。还有的玩蹬蹬车，又叫手扶滑板，就是一个带轱辘的金属滑板，前头有个竖起来的立柱，立柱顶端横着扶手，玩的时候双手抓着那扶手，一只脚搁在滑板上，一只脚猛蹬，往前蹿，蹿起来两只脚全可以放在滑板上……他值班巡逻的时候，这些滑板往往就会从他身后呈 S 形飘往前面，吓他一跳。他休息时，会站在通道旁，呆呆地看那些孩子玩那东西。有一回趁滑到他身边的一个孩子停下来休息，他忍不住请求说："嘿，借我玩一下好吗？"那孩子斜眼看他，鄙夷地说："你？土老帽！一边去！"说完，蹬上那滑板扬长而去。土老帽！他已经用洋得不行的贝雷帽包装了起来，但人家还是把你看成土农民、穷小子！……

两个月以前，他在巡逻的时候，捡到了一把钥匙。他没有上交。那是一把车钥匙，还是一把门钥匙呢？经他研究，判定为门钥匙，因为不算钥匙链，也比较大。能开哪扇门呢？会不会是那个骂他"土老帽"的 B 孩子的？他知道那孩子家在哪楼几号，有天见他们全家开车出园了，他就偷偷去试着开那家的门锁，根本插不进去……后来，每次巡逻，插空他就偷着去开门，开头很怕人发现，后来，即使他往楼上走，跟下楼的业主擦肩而过，也没人特别地注意他，大概觉得他是上去办什么事，比如送信上门什么的；他很快知道，这里的人是各户只顾自己，绝对不问他人瓦上霜更不扫别人门前雪的……

这把钥匙，正是陈画家女儿丢失的。她有一天开车，带六岁的儿子来父亲这儿，用这把钥匙开的门，后来父亲回来了，她和儿子待到晚上吃完饭才离开，下楼临上车的时候，儿子闹着要吃口香糖，她从手包里掏口香糖的时候，儿子嫌她动作慢，跳起来抢，她一边呵斥一边掏，就在那时候，门钥匙掉到了地上，没有发觉。因为第二天她就飞布达佩斯了，另用别的手包，当然也就不知道丢了钥匙。

……侯伟终于发现了这把钥匙能开的是哪扇门，而且终于等到了一个业主外出的空当……但他进去以后非常恐慌，最后只拿了那台照相机，并且赶忙跑到地下室，摸黑将它藏在了自己的那个存物柜里，刚锁定，突然灯亮，是何凯进来了……何凯好像没生疑心……但是，现在那业主竟叫住了自己，他已经知道是我偷的吗？

好像还不知道……那照相机究竟值多少钱呢？一百块？三百？五百？有那么多吗？怎么卖出去呢？……能不能换辆蹬蹬车呢？哎，傻Ｂ！他骂自己，你要那玩意儿干啥？……

香辣狗肉煲

一阵阵警车鸣笛的呜哇声，离榆香园越来越近。

"幡哥，是逮你的吧？"马姬娜用筷子点着幡爷鼻子说。别人都管叫爷的，她敢叫哥，这透着亲密，关系不一般哪！

"八成他妈的是逮你来的！"幡爷一条腿蹬在旁边空椅子上，仰脖干掉一杯二锅头，朝马姬娜瞪圆眼睛。

"嘿！我看准定是冲咱们俩来的。好呀！咱们没成夫妻，不能双双把家还，今儿个他妈的一块儿进局子，倒也算是不错的缘分！来来来，趁还没戴上铐子，再吃几口狗肉！"马姬娜说完哈哈大笑，把筷子伸进那煲锅里，麻利地拈出一块红红的东西，没到嘴边又使劲一甩，差点甩到进那单间给他们送香辣蟹的佟妮身上，佟妮本能地缩脖一躲，马姬娜狂笑不止，末后用筷子在佟妮刚放下的盘子里一阵翻拣，指责说："怎么搞的，怎么都是些辣椒段？蒙谁啦？香辣狗肉、香辣蟹不是这么个做法！只有重庆辣子鸡时兴堆满辣椒段……把你们经理叫来！"

幡爷就说："挑什么刺儿！这是熟店，我是熟客，你将就点吧！咱们再喝再聊是正经，刚才聊到怎么个话茬儿啦？"

没有逻辑，没有焦点，没有明确目的，更无所谓正经，他们的交谈就跟他们的人生一样，混沌，放肆，然而生动、过瘾。

"咱们是多少年的狗肉朋友啦？"马姬娜吞进一块狗肉，亮开嗓门说，"那回咱们吃得比这回过瘾！"

他们曾是城根贫民聚居区的邻居，也算是同学。"文革"开始的时候，幡哥上到初三，那本是个男校，但到 1968 年"复课闹革命"的时候，实行就近入学，女生也就进来了，马姬娜那时候叫马淑红，算上了初一，其实那时候学校还是根本上不成什么课，幡哥和一帮半大小子整天在城根胡闹，马淑红竟参与其中，有回他们逮着只野狗，就打杀煮来吃了……后来让所有的学生上山下乡，要么去农村插队"改天换地"，要么去兵团"屯垦戍边"，幡哥和马淑红都是 1968 年 12 月 20 号那天被安排到四点零八分启动的火车上，运往目的地的，在那趟火车上，诗人食指写下了他那首著名的诗，但直到今天，跟食指坐过同一趟车的幡哥和马姬娜，仍然不知道有这么一首诗，更不知道食指后来还写了传诵甚广的《相信未来》，其实他们跟人类写出的任何一首诗都未曾有过丝毫关系，他们的意识里根本没有诗这玩意儿，对于他们来说，也无所谓过去、现在、未来，他们强悍的生命力自然流淌，在时代的缝隙里作为社会填充物，存在至今。

他们先后未经批准从不同的插队地点溜回城里。没有户口，没有包括粮票在内的，在当时对一个城市居民至关重要的生活基本资源的供应配额，当然更不可能有一份合法的工作，但他们若无其事地活着。马姬娜父亲是房修队的杂工，有只眼睛老早就被厚厚的白翳糊住，每天下了班就闷坐喝最便宜的白薯干烧酒。她妈则在家糊火柴盒，往往满屋子堆满了一摞摞的火柴盒，数完了一算工钱，还不到一块，她弟弟妹妹放了学都帮着糊，她逃回家却只是晚上来睡个觉，有时甚至一夜不着家，她爸对她不闻不问，她妈骂足一个月以后也甩手不管，因为她似乎有吃有喝，也还常穿来一件半新不旧的，家里没有过的裤子。当然，她成了一个女流氓。那段时间里，她也并不经常跟幡哥混，他们只是偶尔遇上，什么叫爱情？他们那时不懂，现在也不追求，但他们紧贴着城根那锈着苔斑的大城砖发生过关系。

幡哥，幡爷，自然都不是大名。有时候他都不知道自己大名究竟是什么了。他从插队地回来，就更是一个男流氓了。被叫做幡爷，是因为在城根一带跟一些老把势，还有大小爷们哥们练掼跤，他最狠，也最灵，称霸一方，后来练中幡，就是把一根粗大的长竹杆，顶上挂起幡子，搁在身上来回玩耍，肩膀顶，脑门顶，转着身子把那幡竿甩起来，换着肩膀接，或者用后背接，用胸脯接，这都不算稀奇，最绝的是用嘴接，也就是用牙接，还能用牙把那幡竿加以旋转，玩得真是又惊险又顺溜，花样叠出，乐此不疲，常常一玩就是半拉钟头，围观的哪个不赞？幡爷成为他的称号，也便顺理成章。

　　幡爷有多少兄弟姐妹？连他也算不清。1947年的时候，他大爸把他一个哥哥，带到台湾去了。他大爸是戏班里翻筋斗的龙套，哥哥是娃娃乞，那时候台湾从日本鬼子手里光复，国民党派过去一些接收的人员，那个剧班老板的亲戚是其中一个，来信说那边有人想看戏，老板就带着一班人一路唱到福建，再唱到了台湾。当时大爸跟他妈说，在那边混好了，再把全家接过去。哪里知道去后杳无音信。1949年城市解放，别再提台湾，他妈改嫁，嫁了个拉排子车运货的，那时候他妈带着他一个哥哥一个姐姐，他爸是死了老婆续弦，也已经有了俩闺女一个小子，后来他妈他爸又生下了他和一个妹妹一个弟弟，算起来全家兄弟姐妹多达八个。最具戏剧性的是，1986年突然有个台湾客来到他家，见了他妈扑通跪下，泪流满面。原来那是失散多年的大哥。他那时候才知道他妈的前夫并没有死，而是去了台湾，他妈让他管那个爸爸叫大爸，他哥哥倒不用叫二爸了，因为他的亲爸爸已经在1978年去世。他那大哥如今在台湾经营一家超市，自1986年到1991年回大陆探亲，1992年他妈去世以后，每两年回来给生母扫一次墓。但别以为他们家族只有九个兄弟姐妹，他那大爸后来在台湾又结过两次婚，又生有两男三女，这样全加起来，竟多达十四个之多。以他自己为本位，则有同父同母的，有同父异母的，有同母异父的，也有既不同父也不同母但仍应算为兄弟姐妹的。不过幡爷的生存，既从不依托于父爱母爱，更从不缠绕于什么兄弟姐妹的亲情。也不是说他对兄弟姐妹毫无感情。可举一例：他那未去台湾的同母哥哥，性格与他迥异，一生胆小怕事，循规蹈矩，后来在一家百货商场当售货员，有回他听说那商场里有个家伙欺负了他哥哥，他就大摇大摆找到那家，捋起袖子，一直捋到露出高耸跳动的肱二头肌，点名叫着那家伙的名字，那家人全慌了，那家伙出来直跟他点头哈腰讨饶，他却不动那家伙一根毫毛，只问："谁是你哥？让他出来！"那哥哥也是个老实人，就出了屋，他认准那确实是那家伙哥哥，二话没说，薅过来就左右各扇了个耳茄子，立刻嘴角就流出血来，他也不逃，只指着那家伙鼻

香辣狗肉煲

子说："原来你也有哥！看你以后再敢欺负我哥！"那家其他人又气又怕，他从容不迫地摇晃肩膀走人了，那家人有的就说这还了得，要报案，那家伙先说可别再惹他了，那哥哥也抹着嘴角说，幡爷这下找齐了，他不会再治咱们家了，若再惹他，指不定下回他怎么横呢！那可是个不怕进局子的啊！这就是幡爷对哥哥表达亲情的方式。后来那台湾的同母哥回来，他带他去俱乐部玩，找三陪小姐，一起吃喝玩乐，事先大哥先跟他按官价把美元换成人民币，亲兄弟，明算账，谁也不占谁的便宜，玩完了各付各的账，只是给小姐小费，大哥出手比他爽，他也不攀比；大哥走的时候他照例送到机场，大哥进了隔离带，回身跟他招招手，他不习惯跟人招手，就咧嘴笑笑，这也就是他们的手足情吧。

改革开放以后，城里头一批发财的，人们都知道，就有那原来最让人瞧不起的"劳改释放人员"，后来"劳改"这词儿淡化下去，那就得叫"刑满释放人员"，幡爷、马淑红都属于这个社会族群的成员，其实他俩虽说有几进几出的经历，但折进去也无非是流氓群殴或"乱搞"之类的小罪名，有时拘留一阵也就放出，有时只是"劳动教养"而非正式判刑，各被判过一次刑，也都是一年半的小刑期，实在也算不得什么严重的前科。他们是最早跑起长途运输的"倒爷""倒婆"，但并没有一起合作过，好多年里，幡爷都是往北跑，倒腾钢材什么的，而马淑红则是往南跑，倒腾服装，二十多年过去，幡爷都把马淑红完全忘记了，他有了老婆，以及许多临时性的亲密女人，他的生活里并不需要一个马淑红。

他们在这一天邂逅。幡爷暴富过，挥霍过，骗过人，更被人骗过，现在并非他的黄金时代了。但也还自得其乐。他现在主要靠代销一种安装在室内的燃气取暖设备赚钱。不是零敲碎打地销售，是跟商品楼盘的物业公司合作，或者说勾结，来整体推销，或者说大面积蒙骗，来分成取润。这榆香园在售房时，广告上说双气入室，售楼小姐推销期房时也信誓旦旦地保证将来入住有暖气，到业主入住后才发现，他们的居室并非集中供暖，而是需要分散自主地供暖，于是幡爷手下人就会出现，向他们推销那种一户使用的燃气供暖设备，而物业公司则表示只有这种设备他们维修部才协助安装，后来的业主见先来的安装的多半是这种设备，也就往往随众安装，这几年幡爷从这榆香园里获利不小。当然他不断地扩大着业务范围，打入一个又一个楼盘，结果这天一个楼盘里的一位马女士往他手机打来电话，说他们给安装的那设备根本打不着火，他说派人去看，那女士说："你老板自己来一趟！你当我是那起小家子用户吗？"当时他就觉得那声气有点耳熟，结果开车过去，发现那是栋三层的别墅，车房外停的是辆加长卡迪拉克，进得门去，迎面来了个人，虽然那发型衣裳绝对新潮，裹在里头的那块活肉他认为是一点儿没变，对方望见他，更觉得连衣裳也还是当年那种穿法，除了眼泡子鼓了出来，也是一点没变，两人就对面互指着哈哈大笑："他妈的，原来是你！"

到这榆香居单间坐下以后，幡爷说："我那伙计把我那手机号码告诉你的时候，不是跟你说了我名字吗？你怎么见着我才知道是我？"

"说真的，你那名字以前我也从来没记住过，你就是幡哥嘛！看你，也算发了财的人了，衣服还是这么穿！"

幡爷四季上身都只穿一件衣服，从没穿过所谓的内衣，春秋要么光身子穿衬衫，要么光身子穿中山装、西服外套、夹克衫，天凉了，光身子穿毛衣，最怪是到了冬天，光身子穿冬衣，以往是棉袄，现在是皮夹克、羽绒服，从来都绝对只穿一件衣服，而且很少穿套头样式的，一般都是当中可以解开扣子拉开拉链的，他在坐下吃饭时，稍觉热一点，便会习惯性地敞开胸怀，而那两爿又鼓又硬的胸肌，便会赫然暴露，并且随着他说话咀嚼，肌肉纤维还会有所跳动，构成比他面部还丰富的表情。

"瞧你，怎么发得不再横一点！我总觉得，你该比我发得大！"他们各开自己的车来到这榆香园，幡爷只不过是辆桑塔纳2000。

"是呀，就冲我这样穿衣服，能当再大的老板吗？"幡爷又灌自己一盅，问，"你他妈是怎么发到这地步的？怎么又叫他妈的什么'鸡'了？你这么阔了，你该养'鸭'啦，你这改的什么名儿吆！"

"咳，瞎胡混，让我赶着了呗！"马姬娜告诉他："我现在是外国人啦！"

"外国人？瞧你这副中国人的下水！这么多麻辣还不够，又点什么重庆毛血旺！"当时佟妮告诉马姬娜没有猪血这菜做不了，马姬娜就改点了虎皮尖椒。

马姬娜现在持有哪国护照？她是外籍华人了吗？她不想细说，也一下子说不清，就像幡哥一下子说不清他究竟为什么会有那么多兄弟姐妹一样。按护照的显示，她现在并无中国血统。如果在菲律宾，她算得一个外籍菲人。她是从深圳偷渡到香港，再从香港转到菲律宾，最后她顶替了一个死去的菲律宾女子的身份，那女子的名字译成中文是姬娜·玛撒宾塔……再后来，她以外商身份进入中国，名片上的名字成了马姬娜，没在都会中心活动，只在边缘游猎……她一直没有结婚，也一直没有停息过跟男人睡觉，也曾包养过"鸭"……她父母已经双亡，也不跟弟妹联络，就是偶然遇到过去认得的人，她也装作绝不认识，人家也就只能心存疑惑而不敢认她，真个是独来独往，六亲不论。但幡哥对她是个例外。她并不跟幡哥把这些年来的经历交代清楚，也并不想把幡哥这些年来的情况弄个清楚，这次巧遇令她非常开心，但也并不想就此保持密切联系，幡哥对她亦然，这也就是他们坐在一处吃喝如此放松的根本原因。至于引出他们见面的那个具体原因，幡哥认出她来没多久就说了："你安这破取暖设备干什么？我明天就让底下来了给你拆了！人家上这个当情有可原，你他妈也来瞎凑热闹！"两个人就哈哈大笑，把那厅里水晶吊灯的叶片都震得瑟瑟发响。

马姬娜现在真是大发了。她最得意的大手笔，就是帮一个省的一个地区市搞外贸。她把一种半成品原料进口给一家企业，又把一家企业的产品出口到境外。当地的官员对她真是感激莫名，因为统计起该处的外贸进出口额度，那真是非常地喜人，比附近各市高出许多个百分点。但其实她为这家所提供的"进口原料"，就是那家所生产的"出口产品"。两家企业所在地离得并不远。两家企业的头头，连同当地某些主管部门的头头脑脑，都由她分别邀请到国外"考察"过，她会安排他们去赌城"开阔眼界"，去红灯区脱衣舞场了解那边社会有多么腐朽。至于那些既是"出口"又是"进口"的半成品原料究竟是不是真到境外公海上兜了一圈，谁能说得清楚？也许开始几批还兜过，后来么，简直就径直地用卡车运过去，但一应证明单据等等俱全。多好玩的外贸生意啊！

两人吃喝聊骂正在兴头上，那鸣哇鸣叫着的警车开进了榆香园。

极品金牌鲍翅皇

警车的到来，让几个人极不高兴。

首先是蔡宪。牌战正酣，手气正旺，怎舍得停下？而且，小区出了什么事，一般都是由保安队请示他，经他批准，然后再报警。想必是业主自己报的。一般业主有事也会先找保安，这回是哪个保安这么糊涂，竟没把业主稳住？那冯团长又是怎么回事？事先也不来汇报，警车进门了，才跑进来见他。蔡宪听明白，无非是那陈画家丢了个照相机，算不得什么大事。但警笛鸣响，一园皆知，众业主本来对物业就很有意见，这下一定会觉得保安方面出了漏洞，没了安全感。他看那冯团长一脸晦气，大失往常的英姿杀伐，站在他身旁竟一筹莫展，更不禁满腔怒火，把桌子一拍，吼起来："就说我不在！谁拉的稀屎谁擦屁股！你给我滚！"完了扭回头，对三位牌友说："接着来接着来！他妈的一个破相机也值当打110，真他妈穷疯了！"稀里哗啦就游泳般地洗牌。其实那圈还没打完，本来就要"门前清"叫和的汪总就冲他高叫："嘿嘿嘿，有你这么赖皮的吗？"……

冯团长不仅是不高兴，觉得自己简直要疯了。刚刚发生不久的，雪教授家的那一幕，让他胸臆里满溢着罪感。他是从天堂，回到了地狱？不不不，他在心里对自己说，那雪教授家是地狱，现在他是回到了地面……但那又是多么迷人的地狱啊！……他很难从天堂或者地狱里的那个角色，转换复原为一个保安队长，原来接应镇派出所或者刑警队来人，对他来说是驾轻驭熟的事，此刻他迎着停稳的警车走去，却六神无主……

在厨房帮着洗盘碗的何凯烦透了。他知道，按惯例，这些开警车来的，事后多半要由蔡总挽留，到榆香居吃"工作餐"。那就又要折腾好一阵。他那意义重大的晚宴，还能不能如期举行啊？他朝备料的大乱望去，大乱也是一脸的不高兴。再朝狐狸望去，正在旺火前颠锅，看不清表情。

不高兴的还有王茂。警笛声响以前他就不高兴。因为蔡总他们又来打牌，他们轮休的保安队员不仅不便进屋到自己床上躺靠，更糟糕的是，也就不能看电视和光盘。

站 冰

有个卫星台正播《情深深雨濛濛》，他们前几天都看的，现在还记得头天那一集最后的"扣子"，究竟今天的两集里，怎么解开那"扣子"，又有怎样的新"扣子"出现？此刻他坐在庭院里的长椅上，心里痒痒的。他们这些保安的生活，说实在的，上班和下班并没多大的差别。榆香园就那么大，那个空间上班巡逻得已经腻味到要吐，下了班难道还把那空间当公园逛？纪律上又不许随便出园门，因此下了班唯一的乐趣也就是看看电视和光盘，现在《情深深雨濛濛》看不成，头天请假出去，从园外音像店租来，本是留到今天晚上看的那盘成龙武打片，也看不成，而且后天还盘时必得加钱！唉！警车进园后，王茂高兴了一小会儿，本以为蔡总他们的牌局也就收场，结果发现是队长去迎那些人，张嘴就是"对不起蔡总不在"的谎，宿舍也依然还是赌场！他一脚踢开脚下的一块石子，恨恨地把双臂展开用手掌抠住椅背，无聊地望着自己伸直的双腿。忽然，他想起来，有一天，他轮休，也是这样的姿势，坐在那边甬路边的长椅上，恰好陈画家送一个客人路过，看见他，那客人就说："小伙子，好长一双胳臂好长一双腿，若是从小培养，是个芭蕾舞剧《天鹅湖》里演王子的料！"陈画家也点头说："是呀是呀，要画小王子，这是最好的模特儿啊！"他没大听懂他们的话，但说他是块"王子料"，这个夸赞的意思，仿佛一颗糖果，落进他的心湖，不断地溶解着，令他想起就感到甜蜜。这天在昏暗的夜色里，他坐在那里胡思乱想，默默重温那琼瑶剧的前几集，结果，他越想越觉得，他已经进入了那个剧里，他是一个王子，而林心如演的那一角，爱的既不是古巨基也不是苏有朋演的那些角色，爱的是王子，也就是他……晚风拂过他的脸颊，他清醒了些，魂儿出了那个剧，但并不沮丧，因为他觉得，就在这儿，在榆香居，有一位的眉眼儿，至少是有三分像那林心如……唉唉……能得着这个林心如，那自己也就远胜过苏有朋，以及天下所有的王子了！……

也有反而高兴的。老板娘就是一个。别看幡爷只带了一个女的进包间，点的菜足能供八个人吃了！而且幡爷一贯爽气，百元五十的大票，甩下从不要找头。更可喜的是，那多少天没人点的螃蟹，在冰箱里怕都有半拉月了，今天全做成香辣蟹销出去了。警车来了那就更好了，就是人家不想吃，蔡宪也得把他们拽来吃，反正到物业财务上报销！那几条平鱼，大乱说馊了，不能给何凯他们上，好呀好呀，别给何凯，就让狐狸多搁葱姜蒜，多放酱油醋辣椒，端去慰劳蔡宪他们！

还有一个高兴的是笑梅。她虽然也听到了警笛声，看到了警车，但觉得跟自己没有丝毫的关系。她从一辆野"的"上下来，捧着一个大盒子，走进了园门。她跟老板娘请了假，说去给何凯买生日蛋糕，老板娘自然批准，本以为她不过是到园外的超市去买，一小会儿就回来，谁知她花了来回十五块车钱，到康垈镇上去买回一个四十五块钱的大蛋糕！笑梅回到厨房，何凯才知道她干什么去了，原以为她是去给业主送餐了呢！揭开盒盖，上头还有特意让人家用彩色奶油挤出的"祝何凯生日快乐"字样，以及附送的一包小蜡烛，围观的就全赞好，老板娘难得地说："先搁冰箱吧，吃它还早啦！"何凯埋怨笑梅太破费，大乱说："要怪就怪我，是我悄悄跟她说的，这外边超市那些二三十块的，用的全是麦琪淋，就是人造奶油，瞧人康垈镇的，等会儿你吃了就明白，真奶油的味道就是不一样！"何凯这才一扫烦恼，望着回来就忙着去给客人上菜的笑梅，心里仿佛有蜜水在流淌……

警员到陈画家那里听取了案情，作了笔录，也就离去。临走前对冯团长说："看来是用钥匙进的门。钥匙哪儿来的？配的？还是有那万能钥匙？你们先做些调查研究，有线索随时跟我们联系。"冯团长本不敢擅自做主，但话还是不能不说："吃了再走吧。"人家就笑："这是什么饭点儿？"是呀，晚饭人家一定刚吃过，夜宵又太早。警车总算没鸣笛地离园了，冯团长望着那尾灯吁出一口气。一直跟在冯团长屁股后头的侯伟这时在他身旁说了句："肯定是有那万能钥匙……"冯团长就扭头威严地对他说："你怎么在这儿晃？还不赶紧接着巡逻？但凡你眼睛尖一点，也不至于让那贼钻了空子！下了班你好好给我写检查！"侯伟就马上溜开了……

刚平静下来不到一刻钟，忽然又涌来一拨。

蔡宪手气不好，正心烦意乱地忙着捞回来，忽听冯团长站在身旁报告："蔡总，罗董来了……"

蔡宪本能地把胳臂扬起来，嘴里差点骂出"滚一边去"，刹那间胳臂僵住，扭头皱眉问："你说谁来了？"

那汪副总经理却听得明白，本来快要叫和，立刻放弃，手忙脚乱地收拾起来。他是怕那罗莉莉找到这宿舍来。

罗莉莉难得一来。来了，当然不会到保安宿舍。她径直进办公楼，往总经理室去。她的男秘书抢在前面。物业公司总经理姓秦，在这园里也有个单元，他接到罗董秘书半路打给他的电话后，已经恭候在楼道里。

蔡宪和那汪副总经理赶到总经理办公室，一进门就看见罗莉莉铁青着一张脸，坐在大皮沙发上，正眼也不看他们，只是说："好呀，你们手机都不开。不想干了是不是？"就都不敢落座，站在那里只是发愣。

"那车是谁的？"罗莉莉问。

三个经理都不知道她问的是什么车，面面相觑。

男秘书就说："怎么停着辆卡迪拉克？乍看跟罗董的一样。"

三个经理都不知道，没注意，答不出来。

那是马姬娜的车。物业办公楼前的停车坪，业主一般不会在那里停车，在那里停放的一般都是外来车。像幡爷那种一般的车型，刺不了罗莉莉的眼。

"我马上让保安查问。"蔡宪说，就要出去布置。

"不用你的马后炮。"罗莉莉命令秘书，"你去。告诉那保安队长，别的人都不能进楼来！"

三个经理就知道罗董来得不善。

"站着干什么？是不是也要我站着说话？"

三个大男人这才坐到她对面的沙发上。

这罗莉莉四十出头，打扮得很仔细，却显得比实际年龄大。她容貌上的最显著特点，就是上下牙齿咬在一起，那两排牙齿都还整齐，也很白，但既不是天包地，也不是地包天，不说话的时候也常露出来，天地相合，给人一种格外坚毅、果断的感觉。她一身紧身黑装，一串很长的水晶项链，一直垂到瘦瘦的胸部，被高级名牌黑装一衬，在灯光下熠熠闪亮。

"哪位能跟我说说，那谢超节是个什么东西？"

極品金牌 鮫翅白玉

原来她急急到此，正题是关于谢超节的。

蔡宪立即汇报。罗莉莉用一只手摩挲着那项链下垂的部分，仿佛心不在焉。

"谢超节影响有限，目前各部门员工情绪稳定……"秦总经理插话。

"财务部没受什么影响，我们员工每天照常到各户催收欠交款，不在家的都把催款条贴在了门上，也还见效，现在又有三十多户补交了物业管理费……"汪副总经理也插话。

"保安方面就更没有问题……那谢超节征求签名，保安一个没签……"蔡宪还要往下汇报，被罗莉莉阻止了。

"这些都知道。我现在要你们告诉我的是：这谢超节有没有什么背景？"

三个经理就都语塞了。

背景？像谢超节那样的芥豆，能有个什么背景？

他们倒都知道，罗莉莉有背景。但如果真有人命令他们讲出那个背景，他们也并不能讲清楚。罗董存在很久了，他们则都是这一二年才谋到这里职务的，目前物业公司拖欠员工工资三个月，但那是他们以下的员工，他们则工资一直照发，而且都在三千以上，他们愿意继续领这样的薪酬，何况还能揩出若干无形的油水。他们只希望罗莉莉那背景能继续硬硬地存在。

罗莉莉现在既是这个开发公司的董事长兼总经理，也是同名物业公司的董事长兼总经理，她开发的项目不仅榆香园一个，管理的楼盘自然也多，这榆香园物业只是其分支之一，榆香园物业经理们提起总公司，称为"大物业"。近两年罗莉莉更涉足其他领域，比如又成立了一家煤气公司和一家物流公司，也任董事长。她还有一些其他投资，是另一些公司的股东。不要说一般与她有业务交往的人士，就是她的直接下属，经理级的，也都不知道她究竟有几个住处，多半在哪里过夜；也不清楚她现在究竟有没有丈夫；只知道她常乘坐那辆银灰色的卡迪拉克，但也不尽然，有时她会自己开辆帕萨特出现，究竟她有几辆小汽车，也没人说得清。她从不炫耀学历，出国活动也不张扬。如果不用神秘这个词，那么，可以说，她很模糊。

据说罗莉莉原来是个秘书的老婆，那秘书当然不是一般的秘书，是你想象得出来的，很重要，而且前途很辉煌的那种秘书，后来他们俩离婚，那秘书成了也拥有不一般秘书的人，她呢，就开始了头一个房地产项目，也就是榆香园的开发，开发公司的顺利注册，以及首笔贷款的顺利到位，还有土地使用权的批文等等，据说实质上就是她前夫给她的离婚补偿。当然，表述这一事实时，"实质上"三个字不能少，因为外在形态上，她的"下海"都与她前夫无关。在这个都会里，罗莉莉在开发商里头，实际还算不上多大的角色。甘苦自知。公司业务的展拓，真是处处风波处处愁。业主说她是欺诈，其实很多事情并不是她想坑害业主，特别是跟某些部门打交道，以她的经验，有时候就算遇到那不受贿的清官，真比那喜贿赂的浊官可怕，因为前者的官僚主义，往往体现在全无时间观念上，一项手续的审批，拖拖拉拉，全不想想企业的资金流动不起来，就仿佛一个人得了脑血栓，会中风瘫痪，以至死亡！后者虽然喜欢贪你些好处，增加些你的成本，但他能比较麻利痛快地给你把合法的事办成，把那至关重要的章子盖上——其实也未见得枉法……比如业主说她一个楼盘里有的楼六证齐全，有的不齐全，但那不齐全的她也囫囵着卖，似乎蛇蝎心肠，刻意蒙骗，他们哪里知道，她何尝不愿一次把证办齐？那卡壳的原因里，就有清官的官僚主义在内，她那六证不齐的房子若等到全齐了再卖，无异于一个人先饿死再给他灌流食啊！……她觉得自己真是越来越艰难，仿佛雾海孤帆，随时可能覆舟！……谁能相信，别看她每天开着豪华车，一身豪华名牌，出入豪华场所，谈的动不动上亿的生意，但有的时候，她是一点提现的能力也没有，也就是没有现钱，她的消费方式要么是用很多个信用卡轮番透支，要么干脆记账赊购，最后都打在她生意的成本里。每回大松一口气，那必定是新的贷款，终于又到手了，那时候她会把原来的一般消费欠账全部结清，手里会有很多现金，当然，拖欠下面的工资，也就可以全部发放或至少发放一部分。她当然愿意赚钱，赚大钱，飞快地赚钱，按期还贷，但赚钱谈何容易，贷款就经常还不上，于是就得设法拆借……据一个模模糊糊的说法，她和另外一些类似的生意人一样，由于有某种背景，或者是使银行的人以为她有那个背景，于是，解决危机的手段，就是借新贷填旧贷，当然是在不同名号的银行之间，来玩这个把戏；因为她毕竟往往又能赚到一些钱，居然自身也能填平一些窟窿，有的贷款确实也勉强地按期或拖期不久还上了，总算起来，还不到资不抵债的程度，所以也还不能把她的行为轻易定为骗贷……她究竟是怎么在商海里游泳的，呛了水怎么吐出来，怎么继续往前游，又究竟是想游多远，最后游到哪儿去？这都是她的商业秘密，也是她的内心隐私，不好轻率揣测，但有一点是肯定的，就是当她一个人在她的梳妆台前卸妆时，她会痴痴地望着镜子，而一滴浓浊的泪水，就会从她的左眼或右眼的眼角溢出，缓缓地流淌到她的脸颊，她也不去揩抹。窗外月亮多次窥见过，可以作证……

　　眼下她又一次陷入危机，而且是迄今为止最大的一次危机。她那煤气公司无力还贷，物流公司严重亏损，玉岭度假村的开发占尽资金骑虎难下……倘若她再不能拿到一笔新的贷款，那么很可能全军覆没！但她自视是一个既聪明又谨慎，既坚毅又灵活的强者，她正既胆大妄为又小心翼翼地在涉过这次的险滩，当此之际，必须懂得牵一发动全身的道理，往往很大的事业，会败在很小的一处疏忽上……

　　来榆香园之前，她正在一家顶尖级的豪华餐馆里，宴请一些很重要的人士，其中没有一位是银行本身的成员，但也没有任何一位是跟银行完全无关的赘客，表面上这是一次最纯粹的私人饭局，实质上这是她获得新贷款的重要一步。席上有极品金牌鲍翅皇。这当然是一个堆砌辞藻的菜名。既是"极品"又何必冠以"金牌"字样，还非得称什么"皇"。那道菜每人分开上，一只银盘托着一个银钵，钵当中又有一个银托，托起的是非洲大鲍，周围是鱼翅羹，据说那羹里还撒了金粉。一位客人笑说："其实这鲍鱼从形象到味道都跟轮胎差不多，而鱼翅羹又太像胶水瓶里挤出的胶水！"其余的客人就点头，笑。就在这时候，她接到一个电话，是一位报馆记者打来的，称打电话的地点是星巴克咖啡厅，而并非报社里；告诉她报社收到一个叫谢超节的民工的投诉材料，这样的材料本不稀奇，但是这位民工寄来的信封上却明白无误地写着他们一位副总编辑的名字，因此是那副总编辑先拆看的，后来转交给下面，交代并不见报，但要整理为内参上送……养兵千日，用兵一时，这位记者是她罗织在社会关系网里的一个棋子，时不时她会让秘书通知该人来参加她旗下公司的某些活动，如开园典礼呀，楼盘推介会呀，物流公司"接轨论坛"呀什么的，每次自然会让该人领到一个"红包"……她接听电话时不动声色，甚至也没有跟那位记者道谢，只是说相信一切都会正正常常。接完电话她的思绪集中在两点上：一、谢超节是怎么知道那位报馆副总编辑姓名的？二、这位副总编辑，她早知道，是通天的！……她以若无其事的意态应酬完那个鲍翅宴以后，便立即来到了榆香园。

……三个经理，三个臭皮匠吧，顶不过她这么一个女诸葛。她当然没有把自己知道的事态告诉他们。但她要他们暗中调查，谢超节跟园里哪些业主——不是指一般的业主，尤其不是指那些拆迁户或者外来的小财主，主要是指那些离退休的知识分子型业主——来往密切？特别是近期。要从电脑中的业主资料里查阅出，哪些业主可能怂恿谢超节"告御状"？要亲自查阅，只能向她报告，不得扩散，尤其是，绝不能惊动这些业主。至于谢超节本人，责成蔡宪明天就找他当面讲清，一、你被公司开除；二、你的工资，从原来所拖欠的，到今天为止的，立即发放。如果谢超节不愿被开除，那就必须和其他员工一样，等待公司渡过难关后再领取工资。估计他会选择现金工资，而且会很快带着怀孕的妻子返回老家，因为在北京生孩子那成本比在他老家要贵上几倍，而他老婆孕期已逾半年绝不能再耽搁。万一谢超节本人或以后有关机构来纠缠：究竟为什么开除他？这就必须由你们准备好相应材料，像那回业主家的火灾，就可以落实为谢超节为其修理煤气管道马虎所致。这材料也可能永远用不上，但明天就要准备，越快越好。开除谢超节同时发放他全部工资的事不要正式公布，但要让其广泛流传，这样就等于向全体员工宣布：要么领钱立刻滚蛋，要么留下静候欠薪！现在他们也都知道，三条腿的蛤蟆难找，两条腿的民工遍地都是！你走了，马上可以补上一个，但你再去找别的工作，那就难了！

三位经理毕恭毕敬地把罗董送走以后，都不禁赞叹真是有水平，难怪人家能发财，心高气盛倒平常，心细如丝真在万人之上！

罗董的那位男秘书，兼司机和保镖，把车开到了环路上，他正襟危坐，手握方向盘，喉咙有点痒，却不敢咳嗽。他已经取得经验，如果罗董进车后，坐在后座右边，那就是心情还比较好，有时会跟他说几句闲话，他呢，也可以主动说些话，例如评价一下路过的海鲜酒家；但是如果罗董进车后，坐到后座左边，也就是他背后，那就意味着她心情很坏，这时如果招惹了她，她可能立刻炒你的鱿鱼，据说前任秘书，就是因为不懂这一点，偏在这时话多，被她炒的鱿鱼。

罗莉莉在车上心情确实奇坏。她对自己说：是呀是呀，唯文人与鸭子难养也！鸭子的事她现在没去想，想的是文人。鸭子，面首，情人，她以前处理不妥，曾把个别的安排在公司里，甚至当做司机、秘书、部门经理，后来发现那样做有百弊而无一利，现在她绝对不让他们沾她的事业，比如现在这个秘书、司机兼保镖，挑的就是一个毫不能引出她那方面欲望的男人。文人里，除了传媒界里某些用得着的，她尽量一概不沾。有回在某社交场合，一位作家得到她名片后，竟接二连三地给她签寄自己的新著，还在附信里表露，希望能有机会跟她畅谈，了解她创业的甘苦，意思是如果她有那愿望，可以给她写报告文学，树碑立传；那作家的书她翻也不翻，也不往书架上放，让秘书拿开，怎么处理也不交代；后来那位作家又在一次大型社交活动里遇上她，趁自助餐取酒的机会，跟她套近乎，问及她新开发的一个小区，颇露骨地表示想住进去，大概至少是希望她只收成本价，她则笑吟吟地、淡淡地说："那里不是有售楼部么。"说完去招呼别的人去了，那作家就捏着个酒杯僵在那里好久，但那以后，竟还给她签寄新著，真有点锲而不舍的黏糊劲。那样的作家就死不明白，不光是她罗莉莉，许多开发商都对作家以及类似的人文科学的知识分子毫无兴趣，甚至你越有名就越回避、防范有加。他们盖出的楼盘，最愿意卖给那些完全没有社会名声，但发了横财，又不事张扬的买主。作家之类的人物买了你的房子有什么好处？不仅你那开发中的问题会暴露在其眼底，作为利益受到损害的业主，他可能会比其他业主更厉害地来对付你，如果充当起闹事的领袖，那就更加可怕！他们又特别会管闲事，比如物业欠发员工工资的事，他们掺和进来，比如指点谢超节直接把投诉材料寄给关键人物，说不定还附上短笺，那么，一旦那材料真通到了天上，引出一行批示，或者仅仅是一句表态，那么，所涉及的公司和法人，就可能遭遇灭顶之灾！依法，依法，当然是依法，如果谢超节他们按程序来，先要求仲裁，不成功，再请律师，提出诉讼，那么，就一点也不可怕，她拖得起，谢超节之辈拖得起么？但如果是一根线捅了上去，那么，法将依据那批示和表态，迅雷不及掩耳，狂飙般君临……

现在是如履薄冰，每根汗毛都不能稍有疏忽懈怠呀！……罗莉莉忽然心酸，那酸楚又迅速传递到眼睛……她立即从手包里取出香烟、打火机，点燃了一支……

泼妇鸡丁

几个业主在夜色中发现了物业办公楼前的卡迪拉克轿车。"罗莉莉来了！"这消息很快传开。于是有些业主在轿车左右等候，要与罗莉莉当面对阵，讨还被损害的利益。面积欺诈！房屋质量欺诈！广告承诺欺诈！……我们要房产证！要退款！要赔偿！……尤其是独立采暖的住户，心情最不平静！秋凉开始，冬天将至，她那煤气公司还要按一立方米五元的强盗价格卖气吗？再敢！……强烈要求：立即把煤气价降到与市区统一供气的一块八毛钱那个公价！要么立刻将园区的煤气管道与市区供气的主管道接通！不是也就只有两公里远吗？……激愤的业主议论纷纷，仿佛一堆干柴，蹦上一个火星就能嘭地燃烧起来。

其实那些业主集中到那辆卡迪拉克轿车前时，罗莉莉已经离去。他们模模糊糊看见一个女人朝汽车走来，其中一个气性大的壮汉忍不住指着那身影就骂："你他妈今天不解决问题就别想走！"那走来的其实是马姬娜，哪吃这个，立刻跳起脚对骂："怎么着，你瞎了眼吧，冲你祖奶奶发什么邪火？"有的立即感觉出来那不是罗莉莉，就来劝发火的壮汉，有的此前也并没见过罗莉莉，因为恨她，所以也就想象成一个泼妇，听见她对骂，也就撮火，认为那壮汉冲锋在前并没有什么不好，就又去拉那劝壮汉的人；有个男士说我是业主委员会的，咱们有话好好说，最好大家进办公室坐下来，心平气和地对话，旁边几个人就说，谁认得业主委员会的？那委员会空有个虚名罢了，做成过几件实事？壮汉气性越发大，拿拳头就砸汽车前盖，大叫："我就不信你罗莉莉能把我吃了！"一位退休妇女就对他嚷："嘿，你这样能解决问题吗？我可是希望切切实实解决问题！"又转身对被认为是罗莉莉的马姬娜说："您替我们想想，拆迁到这儿，本想过安稳日子，可你这煤气价格实在是承受不了……"旁边

潑婦

鶏丁

一位妇女跟上去说:"我们的青春都贡献给这个城市了,如今我们享受不到公价煤气,心里头实在难过……目前这天价我们承受不了!"同时有个声音说:"人家是股份制公司,讲究的是市场价……依我说也不能让人家没赚头,两块钱一立方差不多……"另一个声音就叠进去:"那是你!还业主委员会的啦,屁股坐哪边了?"一片混乱中,那壮汉狂怒中又砸了一下汽车,结果,一声嘶哑的厉吼把所有的人都镇住了:"谁他妈再敢砸车我把他丫头养的头给砸扁!"这不是女人的声音,是男人的声音,当然不会是罗莉莉,大家定睛一看,果然是个男的,敞着怀,捋着衣袖,透着大流氓的蛮横,就都哑然。那是幡爷……

冯团长要组织保安队员过去劝架护车,被蔡宪拦住了,他责备冯团长:"糊涂蛋!这咱们管他干什么,他们越窝里掐越好!"

如果把那景象录下来放给罗莉莉看,那真好比送了她一整罐定心丸——如今的所谓业主者也,根本是一盘散沙,距离整合为一种理智而有序的力量,来与开发商抗衡,还遥遥远远哩!

误会终于解除。那激动中以拳砸车的壮汉主动向马姬娜道歉。马姬娜倒仰脖笑了起来。幡爷拍拍那汉子肩膀说:"兄弟,我倒喜欢你的爽快!"他们各自开着自己的车离去了。那些业主扫兴地散去,少不得互相埋怨。

一片紫云散去,露出仿佛半个煎饼的月亮。

九点半了,榆香居里的外客陆续走净。四张桌子拼在一起,何凯的生日宴终于开始。

蛋糕放在当中,插上二十一支小蜡烛,王茂帮忙点燃,非要笑梅跟何凯一起吹那火苗,佟妮就把笑梅往何凯身旁推,笑梅挣脱开,何凯憋足一口气,把那二十一支蜡烛火苗一次吹灭,大家都拍手笑叫起来。王茂带头唱"祝你生日快乐",大跑调,没几个人跟他唱,大乱就跑过来说:"唱那酸歌干什么!来,何凯,唱一个'爱江山更爱美人'!"这歌也没唱成,何凯就说:"哥儿们,喝呀,吃呀!"凉菜早已摆好,啤酒也都到位,更有两瓶二锅头酒戳在那里。有个哥儿们说:"何凯你怎么不切蛋糕?"王茂就拍他脑袋:"这都不懂!蛋糕要最后吃!"佟妮就笑:"那蜡烛是不是吹早了呀？"大乱就说："嗨，讲究那些个乱七八糟的规矩干什么！先把蛋糕挪那边空桌上去！不过呀，何凯，你到底还是要把那个意思说出来才对——你说，今天请客，还为了哪一桩？"小伙子们就一块起哄："我们都不知道，你说说清楚！"何凯就举起啤酒杯说："那就，都别知道了吧！……"小伙子们哄得更加厉害，何凯就说："那就，为我跟笑梅……为我们俩好，干一杯吧！"小伙子们大都抢着去跟笑梅碰杯，发现笑梅杯里跟佟妮一样是雪碧，就硬给她换成啤酒，笑梅喝了一大口，说还要去端热菜，佟妮就把她按在座位上，命令说："从现在起，你就是我的客人，只许在这儿吃喝，不许进厨房！"这时候大乱端出了头两份热菜：软炸里脊和鱼香肝尖……

老板娘从厨房出来，她已经嘱咐好了灶上的狐狸，朝何凯笑着走去，何凯笑梅忙离座敬酒，老板娘说："我该敬寿星小凯才是！也祝你们俩一辈子真能好到白头！"喝了酒又说："我跟狐狸说了，给你们炒盘腰果虾仁，算是我的寿礼！"大家鼓起掌来，老板娘把双手往腰上一叉，扬高嗓音说："不过，你们别闹太厉害了，尤其不许喝了酒撒疯！"又落下嗓音说，"我可要回去歇着了。你们都听狐狸的吧。"狐狸亲自端来了一海盘腰果虾仁，老板娘就再嘱咐他："都交给你了。明天早上我来了要发现差池，只找你跟大乱算账！"大乱就喊冤："都听他的，关我什么事？"老板娘捅他胸脯一下："带头闹腾吧！只要明天来了，没揭了这屋顶，我就饶你！"大乱就又故意捂着胸脯仿佛痛得快要昏倒……

老板娘一走，一桌年轻人真有那掀翻屋顶的架势。有的就开始喝二锅头。

当时保安队有十一个战友来参宴。另有六个在值班。何凯去恳请了队长两次。第一次队长正洗脚，情绪似乎格外低落，跟他道谢，贺他生日，祝他跟笑梅幸福，说实在觉得太累，一会儿可能过去喝一杯，让他们千万别等他，这就好好乐一乐吧。第二次已经躺下了，说有点感冒，实在去不了，请他原谅。何凯也就只好算了。那时蔡宪等人已不再在那宿舍里打牌，空荡荡的宿舍里，灯光昏暗，队长独自躺在他那单人铺上，显得特别落寞。保安是个吃青春饭的职业，自然不会有什么养老保险，他们也没有医疗保险，得了病，互相也不会问要不要吃药，都是硬扛过去。何凯离开宿舍的时候，对队长充满同情。队长三十出头还没媳妇呀！就是没病，非拉他来看自己跟笑梅怎么幸福快乐，他来了心里能舒服吗？

在宴席上，何凯心情大畅，眼角眉梢仿佛鱼尾欢摆。原来他觉得自己当这保安是一种沦落。他父亲是看林员，比一般农民身份略高，有一份固定工资，本来是发誓要把他培养到高中毕业，让他考大学的，没想到他刚上到高二，父亲有一天突然大呕血，去医院，查出来胃癌，而且已经到了三期，没过三个月就去世了，这样，他母亲就把一个才十八岁的姐姐马上嫁了出去，他自觉辍学外出打工，就这样，失去父亲的家里，母亲带着他一妹一弟生活，家境空前地困难……他把这一切都跟笑梅交代了，笑梅家里情况比他家要好，却一点不嫌弃，说："我们可以两个人绑在一起，在这城里发展呀！"是的，他们不会总是一个当保安，一个当跑堂，他们还年轻，还有大把的时间，大把的精力，他们都商量好了，制定了一个"凯梅五年计划"，相信必定会有大把的机会，让他们有大把的收获，若问那计划的具体内容、施行步骤，对不起，那可是他们的绝对机密！……看来他来这儿当保安是当对了，原来他跟笑梅的缘分，注定是在这榆香园里啊！明天要一起去拜一拜那棵老榆树！

热菜川流不息地端出来，虽然都是些家常菜，但其中若干种是这些来自农村的小伙子们以前未曾品尝过的，每一盘上桌后都几乎很快被秋风扫落叶般席卷一空。一箱啤酒很快只剩下几瓶，二锅头加了一瓶，王茂还喊着要加，旁边战友劝他算了，他就大声嚷："算在我账上！这儿是不是饭馆？我自己点还不许吗？"有几个战友知道队长已经睡了，就主动去跟值班的换岗，让他们也来吃一口。侯伟换过来以后，把那残余的腰果虾仁连盘子舔了，喝着啤酒，高兴得手舞足蹈。

大乱宣布："底下上咱们狐狸大哥最拿手的菜——婆妇鸡丁！且听我细说端详：这菜狐狸没跟老板和老板娘露过，为的是，今后自己去开店，就用这菜名当馆子名，准定生意火暴！狐狸大哥那回做夜宵，做了盘自己享受，让我也享了口福！你们该说，不过是鸡丁，稀奇到哪儿？刚才不就有宫爆鸡丁，还能超过那味道多少？嘿，一会儿你们尝了就知道！此菜只应天上有，人间哪得几回尝？——这是狐狸大哥来这儿之前，做给一个美食家先生吃了以后，人家说的赞词儿！其实这菜要好吃，我的功劳不小！这话怎么说？料是我备呀！上好的鸡胸脯肉，切成匀丁，这倒也平常，难得的是，怎么个泼妇？辣椒，胡椒，花椒，葱，姜，蒜，香菜，茴香，蒿子秆……怎么辛辣怎么兑，怎么泼撒怎么来，可各样比例要恰到好处。那配料是我的功夫，到锅里就凭狐狸的妙手啦，别看搁了这么多麻辣刺激的东西，出锅上盘夹到你嘴里，外焦里嫩，喷香爽喉，原来这泼妇是个好泼妇！泼妇骂街，骂的是贪官污吏！是奸商坏蛋！句句骂到点子上，痛快！舒服！开心！过瘾！……"大家听了就一片声叫好，使劲鼓掌，喊："快上！快上！"

佟妮果然端上来两大盘泼妇鸡丁。筷子箭杆般射向盘里。立刻喊好。干杯声不绝。这宴席达到了高潮沸点。

谁料到乐极果然生悲。

最后上的是一大铝盆海米白菜粉丝豆腐肉丸炖出的东西，号称沙锅什锦，其实是狐狸知道这群保安你若真用沙锅给他们做，那恐怕只够一个人吃，所以用大铝盆炖，而且让汤水格外地多。诸菜齐备，何凯忙让狐狸坐上席，感激不尽，他敬酒，笑梅给点烟，几个保安就给他攮菜，狐狸说："哎，自作自受，哪有滋味？干脆，给我块蛋糕吧！"他说这话时，已经有人在动蛋糕，那是王茂，他在席间一直盯着佟妮，佟妮吃了泼妇鸡丁，说："好吃好吃，真辣真辣……"直嗖牙花子，他就凑过去说："吃点甜的，就没事啦！"佟妮说："真的吗？"他就让佟妮跟他到那边放蛋糕的桌子旁，拿水果刀切蛋糕。佟妮拦他说："是不是该让人家寿星来切呀？"他就放下刀说："是呀是呀……要不，这样吧，你先吃颗樱桃！"他就拈起蛋糕上的一颗染过食物色素的、红得透亮的樱桃，往佟妮嘴里送。佟妮本是天真烂漫的少女，此刻正被宴席狂欢的气氛裹挟，也没觉得那有什么特别的意味，就用嘴唇衔住了那颗樱桃。王茂见佟妮衔了他奉献的樱桃，身子就酥了半边。眼前不就是个林心如吗？而且这个林心如仿佛知道了他的心，红红的嘴唇，衔着红红的樱桃，是一颗樱桃还是两颗樱桃呀？王茂也来自穷乡僻壤，享受过的欢乐不多，在他二十三岁的生命历程里，此时此刻他最快乐最幸福……当什么王子啊，世界上有那真王子，拿千金万宝来跟他换这一刻，他肯么？

哪知王茂的举动，一直在大乱的监视之下。王茂将佟妮巧言引开，两人聚到那边蛋糕桌前，他已经不能容忍，站起跟了过去，及至见到喂樱桃的情景，心里就有颗炸弹轰然爆炸，他过去就一把揪住王茂衣领，吼出来："你他妈的敢动！"王茂被这突然袭击弄懵了，本能地反抗，大乱撒开他衣领，端起整个蛋糕就往王茂脸上一扣，王茂眼睛被糊住了，一边乱骂一边扒开糊眼的奶油，这时满桌的人都朝他们那里看，也不知究竟为个什么，只觉得很像电视上看到的那些搞笑镜头，就哄笑起来，有的鼓掌，有的跺脚，有的吹口哨，连佟妮一时也忍不住笑，大乱一看佟妮居然还笑，更觉得心上扎了把刀，就从兜里掏出那个鸡心银项链，直晃到她眼前，大骂："这个你不要，要他那 B 樱桃！"佟妮一瞬间明白了是怎么回事，大窘，掩住脸，跟着就哭了，笑梅就赶紧过去搂住佟妮，责备他："你怎么欺负人？"王茂扒拉开些糊眼的东西，看清了大乱，就扑过去要跟他拼命，何凯等就赶忙去拉架，都喝了过量的酒，加上仇恨深重，哪里拉得住？王茂大乱两个人就从屋里打到了屋外……

　　本来他们在榆香居里的笑闹声，虽有门窗遮挡，就已经泄露于外，现在打架、劝架以及像侯伟那种不打不劝却跟出来喊"好呀好呀"凑热闹发酒疯的都跑到了院子里，立即像剪刀般地铰破了深夜的宁静——这时已经快零点了。

　　"× 你妈 B ！"

　　"打死你狗娘养的！"

　　光这两声凄厉而嘶哑的出自青春生命的狂吼，被吵醒的人就够惊悚的了。

　　冯团长本来睡得不沉，迷迷糊糊的眼前总有那雪教授的全身或面部表情或单只是身体局部的生动呈现，在床上不住翻饼，忽被那厮打声惊醒，稍一愣神，立刻意识到自己的失职——倘若他勉强支撑着去参加那宴饮，肯定不至于闹出这么大的乱子——他立刻跳起穿衣，冲出宿舍，半路遇到从门岗和巡逻位跑过来的保安，挥手对他们说："回去！回去！没你们的事儿！"跑到榆香居门外，迎面来了何凯，何凯本是满心愧疚，迎上去有知罪的意思，那冯团长不见何凯便罢，一见何凯，旧恨新仇，妒火闷气，喷涌翻滚，不由分说，伸出手去，就掐何凯脖子，大喊："你做的好事！"何凯拼力挣脱，事后发现脖颈那儿有道血印子。几个参加宴席的队员就忙过来告诉队长，打架的不是何凯，是王茂跟大乱在打；那时候王茂跟大乱已经分别被人死死拽住，两个人还在挣蹦，嘴里继续大声地不干不净；佟妮坐在餐厅门外台阶上掩面痛哭，笑梅坐在她旁边搂住她肩膀劝慰……

附近几个楼里被惊醒的业主不少。有的立即给门岗打电话，问究竟是怎么回事儿，傍晚就有警车鸣哇叫，现在又有人吱哇惨叫，真瘆人！这榆香园里怎么就没点安全感？还有惊动得走下楼来看究竟的，一位老人自言自语地说："我这心脏可受不了啊……"

唯一不为这场纠纷所动的，是狐狸。他一个人坐在那狼藉的饭桌前，跷着二郎腿抽烟……

蔡宪也被惊醒了，他赶过来，首先喝问冯团长："你是干什么吃的？！"又命令所有的人都进屋里去，保安都进去了，大乱当然不进，他又不是保安，蔡宪管得着他吗？夜风吹来，他清醒了几分，看见佟妮虽然被笑梅搀扶起来了，却还哭得气噎声堵，就过去跟她说："你不知道我的心吗？你拿刀杀了我吧！要不我自己杀了我！"说完也哭了，转身就噔噔噔走了，也不知道是往哪儿去，笑梅倒没怎么在意，要扶佟妮回她俩的那间宿舍，没想到佟妮却担心起大乱来，主动快步去追大乱，大乱扭头见是佟妮跟了过来，悲中生喜，定在那里动弹不得，佟妮在他身前三步位置站住，说："大乱你千万别——"话没说完，扭身走了，笑梅迎去，搂着她肩膀，消失在夜幕里，大乱就挪几步，一屁股坐到梧桐树下的长椅上，心里仿佛把那厨房里所有的作料全倒在了一起搅和成一团……

天上一片紫云又飘过来，吃煎饼似的掩住了那半个月亮……

2003 年 1 月 23 日写完于温榆斋

站 冰

开头，那经理不接受薛冰。先是嫌他瘦。薛冰就脱光上身，跟经理显示自己那没有脂肪只有筋腱的结实身躯。后来经理看他身份证，皱眉头，薛冰知道又是因为河南人的缘故，怎么连这么个临时的把戏也排斥河南人？但人家没明说，你也只能暗受。薛冰就说："瞧我大名，爹妈就说我跟冰有缘分哩！"那经理再抬头望望他，点下头，摆下手，勉强把他接受了。

这公园南门外搭了个巨大的棚屋，屋外竖着好大的广告。这里正在举办冰雕展。我们的城市毕竟比不了哈尔滨，可以在露天举办冰雕展。也唯其如此，这里的冰雕展才具有特别的吸引力。其实也算不得什么高科技，只要舍得耗电制冷，就是在大夏天，也可以在这密封大棚里营造出冰雕。但天气还不冷的时候，参观者进入大棚后会耐不住那个低温。因此这里的冰雕展一般在人们刚刚换上冬衣的时候开张。春节前后生意最好，那时不必再采取任何促销手段，青年恋人手拉手络绎不绝，小孩子拽着大人衣角闹着要进，最高潮时经理会亲自往售票处贴告示，还拿着电喇叭得意地宣布实行限时参观、限量进入。但刚开张的时候容易被游客冷落，于是必须采取种种新奇的促销手段，"站冰比赛"便是花样之一。规则是泳装上阵，在冰雕前站立，显示自己的耐冷力。参加者必须签下协议书保证自己身体健康如有意外自负全责。

参与后只要坚持过 20 分钟，就能获得 100 元奖金。众参与者中坚持到最后的，则可获得 1000 元大奖。

期望获得 1000 元大奖，并被经理接受的第二位是本市居民龙大援。对于薛冰，经理是嫌瘦；对于龙大援，经理却嫌他胖。胖还不好吗？脂肪层赛过羽绒服，肯定冻不坏呀！经理说人家观众不仅看你耐力，还要看健美。龙大援也就脱光膀子显示，把胸脯挺得鼓鼓的，告诉经理北京人管爷儿们的胸大肌叫块儿，大块儿有两种，一种是见棱见角的钢筋块儿，一种就是他这样浑浑厚厚的琉璃块儿，都透着男子汉大丈夫的阳刚之气，各具其美，各有人赏。经理心想前几场参加的全是清一色的外地民工，现在有本市户口的主儿参与总是好事，便点头。但一看身份证，经理说过五十的可不敢要，万一出了问题那不得了，龙大援就解释说身份证上的出生年写早了二年，为的是应付那时候的一个什么土政策，经理说你算了，带抗字的援字的名字，一看就能猜出今年有多大，谁没看过《英雄儿女》那电影？什么时候的故事，你蒙得了我？龙大援就说不才刚过一两岁吗？再说这年龄限制还不是你一拍脑瓜自己定的，你这算什么王法？你这整个儿把戏就未见得符合法律，你跟我较真儿，嘿，我也跟你较真儿，别以为咱们什么人都不认识，找几个拆你台的有什么难的？经理见他身体确实壮实，就摆手叫停，让他在协议书上签名，到里间屋去更衣，准备上场。

经理万没想到来了个娘儿们，声称也要参加站冰比赛。那女的看模样听口气都和地道的本地人一样，而且见多识广，非一般俗人。经理就跟她作揖，说姑奶奶，您就饶了我成不成？您这么一掺和，就把我这活动给复杂化了，其实我也不过为了挣回每天维持这些个冰疙瘩的费用，熬过这段淡季罢了，就这么着全是男子汉，还有人说我的搞法太残忍，您这么一朵花儿，我把您往冰上放，这不是招人来封我的门吗？那女子却振振有词地跟经理大谈什么男女平等，以至女权主义，云山雾罩的，晕晕乎乎之间，经理大体上弄明白，今天她这冰还是站定了，而且，她这么一站，不仅不会让这冰雕展塌台，让媒体那么一报导，嘿，还会把这站冰比赛的意义提升一步，今后到这儿来看冰雕兼耐寒美人的游客，只能是越来越多！女子亮出身份证，要求签协议，且表示已带来了连体泳衣，不戴泳帽，因为身体露出部分较男

士少，为公平起见，她认为自己必须站过 30 分钟才能拿那 100 元奖金；经理说我
这就奖您 100 元，您免站得了！女子瞪圆杏眼，说你怎么见得坚持到最后的不是我
呢？经理很无奈，看那女子身份证，女子提醒他要对其年龄保密，那好说，但身份
证显示，该女子籍贯是南方某小城，她来此地有多久了？怎么那声口派头已经完全
本地化了？看来此女不仅耐冰雪之寒，也耐人情之寒，实非寻常之辈！经理就跟她
签了协议，心想今天站到最后的竟是她，爆个大冷门，说不定倒真能起到淡季变旺
季的作用呢！

前面这三位被接受的站冰者，都是路过冰雕展门口多次，看见关于每周六下午
举行"站冰比赛"的广告，也耳闻了前几场确实都兑现了小奖和大奖的消息，琢磨
一番后才有备而来的。后面两位参与者却都是偶然即兴参与的。

一位是家住远郊的潘全清，他是出租汽车司机，也就是所谓"的哥"。十来天以
前他开的车被劫匪抢了。这种事公司有前例，如何处理有一套程序，公司给车上过
保险，保险公司理赔后公司基本上没有什么损失，遭劫"的哥"只要能证明自己清
白无辜，理论上也不必赔上什么，但完成一套程序十分烦琐，这期间虽然可以不交
车份儿，却不能再开出租，因此也就没有了收入，还得耗费许多精力搭上一定钱钞
去求得问题尽快解决，一个原本快乐的"的哥"，也就变得没头苍蝇般失去了正常表
情只是一顿机械地乱跑。这天虽是周六，出租汽车公司还有人值班办事，他去继续
交涉有关事宜出来，坐公共汽车回家，在那公园南门外的车站换乘，偶然瞥见了"站
冰比赛"的告示，便灵机一动地跑去报名。经理一见他那个头和一脸的络腮胡子，
二话没说就接受了他。

另一位是附近一家饭馆的杂工。经理常去那家饭馆吃便餐，听见人家叫他小螺
丝。经理问他怎么得空来站冰？他说饭馆又换老板，把他给辞了，"一朝天子一朝臣"
么。经理听了就抿嘴笑，杂工算哪门子"臣"呢？也值当"天子"换来换去体现"天威"。
小螺丝准备明天去另一区的一家饭馆投奔他二叔，二叔在那家饭馆当二厨，已经通
过电话，经二叔美言，那边饭馆老板答应他去了当洗碗工，"朝中有人好做官"，小
螺丝笑嘻嘻地说出这个成语，经理笑得手指头点着他胸脯打颤，洗碗工也是"官"

啊！经理让他拿出身份证来登记一下，他说没带，是遛弯儿路过这里看见告示才来报名的。好，反正算知根底的，不看身份证也罢，那么，大名叫什么？咳，小螺丝说站你个冰还用什么大名，经理就在协议书上填上小螺丝，写完让小螺丝按手印，小螺丝说咦我会写字呀，看了看，笑，说我不是小螺丝钉，是小螺蛳，就是能吃的那种……经理就拍他后脑勺一下，说行啦行啦，我也不再接受别的人啦，时间马上到啦，快脱衣服去吧，记住往左，右边可是女宾的地方，瞎胡钻我让联防的把你当小流氓抓起来……

"站冰大拼比"还真有点号召力。经理估计进场的观看者至少有六成是因为附加了这么个节目才下决心买的票。"在哪儿呢？哪儿？"一拐进展厅就有人一叠声地问。"嘿，还有大美妞啦！"这天还增加了夹带着口哨的惊呼声。有对中年夫妇被后面往前瞎拱抢着去看站冰的年轻人撞了一下，很不满意地议论说："这些人呀，究竟是看人体来了还是看冰雕来了？""是呀，这算什么经营方式？眼下不管推销什么，总免不了色字当头，唉唉唉唉……"他们不去寻站冰的，只站在那里指点欣赏冰雕作品，可那些冰雕题材里不乏维纳斯、掷铁饼者什么的，要是有个年轻人跟他们抬杠："这些不也是女色男体吗？怎么人家去看真的你们就痛心疾首，自己看着这个心里头暗想那个就心安理得啦？"不知他们会怎么支应？

展厅中心是高大的凯旋门，还有观音立像，以及嵌有滑梯可以让儿童从这边走上去从那边滑下来的金字塔，更有一组标题叫"奔小康"的独创性作品，真是体现出了"后现代主义"那"同一空间中不同时间的并置"这一原则，但经理其实并没有什么"后现代主义"的理念，这样杂错排列纯粹是为的讨好各种不同的观赏口味。几乎所有冰雕作品都用彩灯打了光，而且过多地使用了红色和绿色，有些地方还拉了些瀑布灯，不少冰雕的肚子里装有一闪一闪的灯泡，让一些观众大惊小怪觉得是"高科技"。音响设备里传出往往分贝值过高的流行音乐，但有时会停下来报告一下站冰比赛的进展情况。

"现在五位高手都已经各就各位，看他们个个飒爽英姿，气概非凡，究竟他们能不能都站足20分钟，如果都超越了20分钟又能坚持多久，究竟哪一位能坚持到最后，又究竟能不能打破上周由王英宾先生创造的 68 分钟的站冰纪录，请大家一起关注……"经理自己广播，声音像蟒蛇般在冰雕间游走……

小螺蛳今年刚二十，可是已经有了五年的打工史。五年里他换过多少地方，让多少老板接收过表扬过又让多少老板斥骂过炒过鱿鱼，连他自己都算不清了，但他干的工种很单一，就是杂工，不管是在广东顺德的玩具厂、厦门开发区的食品厂，还是天津的一家招待所，以及这边的几家饭馆，他的活计无非是打扫卫生，处理垃圾，以及被老板甚至仅仅比他地位高一级的比如说修理工、二厨什么的吆喝来支使去地干最脏最累最麻烦最琐碎的那些个活儿。他和许多农工一样，从第一份工作开始，就是不断地去投奔家乡先去一步的人，这里工厂倒闭了，那里老板翻脸了，或者白干几个月硬是不发工资乃至供不上饭了，还有时候是忽然听说哪里能住得好工资高，自己辞工乃至不辞而别地跑掉，所投奔的新处所，一定是有个家乡先去的，诸如四舅、八姨、阿旺哥、潘七爷……叫得很亲，其实未必真有多少血缘关系，即如明天将去投奔的那个二叔，也并非他父亲的胞弟或堂弟，不过是邻村的一位曾跟他父亲一起合伙种过卖过西瓜的乡亲罢了。这种蛛网般的勾连关系，在很大程度上决定着中国农村民工的流动规律，更完全决定着小螺蛳这类存在的生命轨迹。

小螺蛳怕热不怕冷。在南方打工的那些记忆里，酷热难熬的种种细节锥心刺骨，到了北方以后，有时候还会在冬夜里被热梦惊醒。所以小螺蛳开始站冰时表现得非常轻松。他站在一只巨大的冰象前面，按规定，脚踩一块冰地板上的三合板，这块木板大约一平方米，既起着不至于冻到站冰者脚心的作用，也限定了站冰者的移动范围。按经理宣布的游戏规则，站冰者可以在木板上略微改换些姿势，比如立正变稍息，稍息重心左右转换，身体轮换朝向左右，单手或双手可以叉腰，有时双臂也可以抱在胸前以凸显胸肌，但不许屈蹲摆臂尤其不允许做操。小螺蛳身高虽然只有一米六七，发育还不甚充分，但自成比例，看上去有小白杨挺拔朝天的感觉，那背后的大冰象跟他组合在一起，又让人觉得他是个印度的驯象少年。有几个比他还大几岁的白领女士站在他前面的冰台下指指点点，很大方地评论他的体态，有的还说希望他能成为今晚的大奖获得者。小螺蛳一手叉腰，耳朵里依稀听到些美誉，眼睛不敢跟发出声音的人交流，只望着对面顶棚的冷气管道，这样扬起下巴的他便显得添了几分傲气，欣赏他的观众有的就对他喊："小伙子，加油！坚持！"

其实小螺蛳只想坚持过 20 分钟得到 100 元。100 元对他是个很大的数字。他各处当杂工，管吃管住外，月工资基本上都是 350 元，没有带薪休息日，如果请一天假，那要扣 12 元工资，如果连请两天假，老板准不耐烦，那就等于自动辞工了。他每月发了工资都及时给他爸寄回 250 元。100 元对他来说意味着八天多的工资，现在却只需要站足 20 分钟就能获得，这真是天上掉馅饼的事，要是每星期都来站 20 分钟，那一个月下来就比天天干十来个钟头杂活还挣的多哩，但这冰灯展经理说了，一个展期里，一个参赛者只能参加一次。行呀，一次就一次，今天能这么轻省地挣个 100 元，美事儿！

他听见观众里有人说到上电视什么的，那声调里很有些讽刺的味道，意思是瞧这些个站冰的那副神气样，以为自己能上电视还是怎么着？小螺蛳心里一阵酸楚。他是真的上过电视镜头的啊，信不信由你……

小螺蛳最不愿意人家问他家里的事，尤其不愿意人家哪怕是好意地问到他的父母。他爸是个三世单传，他爷爷奶奶早就过世，孤苦的他爸一度是村里最穷的人，周围各家陆陆续续全变成一水的新砖瓦房了，他爸却还住在歪歪扭扭的草顶土屋里，三十好几了还娶不上媳妇。但二十一年前终于娶上了他妈，据说夫妻挺恩爱，家里的景况也开始好转。谁知十七年前，他三岁的时候，忽然来了一群穿制服的人，宣布他妈是被人贩子拐骗来卖给他爸的，人家费了好大劲，才把那属于团伙的人贩子抓获，证据确凿，顺藤摸瓜，摸到他家，来解救他妈，要护送回几千里外的一个山村去。他爸吓蒙了，说不出话，他妈紧抱着他，也不说话，只是哭，意思是并不愿意回去。当时跟来了电视台的记者，打开强光灯，录下解救被卖妇女的一幕，那一幕里就有小螺蛳，缩在他妈怀里哇哇大哭。据说电视台播那纪实节目时，还特邀了几位嘉宾发表意见，一位省妇联的女士，很富态，很斯文，但发言很尖锐，她说不能只是惩治拐卖妇女的人贩子，更该惩治购买媳妇的人，没有买方，卖方才能绝迹。她那义正词严的发言影响很大，流传久远。但节目播过也就算了。无论是村里、乡里、镇上还是县城，都没有任何机构或个人来起诉他爸。他爸当时给过号称媒人的人贩子 1000 块钱，其中 800 多元是借的债，直到他妈被解救走还剩下个尾巴没还完，人们都说他爸闹了个人财两空，是个可怜虫，难道还需要把这样的可怜虫抓进监狱关起来吗？连一位副县长也不跟那位妇联女士同仇敌忾，他说："该惩治的是咱们这里的穷根子。"当然这都是小螺蛳上了镇上中学才断断续续听说的。他爸在他妈被护送回乡以后，没多久也就平静下来，后来种瓜赚到些钱，把土草屋也改造成了砖瓦房，虽说周围有的人家又把砖瓦房改造成水泥预制件盖成的外头贴白瓷砖有大玻璃窗的小楼，他爸却并不眼红，只是一心一意地供他上学，说一定要把他送进大学里去。但是小螺蛳没上完初二上学期就辍学了。那是因为有一天，他爸酒后开着拖拉机运瓜进城，半路上出了车祸。当人们把他爸从血泊里扶起来时，他爸竟还哼着那边地方戏里的唱段，推开扶他的人，扭扭绊绊地朝医院方向走，再次摔倒后，人家去救他，他晕过去前吐出的一句话是："别跟小螺蛳说……"万幸的是他爸没死。但他爸伤残后只能在家编点草帽什么的换点小钱，于是小螺蛳就开始了外出打工的生涯。他爸每回到乡干部办公的地方取小螺蛳寄来的汇款单，总要自豪地说："养儿得靠啊！"村里的人们见了他爸，也往往会主动跟他爸说："真真是养儿得靠啊！"但有时也会在他爸走远后，望着他爸背影，感慨地议论："小螺蛳他妈该还在吧？又嫁了谁呢？又生了几胎？还记得小螺蛳吗？"

小螺蛳对自己母亲的秘密，主要得知于中学教他们班语文的那位老师，那是个瘦高的女子，她的一个姨嫁给了小螺蛳他们家的邻居，她常去他们村串门，见过他妈，老师说他妈个子矮，皮肤黑，但是眉眼挺清秀，喜欢用梳子蘸着花露水梳头发。小螺蛳不得不辍学外出打工，去跟那老师告别，老师知道他别的功课平常，只喜欢语文，但作文水平也不敢恭维，唯独造句常能给人意外之喜，就送给他初二下学期和初三上下两学期的语文课本，让他自学，又送他好厚一本成语典故词典，小螺蛳外出打工一直带着，这样他就不用再准备枕头了，这几本书用衣服一包，就是他的枕头。去年小螺蛳回家探亲，又去见那老师，他说看了课本里鲁迅写的《祝福》，问："贺老六是个好人还是个坏人？"老师一愣，回答他："从来没人这么去考虑过啊，当然是好人啦！"小螺蛳就绷着脸说："他购买媳妇，跟人贩子同罪。没有买的，哪有卖的？"说完，眼睛朝窗外望，脸上的神色难以形容。老师盯着他，心里滋味复杂，半晌说："你长大了。真的长大了。"小螺蛳就说："人长大了，该有理想对不？您知道我的理想是什么？"老师望着他，心里替他盘算，他沉稳地说："我的理想，一是好好赡养我爸。不，这是二。一是……我一定要找到我妈。"老师说："如今找也不难。怕的是……你妈那个情况……复杂了。"小螺蛳说："她复杂她的。我的理想很简单，就是到她跟前叫她妈，跟她合拍一张彩色照片，以后永远装在钱包里，时时能方便地看。"老师就再没搭腔，稍后，仿佛有虫子飞进了眼角，缓缓地伸出一根手指头去抹。

　　这个有着非常具体的理想的二十岁小伙子现在站在冰上，他渐渐感到寒冷像排排针尖在点击他的肌肤。他对自己说，你不该怕冷，你怕的是热啊。确实，不管哪个季节，在厨房里干活的那个热啊可真难熬。特别是大厨颠锅的时候，喷出的火不能叫火苗更不能叫火舌，那是地道的火妖精，蹿起老高，仿佛要往每个人肩膀上跳，每当那时候，他就觉得自己身体里又炸出汗来，可是毛孔已经被原来的汗水黏住堵塞了，整个人就仿佛先给闷到煲罐里，又给倒在了铁板烧上。最难忍耐的时候，趁老板不在，二厨带头，他们轮流去把大冰柜的柜门打开，把身子冲着那冒出来的冷气，先前面后背面，或者转圈儿，求个痛快……但现在怎么会并不痛快呢？多少分钟了？

　　小螺蛳就尽量去想他妈，仿佛他妈会在遥远的地方保佑他战胜这一阵阵袭来的裹住他整个身子的冷气似的……但他跟以往一样总不能把一团模糊的想象聚焦为一个清晰的形象。不过令他狂喜的是，他觉得鼻腔里忽然氤氲着花露水的气息……宿舍里的工友常问他，为什么别的洗漱用品都那么瞎凑合，却总要买瓶花露水，还用梳子蘸着花露水梳头，多娘儿们气呀！当然他从不回答……

　　哎呀，不妙。小螺蛳左边小腿的一根筋不争气，猛地一抖，仿佛就要挣蹦出来啦……

　　"邪门啊！那娘儿们有仨奶子！"有人粗鄙地大声嚷嚷，于是许多看客都往女站冰者那个方位跑。

　　她站立的方位跟四位男子所站的那道弧线离得较远，是在一个名为《母与子》

的冰雕前方。那冰雕的造型是一个放大的半身母亲，平伸胳膊举着一个全身的娃娃。她就站在那平伸的胳臂前面。开头，人们对她的好奇只单纯出于她是女性，后来，有人发现她那鲜红的连体泳衣的开领下面，应该是乳沟的地方，居然也隆起一峰，于是惊诧莫名，骚动也因此产生。她呢，却不管人们如何在冰台下议论纷纷，只是微闭双眼，双臂下张呈对称的八字形，双手则掌心向下翘成水平，整个儿是一种既优雅又悲伤的姿势。

"呀，看呀，还动弹啦！"

确实，她那乳沟里的隆起物居然在活动。

看热闹的人们又发现有人在对着她录像。用的是很高档的数码摄像机。

原来那下面摄像的，还有若干围在前面的，都是跟她一伙的。他们预谋好，由她来这里站冰。

站在摄像者旁边的一个头发扎成马尾巴留山羊胡的男子跟周围看热闹的解释说："她现在已经进入圣女贞德受审的境界……"有几个听得懂呢？他倒还不想脱离俗众，很耐心地打比方："就跟白娘子被镇在了雷峰塔底下一样，还有，三圣母被镇在了华山底下，如果没有她儿子后来劈山救母，那就永远地沉沦了……惨啊，人间有许多的冤屈，许多的无辜，许多的艰辛，许多的无奈……"有个中年妇女似乎听懂了，问："行为艺术吧？可是……那圣女贞德的胸脯怎么啦？"

有人尖叫了一声："蛇！"吓得一些人赶忙往后退，却又跟急着赶过来凑热闹的相撞，埋怨，惊恐，引出了混乱。

经理闻讯赶了过来。扒开人群，首先对录像的嚷："场内未经许可不准录像！"可是那扎马尾巴留山羊胡的男士却把右手食指竖在唇上，朝他和蔼地眨眼，仿佛他们本是一伙的，倒把经理给震住了。

"不是蛇！"

"那是什么东西呀？"

人们瞪圆了眼睛盯住看。只见她那乳沟里的活物的头部钻出了泳衣，猛看像蛇头，细看又不大像。

"蝎拉虎子吧？"经理不由得叫出了口。旁边的人笑了："再猜。"

"啊，是蜥蜴……这玩意儿叫鬣蜥，现在有人宝贝似的，当宠物养……怎么站冰还带上这东西？"一位戴眼镜的先生终于给认了出来。

那绿色的鬣蜥渐渐露出了更多，除了头，还有颈子，很害怕的模样，似乎在紧张地喘气。

录像在继续。经理毫无办法。他明白了，这群人确实是到他这儿搞行为艺术来了。真策划得妙，一分钱场租不出，到头来展方还得至少付那娘儿们 100 元。

"这是行为艺术。作品第 039 号。标题是《窒息还是寒冷——两难选择》。你们细品味吧。"还是马尾巴山羊胡在"礼贤下士"。

人群里有的感到被愚弄了。

"吃饱了撑的！"

这群搞行为艺术的，确实衣食无忧，胃袋常满，营养过剩，时常要持 VIP 卡到健身俱乐部去减肥瘦身。现在公园南门外的停车场上好些小轿车都是他们的。

"行啦，别现眼啦！"有人对站冰的她喊。她却置若罔闻，换了个一只胳臂下垂，一只胳臂上弯，手掌贴到耳朵边，头微歪，仍眯着眼，似睡非睡，很难形容的那么个姿势。那鬣蜥则露出半个身子来了。

"你们到办公室来一趟！"经理气急败坏。他觉得实在难办。无论如何，他总不能去把那站冰的女人拉下来吧。

"您别生气。"马尾巴山羊胡子对经理说，"这场艺术创作一传布出去，您这里马上黄金万两。您该高兴得跳起来才对！"

经理愣神算计了一下。气消了些但不可能高兴。没跳起来，撂下句："你们等着！"转身走了。

怪不得古时候有女人是祸水一说，真是撞入邪门了，这么乱哄哄的，我们站冰还算不算数？别他妈的站了半天白挨冻，蹦子儿得不着了！龙大援抻长脖子朝女站冰的方向看，视线被一些冰雕隔断，只能透过那些冰雕作品的镂空部位望见部分场面，反正是不妙。他心里恨骂，想问问冰台下的观众，究竟怎么回事儿，让给叫叫经理，撺句明白话，至少告诉一下开站已经多少分钟了，但他面前几乎就没什么观众，而且，他想起来，经理宣布过，站冰时不仅不能戴手表，更绝不能开口出声，比赛的进程，会时不时通过广播报导，必要时经理会走到你面前跟你具体交代有关事宜，如果违反了规定，那就是站得再久也要被取消比赛资格。

本来，龙大援一站到冰上就开始暗中数数，数足 1200 那不就是 20 分钟吗？看他们谁先下冰，看谁敢留下来跟自己较劲……但他数到 500 以后就乱套了，那时候那娘儿们前头还没闹起来呢。唉，天下最难安静的是人心！尤其是头些年，他的心总跟沾满了草籽似的，刺痒，烦躁，胀得慌，却又不能发个芽开朵花，梦里头也没个舒坦的时候！

人家看他的名儿，就能测出他大约是哪年生人，还一定能跟着测出他属于"文革"中的"老三届"，下乡插过队，二十几年前回的城……但那以后，就不那么好猜了，他们那一代人后来分流得很厉害，有的流入官场，电视新闻里会忽然出现，坐主席台，前头立个坡形长方牌子，冲外写着大名儿；有的流入商界，照片会印上杂志封面，里头会有捧臭脚的文人给写的什么报告文学，仿佛那主儿天生就是块发财享福的料；有的流入演艺圈，人模狗样到处抛头露脸，还时兴弄出些个绯闻来让人跟磕瓜子似的得些个小痛快；有的流到海外，绿卡，入籍，说起洋文来满嘴滚珠，做派比洋人还洋，这几年却又争当"海龟"往回游……不过，那个词儿怎么说来着？对，凤毛麟角，人家是物以稀为贵。不稀罕的一撮一簸箕的，那就大掉价了！龙大援深知自己如今就属于这个大拨撮的群体。弱势？龙大援不认那个"弱"字。是运气不好吧！他四十六岁下了岗。那么大个工厂，原来觉得挺气派的，后来卖了地皮，开发商来了，看见什么都觉得是碍眼碍事的废物。原来的东西可以全当废物处理，原来的工人呢？谁敢废了他们呢？搞了再就业工程，其中一项是跟一家五星级大饭店挂钩，他跟老婆都参加了培训，开头无非是讲些大面上的道理规矩，大家都很兴奋，后来具体分工，人力资源部的干事领他去，穿过富丽堂皇的咖啡厅，经过翠竹拥阶的日本料理，绕过金光闪闪的观览电梯门，耳边还有大堂里真人吹萨克斯的优美乐曲声……往左一拐，一扇漂亮厚实的大门，门上钉着铜牌，牌上是个黑色的戴礼帽叼烟斗打领结的侧影，推门进去，深褐色镶黑边的大理石地面，藕荷色的大理石洗手池台面，水龙头闪着真银光泽，镜前的小花盅里插了枝南洋胡姬花，裱着精细淡花壁纸的墙面上挂着真迹绘画，满室飘着淡淡的甜香，还有不知是安装在哪儿的隐蔽音响里传出淡淡的轻音乐……"就这儿。"那干事跟他说，指点着，还告诉他会发给他雪白的西装工作服，扎银灰色领结，"除了不能坐，其实待在这儿就跟休养一样，进来的客人不会太多，你无非是笑笑，开开、关关水龙头，递递小手巾……最后拉开门，轻轻说句'走好再见'……""走好再见，拜拜吧您啦！"龙大援不接受这"休养"安排，转身拉门出去了。他要求另做安排，人力资源部说他过了四十五岁，又没什么技能，只能这样安排，于是他退出了再就业工程，选择了彻底退休。现在如果有人说他是下岗职工，他会生气，必得大声强调："我是退休职工。"老婆接受了大饭店潮粤餐厅的传菜工安排，如今每月拿的钱大大超过他的退休金，回到家难免面有得意之色，埋怨他这个那个的，有天晚上他要跟老婆干那个，老婆说累了，不行，他央求，说耐不住了，老婆躲开他说："我明天要是没精神，让饭店炒了鱿鱼，你能养活得了我吗？"这话像往他心窝里扔了把蒺藜，他就跳下床说："行，你养活我吧！可你听明白了，打今儿个以后，我要再动你一下，我就不再姓龙！"那晚以后，他赌气只睡外间屋的长沙发，再不睡床……唉，那些日子真糟心啊，老婆不贤惠，儿子又不争气——念完职高也没找到什么合适的对口单位，就到什么香河跟人合伙做家具生意，好几年了，也始终没见混出个人样儿来！……

　　龙大援这几年死了再就业之心，每天跟上班一样，一大早就骑着自行车满城地逛，天擦黑才骑车回家，中午常常不吃东西，也不买水喝，遇到有自来水龙头的地方，对嘴灌些也就解了渴，他的营养完全来自老婆每天从饭店拿回来的折罗（就是豪客们的唾余），晚上吃不完，早上再海塞一番，这么几年下来，他倒比以往更胖了。他自称还是个琉璃块儿，其实，这天底下看站冰的，就不乏指着他说"瞧那胖子"的。他的肌肉是变得更像饧面馒头了。他最爱到河湖里野泳，四季不辍，这大概是他体魄终究还能保持着大体雄健的主要原因吧。有回他在河里救出了一个溺水的少年，事迹上了晚报，两位家长还带着孩子找到他家流泪感谢，最后留下一个信封，人走后他打开看，里头是 3000 元。他把那些钱全上交了老婆，从那天起老婆对他恢复了笑脸，后来他也就重回床上去睡。这年春天一家新商厦开张，临时招了些男的女的，在前堂走 T 字台，推销几种国产内衣，龙大援也入选，走了两天挣了 1000 元，还白吃几餐盒饭，白拿回两套内衣，虽说懂行的告诉他商厦厂家如果请专业模特，那拿的至少会是他的三倍甚至十倍，他还是很开心，回到家老婆更眉眼含春，那晚他恢复了跟老婆干那事儿，大有久别胜新婚的消魂感。

这天来站冰，是龙大援进一步开发自己潜力的最新行动。他势在必胜。那个娘儿们虽说卷起了点浪头，想必也不过是咋呼一阵，怎可能坚持太久？朝另一边望，虽然冰台呈弧形，每个站冰的拉开了距离，但那三个哥儿们的身形毕竟都能望到眼里，那个络腮胡子的主儿看上去不善，也许跟自己有最后一拼，其余两个，一个瘦干条儿，一个简直还是个娃娃，都不是个儿，看吧，再过一小会儿，两位肯定都得歇菜！

"咦，这不是大援子吗？怎么，哥儿们，落魄到这地方卖块儿来啦！"

忽然，前头看客里有人发出亮脆的呼叫。龙大援定睛一看，脑壳里就嗡的一声，正在打叠的求胜心情被毁坏殆尽。真叫冤家路窄，怎么今儿个偏来了他！

龙大援那回走 T 字台，是在堂皇的商厦里头，虽说是推销内衣，毕竟不是这么光穿个裤衩儿，体面多了，就那样他还生怕被熟人看见，现在这么站冰，确实比那个下作多了……他咬咬牙，把眼光往上移，看棚顶，只当眼前面没那么个人！

但那人穿着高级羽绒服，紧贴到只有三十公分高的冰台前，生怕他看不真也听不真，跟身边同来散闷的朋友一个劲地指点他："……就是他，大援子，我们原来是同学，又是邻居，'文革'那阵他是'红卫兵'，可神气啦……嘿，三十年河东，三十年河西，他如今在咱们眼皮底下练上天桥把势啦！……天桥素有'八大怪'啊，他今儿个算是哪一怪呀？……"

他不想听，偏那声气盖过那边音箱里传出的音乐声，句句字字锥进他耳朵眼，又扎到他心尖上。

因为那老同学、老邻居的起哄，龙大援前头聚集的人越来越多，赛过了刚才那边女站冰者跟前的热闹。有人就指点着他的裤腰，问是不是也要爬出什么小动物来。

"嘿，大援子，绷紧你那块儿！抖擞抖擞你那肱二头肌！大家伙花钱进场，瞅的就是你这么个人体艺术！害什么臊呀您的，怎么着，冻着啦？那你这不是自找的吗？……"

他真想就此冲下冰台，揪住那家伙脖领子先扇他俩耳茄子！

这是报复！阶级报复？啊，如今还真不好说他家算个什么阶级，说不好谁跟谁之间是阶级斗争的关系……不过，他逮着这机会，大肆报复，这是一清二楚的……他妈的，怎么就那么巧！

那家伙的父亲，是一个戏曲演员，他那行当也怪，是专演丑，不是一般的丑，是男扮女的丑，据说叫彩旦，演这个也能出名，现在想起来也觉得挺奇怪的。"文革"来了，那彩旦不仅在剧团里受冲击，回到家里也不得安生，街道上也揪出来斗。那罪名也真多，演坏戏腐蚀人民还是最轻的一桩，他又有历史问题，什么问题龙大援也记不清了，其实那时候他当"红卫兵"基本上是个凑数或者说凑热闹的角色，后来也很少到学校里去造反，只在街道上混，街道革委会派他个身份，算是个"红卫兵"方面的代表，所以有时也轮到他主持街道上的批斗会，开头那批斗还郑重其事地念批判稿，喊口号，后来就变成拿"牛鬼蛇神"开涮，涮那彩旦的方式，后来固定为"跑一圈"，直到现在龙大援也不懂那是出什么戏，戏里那彩旦化了妆该是个什么模样，而且为什么在那出戏里要那么样地跑圆圈，那么跑圆圈怎么会叫做"跑圆场"，反正斗人的积极分子里有懂的，他们就那么狂吼："跑一圈！"这是不是就让批斗会走正题儿了呢？也没什么人去讨论这个问题，反正，在场的人都很愿意看那彩旦不化妆地跑圆场，跑动起来以后就公然哄笑乱嚷，这种"跑一圈"的吼声后来不仅出现在批斗会上，就是平时，比如说彩旦正在扫胡同，一群孩子围上了他，跟他吼："跑一圈！"他若是觉得围的人少，也许会鬼混过去，免掉一跑，但往往是一有人吼就有人往他身边聚，于是他就立即放下手里东西，跑起圆场来……

那么多年过去，龙大援还生动地记得彩旦跑圆场的模样，原本是个灰头土脸的半老头子，忽然把头一甩，脸上是突如其来的假笑，嘴里发出"呀呀呀呀"的奇怪的娘娘腔，接着脑壳就跟拨浪鼓似的激烈晃动，双手翘起兰花指，交叠在胸前，身体则仿佛陀螺歪而不倒，随着两只脚快捷地倒换，迅速地跑上一个大圈，然后会忽然煞住脚，恢复到跑前的状态，这时候围观者就会公式化概念化地连吼几声："丑不丑？""反动不反动？""以后还敢不敢？"彩旦则连连低头认罪："丑死！""反动！""再不敢了！"那最后一问的意思是"以后还敢不敢拿这个腐蚀人民？"但恰恰是这些"人民"在吼着逼着彩旦当众出丑时获得了极大的心理满足。当时龙大援没深想过，却也至少是浅浅地思忖过：这岂不是自相矛盾？他多次带头吼过"跑一圈"，多次逼近看到过一个被侮辱被蹂躏的人怎么忽然仿佛极快活地将自己丑成那副模样，说实在的，心底里也曾感受到一种难以言传的困惑与恐怖……

后来，斗争气氛开始缓解；再后来，开始落实政策；"四人帮"倒台以后，人家得到彻底平反，而且很快就全家搬走了。彩旦有好几个儿女，现在站在眼前的是跟龙大援同龄的一位，他们当时是怎么个心境，龙大援没有特别去注意过。万没想到事过这么多年，这位同窗还这么记仇，并不把那笔烂账都算到"四人帮"身上了事，狭路相逢，还要对他施加报复……

几年前，电视里播过一个节目，龙大援很偶然地看到，那种节目以往他绝对是一秒之后必定用遥控器点换的，但那回他却没点换，还一直看到结束。那是一个介绍那位彩旦的特别节目，他已经是高龄老人了，但模样轮廓还是马上让龙大援认出了他。原来他后来是戏校的老师，培养了许多戏曲人才，得到各方面尊敬，还有了好像是政协委员那类的身份。节目里记者问他："您'文革'里饱受摧残，请问您是怎么挺过来的？"荧屏上那老人现出慈蔼的笑容，缓慢地做出了一个简洁的回答，这回答让龙大援刻骨铭心："就是……不要脸呗。"那节目龙大援回味了很久。大约是去年，龙大援从晚报上看到一条消息，那老爷子去世了，享年八十出头，也够本儿了……

"嘿，哥儿们，冲着1000块去啦？为'一吨'就值当这么玩命呀？……你们看，他鼻头都冻红啦！……"那位同窗的报复心还在喷涌发泄："别泄气呀，哥儿们！挺住！把你那块儿再绷紧点儿让大家伙好好欣赏……再绷一个！……绷一个！嘿，绷一个啊……"

　　龙大援身体里仿佛有两条龙纠缠在一起翻腾扭动,一条龙恨不得立即大吼一声扑过去缠在那家伙身上把他勒死,另一条龙却在阻挡那条发怒的龙,不断地把那回电视里那位老人的面容和那句对记者的回答在他脑子里回放……他都感觉到了自己上下牙床摩擦的声音,那不是由冰,而是由火激出来的……

　　身高一米七六,体重只有六十三公斤,二十八岁的薛冰站在冰上,稍远点望他,有的观众特别是老年人会情不自禁地埋怨冰雕展老板:"怎么能让这样的小伙子站冰呢?也太狠点了!"但是走近了看他,观感就不大一样了。有个中年人就这么指点他:"嘿,远看瘦干狼,近看钢筋桩!"确实,逼近了看,薛冰既不能叫瘦更不能称弱,他身上几乎没有脂肪,但贯串全身的筋腱线条分明,把并不厚凸但线条分明的胸肌和臂肌、小腿肌等处勾连得充满活力。他双腿微开,稳稳地直立,双臂下垂,双手握拳,细长的脖颈强直,棱角分明的脸庞上鼻子和嘴巴都显得有些小,但一双眼睛很大、很亮,头发蓬蓬的,当中分缝,有几绺头发固执地往上冲,显得有点乱,也让人感觉到他有些个野气。他几乎一直保持着那么个姿势,但并不是静态地站立,他很有规律地每隔几分钟就双拳紧握一下,随之胳臂上的肌肉就铰链般地收缩,紧接着这收缩波推衍到他胸部、腹部,只见他胸肌妩媚地一挺,腹肌活泼地凸现出六小块,最后那绷紧的波浪传达到小腿,在抵达脚底后告退。有几个年轻女士在观看他时发出极开放的议论,其中一句是:"这一个最性感!"

　　薛冰的思维和语言里,连对女人都从未使用过"性感"这个词,何况是针对男人。

　　不过薛冰确实早已达到性成熟了。这方面他的饥渴感天知地知自己知,还有谁知?原来,他以为毛妹是知的……

　　薛冰和其他打工仔一样,走南闯北经历多多。这两年找到的工作是工资最高的。这份工作是他一个表舅给介绍的。表舅进城务工多年,忽然发了,现在是经营建材的商人,两年前就在近郊买了复式单元房,置了桑塔纳2000自己开来开去,如今业务更加繁忙,前途更加看好。表舅的主要业务关系是市政工程的承包者,他不仅向他们提供一次性建材,也出租供反复使用的建筑器械,开头只是钢筋卡子、搭架钢管什么的,后来就置了铲车、叉车、搅拌车、吊车什么的出租,因此最近又买了栋

立水

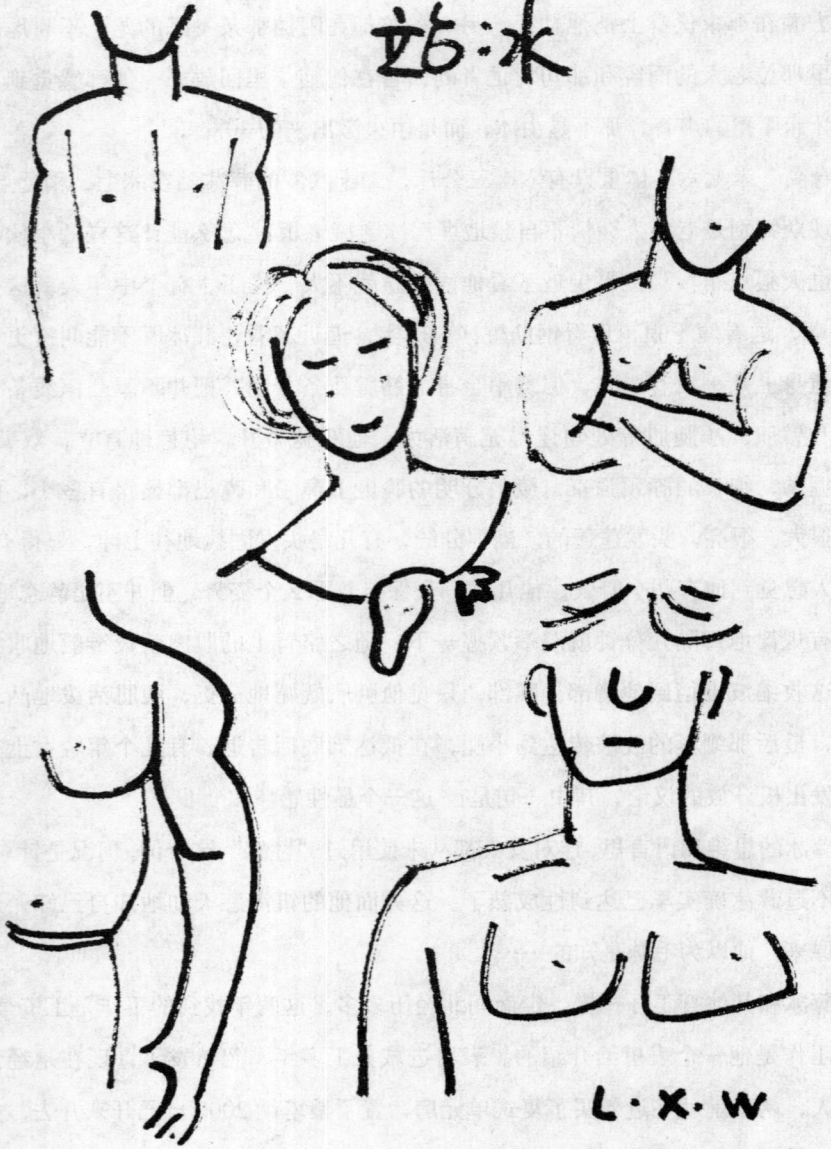

L·X·W

站 冰

湖景别墅就要搬过去，原来的复式单元则打算出租。表舅把薛冰介绍给了高经理，高经理也不过四十来岁，本地人，从事市政工程的承包已经好几年了，当然有了漂亮的住房、漂亮的车子，还有漂亮的媳妇，漂亮的儿子和漂亮的斑点狗。现在高经理所承包的是某道桥的改建工程，薛冰在工地上当看守。工地用大围障围了起来，出入口外面挂着大牌子，标明工程名称、责任单位、施工单位、项目经理等等。附近居民楼里常有居民反映施工噪音太大，扰民，有的打电话写信向上反映，有的则亲自走过来找负责人提意见，哪里找得见？遇到的就是值班的看守。那天晚上，有个老头本是来提意见的，结果跟换下班来的薛冰聊了起来。薛冰有问必答，老头样样觉得稀奇。比如薛冰告诉他，外头牌子上写的那个人，其实是个挂名的，这工程实际上承包给高经理了，现在工人的工资都由姓高的发，工棚、食堂也是他搭建的，整个工程完了，验收的时候，外头牌子上写的那个人也许才陪着来一下，要么就是出事了，那人不得不来露一面，露了面，工人包括薛冰他们看守也不听他的，一切还是都得听姓高的，甚至姓高的也并不怎么听那人的，只是给那人个面子罢了，因为姓高的又是从别的人那里得到这个项目的，那别的人甚至还又是从另一个人那里，当然，这些人都有公司，都办了有关的手续，这么几层转手，剩下的工程款才到了姓高的手里，姓高的可是动真的，真来修建东西的人，所以才是这工地的真皇帝，他留谁是谁，让谁走谁只得走，没别的路子，想跟这里挣钱的，都得看高经理的脸色说话行事……老头听呆了。薛冰又告诉老头，只有看守才在他看见的这片围障里住，住的就是那边的活动房，木板墙，铁皮顶，夏天太阳烤，冬天不挡风，好在夏天有台虽然破旧倒还能制冷的空调，冬天则给两台挺像样的电暖气，他们四个看守分两班，小屋里三架上下铺，两架睡人一架放东西，所以住得还是很不错的，旁边还有个柜式临时厕所，只是用水不方便，每天只有运水车来一次储下那么一个大圆塑料桶的水，喝的，洗漱，包括洗衣服，全靠那么一桶水，冬天还好说，夏天根本不够用……老头问别的工人住哪儿呢，薛冰告诉他全住一站路远的那边绿化带的小树林里，食堂也在那边，那几座工棚老板说有树阴遮阳所以不安空调，冬天倒有土暖气，一屋八架上下铺，别的不说，臭脚丫子味儿就能把人熏晕！洗澡么，有个用太阳能热水的洗澡间，里头每回只能容一个人，那边用水因为可以接上水管供应充足，但你抢不上头几锅，后洗的时候，基本上就全是洗凉水澡了……老头听薛冰的口气，对自己的这份工作还是挺满意的，是的，薛兵讲起这些甚至还多少有些个得意，人家高经理是不用"后门兵"的，表舅好大的面子，高经理才不但接受了他，而且没让他在工地当小工，而是安排他当了这白班的看守，虽然要从早上七点守到晚上七点——中午夜班的会来稍替换一会儿，好让白班的去食堂吃个饭——但总归比干活轻省多了，工资呢，一天25块，一个月750元，很不少了！那些在工地干活的，小工一天只有20块，技术工有的能多到30到40块，可是阴天下雨或因什么事故停工，就只开饭不开工资了，而看守呢，什么情况下都有工上也就都有工资……老头问吃得怎么样，薛冰摇头，早上是黏粥和咸菜，中午晚上永远是米饭，管够，但菜每顿只给两锅勺，市场上什么菜快下市了熬什么，一个月里能在菜里见着两回肉片就算不错了……老头就说，你对那食堂最没感情吧？薛冰听了这一问就再没回答他，老头忙说你该休息了，打搅打搅，再见再见，薛冰心猿意马，含糊应对……

对食堂最没感情？嘿嘿，最有感情的，就是食堂啊，因为，食堂里有毛妹呀！

毛妹是他们民工群里唯一的女性。虽然在这城市里满大街有女人，而且不少是美女，他们也看得到，但那是些跟他们不相干的存在。毛妹在食堂工作，她一早来，晚上走，跟另几个给城里人当保姆的同乡妇女合租了间居民楼的地下室住。高经理为什么接受了她这么个女工，薛冰他们都不清楚，也用不着闹清楚，清清楚楚的是毛妹本人，每顿饭给他们发菜，在厨房内外活泼地大笑，有时为了哪个人一句什么话不中听，会一拳捶过来，捶得那人痒酥酥的，可是另外的人想也挨那么一拳，也故意说句逗她生气的话，她却又并无反应，也许倒转身跟没招惹她的人说笑去了。薛冰挨过她三次拳头呢，有次薛冰蹲着吃饭，毛妹弯腰捶他，一瞬间，薛冰清楚地看见了毛妹那圆领衫里露出的乳沟，仿佛一道奇异的闪电，熄灭许久之后，那亮光还让薛冰的眼睛刺痒，是甜到心窝里的那么一刺啊……

毛妹是不是美人？这个问题根本没必要提出。美人又怎么着？不止一个没娶媳妇的民工床头贴着免费弄来的商品广告，上头必有大美人，有的是比真人还大的美人头，有的穿又露又透的泳装，但那些美人你真够得着么？毛妹可是三顿饭时必见的女子，有个家里有俊媳妇的大哥都这么说："亏得有个毛妹！要不非把人闷死！"当然马上就有跟上去打趣的："怎么？你揣上坏主意啦？"另一位就接过去说："坏主意那是人人都有吧，可真干坏事，咱们这群里恐怕还找不出一个。"那先发话的大哥就说："对啦。这么一群一年顶多回一趟家的寡男，整天扎堆儿干活、吃饭、睡觉，那是怎么着眼前也该晃着个雌的啊，就不是毛妹，是毛姐、毛嫂、毛婶、毛婆……哪怕毛夜叉，也好啊！"薛冰这时候眼睛就绿了，逼上去说："不许污蔑毛妹！"大家就哄笑，有人就说："嘿，光棍好苦，杜鹃鸟叫唤啦！"

薛冰二十八岁还没对上象结成婚，这是他的心病，更是他父母兄姊的心病。城里哪个女子愿意嫁给他呢？进城打工的譬如毛妹这样的，难道会嫁给他吗？去年回老家，全家支持，二嫂张罗，给他介绍了个邻村的寡妇，跟他同岁，大月份，两个闺女；她丈夫是得癌死的，治病拉的账现在只剩个小尾巴，好的是家里三年前起了小楼，一楼是铺面房，后院也整齐；他若肯，可以倒插门。于是见过两回面。那寡妇细高身条，比他只略矮一寸，虽然长脸庞上的颧骨高了些，眼睛细了些，皮肤倒还白净，说话举止大方得体。他心里并不愿意，无奈父母兄嫂都说你再耽误不得，再拖两年过了三十，怕连这样条件的也难找到了。他回城这十来个月，每月买 IC 卡到公用电话那儿跟家里通电话，家里总催他下决心，警告他若再含含混混的人家可不能再等，上门给说媒的多着啦。他也跟那位女子通过两回电话，双方说的全是淡话，但他感觉到，只要他愿意，那女子倒绝不会放弃他的。

但是眼前有个毛妹。什么可能不可能，见到毛妹他就觉得世界是只有这么一个女人。不可能又怎么着？他不能不采取行动。于是，就在一个多月以前，大概是爬山虎全变红了的时候，那晚吃完饭，他也不去抢着洗澡，始终不近不远地盯着毛妹在食堂里收拾。终于，毛妹下班，要回家了。但离开那小树林前，偏有别的民工凑上去打趣，毛妹也就站住笑骂。他在小树林外路灯下等呀等，觉得简直等了一百年。后来毛妹算是走在回她住处的路上了。他从后头叫，毛妹转回身，捂着胸口说："哇呀怎么是你，吓我好一跳！"他走拢毛妹跟前，眼光忍不住很不老实地往毛妹微露的乳沟里钻,鼓足勇气说:"我要请你吃冰激凌!"毛妹开心地笑了:"好呀! 你怎么现在才想起来请我! 你早前都请谁去了?"

薛冰跟毛妹坐在一处公共绿地的凉亭里,吃薛冰买来的蛋卷冰激凌。

薛冰说:"毛妹,我想跟你好。"

毛妹说:"咦,我们不是一直挺好的吗?"

薛冰说:"想比一直更好。"

毛妹把舌头伸得长长的,大舔一口冰激凌,美美地吞了,才说:"原来你有这个心思。"

薛冰"啊"了一声。

"啊什么,"毛妹问,"你有多少钱?"

薛冰一听,心花怒放,只有愿意考虑,才会有这一问啊。他立刻汇报:"几年里我汇回家的,我妈都给我存着,一共有了20800,再加上这回春节前能领到的9600,那就过3万了……"

"9600? 你怎么算的?"

薛冰就细算给她听。他们工资是每年春节前才结算的。一项道桥工程往往要跨年度才能完成,承包人也不是马上能领到人家应允的全款,加上为防止打工的中途不辞而别,民工的工资是从这个春节到下个春节前才结算的,平时就是管吃管住,记工,当然,也可以预支零花钱,每月以50元为限。薛冰这全年的工资是750元乘12共9000元,因为每月都支过50元零花钱,剩8400元,但上年高经理少发了他1200元,也就是还欠他1200元,这回发的时候补足,那加起来不就是9600元么?

"他欠你1200? 给你开欠条啦?"

"他还能赖? 他跟我表舅那个关系……"

"我可是听说,他常赖。柿子拣软的捏。有的老实巴交的,没老乡结伙撑腰的,几年欠的都讨不回来。"

"我知道。去年只有那几个四川帮的他发了全款,因为那几个人也不说什么,就在他还没觉出来的时候,把他围住了,全叉着腰,假咳嗽……他们也太过分了嘛!

高经理去年确实也没拿到工程全款嘛，人家也欠着他的嘛……"

"好啦好啦，不说这个了……你有房了吗？"

"在老家盖房，两万就很体面……"

"你老家？哈，去你老家？"

"那就……在城里租……"

"租？租我现在住的那种地下室？"

薛冰不知该怎么说了。

"你也知道吧，你那点钱，要买这里正经的房，就是那经济适用的，怕也只够买个卫生间。"

薛冰手里没吃完的冰激凌化了他一手，他甩手全扔了。

"我还用得着问你有没有车吗？你该不会问我，说的什么车？自行车还是别样的车？"

薛冰的心凉了。

毛妹早连蛋卷壳也吃完了。拍手大笑："你想跟我好！你又了解我多少呢？我结婚了没有？孩子多大了？"

薛冰知道她是故意那么说。

毛妹跳起来说："累啦！我要回去睡啦！你也早歇吧！"

毛妹的身影像只肥猫，很快消失在夜色里……

于是，就到了那一天。离今天很近，甚至就像刚刚发生过的，又似乎很远，跟过了几辈子一样……那天下午接到高经理电话，让另外三个看守都先到工棚那边去，只留薛冰一个人守着。那天停工。实际上从前两天起就停了工，不是因为天气原因，工友里有窃窃私语的，说是高经理所承包的另一处工地上出了恶性事故，有关部门责令他那公司所有的工地全停工，接受安全大检查，也确实有一队人马，开着小轿车和小面包车，来过薛冰他们看守的那片工地，高经理陪着他们，转悠一阵走了，应该是没发现什么问题，起码没大问题，有工友说他们出来就去了海鲜楼，就是东边里头养着活海豹，还在玻璃地板底下卧着真鳄鱼的那家，另外的工友就问他："你去过呀？你亲眼见啦？"大家就吵作一团，因为停工也就停工资，大家都盼早恢复开工，薛冰倒无所谓，甚至觉得不开工更好，更安静，更自在……

那天下午很静，出奇的静，薛冰正懒洋洋地坐在围障门里头的小板凳上发呆，忽然外头有汽车按喇叭，薛冰从门缝朝外一看，是高经理的别克车，忙把门打开，那门其实不过是安了滑轮和别杠的障板，刚开够车能进来的空当，别克就拱进来了。别克车进来，看没有别的车或人跟进，薛冰就又把那门掩了别紧。这是高经理的地盘，他爱什么时候来什么时候来，来干什么，轮不到看守问，他想跟看守说什么就说什么，不想说什么看守就别去打扰他，这规矩薛冰他们都一直遵守着。薛冰关好门转过身，看见别克车停在了大约三十米外，他们看守住的那间临建房门前。车门开了，高经理先从驾驶座那边出来。然后转到另一边，拉开车门，把另一个人拉出来……这本来也没什么稀奇，他们要进看守宿舍吗？更没什么稀奇，但……薛冰忽然仿佛被雷击了一下，使劲挣扎着才算没栽倒地下，因为，他看得分明，那另一个人，竟是毛妹！是的，确实是毛妹，高经理拉着她手，引她从车里出来，她一出来就仿佛有点犯晕，是喝了酒，醉了吗？一下子靠在了高经理身上……她的头发是什么时候变成那样的？一定是在很贵的发廊里做的，发型很潮，还染成了棕红色，她一身银闪闪的套装，一双金闪闪的高跟鞋……他们两个人很快进入了那间宿舍。

目瞪口呆的薛冰定在那里，大概很像一具冰雕，很久不能回过神来。高经理对他竟是那么样地置若罔闻，没有一句交代，一句命令，一句嘱咐，一句警告……那别克车前面的两扇门根本就不关，张开如黑蛾的翅膀。就不怕他跟随进去吗？不怕他趴窗张望吗？不怕他喊人来吗？不怕他发疯把他们杀了吗？嘿，人家就是不怕，门根本就没关紧，窗户更没另做处理……

静悄悄的。

回过神来，薛冰第一反应就是想冲过去。他身子都朝前倾了，脚底下却仿佛沾了胶，只略微移了下位。也许……高经理只不过是约毛妹到那屋里聊一聊？薛冰宁愿事情就是那样……

薛冰终于决定到窗户边张望。他都走到离窗户只有三四步的地方了，却又止住了步。他希望里面传出毛妹的呼救声，或者至少是挣扎声，但是没有，没有……

他又往前迈出一步，犹豫着。他不愿意看见最不愿意看见的情景。但是，不用去看了，他分明听见了毛妹毫不掩饰的、快活得发抖的叫床声……

高经理和毛妹完了事出来，上了车，两个人都没有张望别人的意识；高经理倒转车头后才发现门没打开，就自己下去开了那门，把车开出去以后，停下，出来推闭了那门，也没推闭严实，就又上车，车很快加速朝远处开去了……

不知道那天下午有没有人听见，那围障里忽然传出狼嗥般的声音，是哭？是骂？是悲？是愤？也许都是并且内涵更多……

薛冰冲进宿舍……就在他那张下铺！揉乱的枕头弄皱的床单甚至都没稍微拍平整理一下，床单上还分明有些潮湿黏稠的渍印……

另外三个看守吃过晚饭回来，没见到薛冰，第二天早晨也没见到。他们立即当做一桩大事打电话报告了高经理，高经理轻描淡写地说："没事儿。马上会有新来的替他。"

人们在发现薛冰不见了同时，也发现毛妹不再出现在食堂。有几个工友就说他们俩是一起私奔了。

薛冰当夜闯到表舅家。表舅不在。表舅妈吓了一跳。第二天表舅听说了这件事，淡然一笑："人家两相情愿，关你屁事。"但是答应他跟高经理交涉，给他结清工钱，直接寄回他老家去。

薛冰说第二天下午就回老家去。表舅妈给了他二百块钱。其实他并没有马上走。他晚上到火车站过夜，白天疯子一样在城里乱转，饿极了才找个小馆子吃碗面。他自己也不清楚辞工后究竟滞留多久了。他越来越不想回老家。他试图另找份工作，难，只干过一天临时工，挣到 20 块钱。他多次转悠到冰雕展这里。眼看他身上的钱就要耗光了。他决定来站冰，挣 1000 元。

也曾有人一看到潘全清的名字，就猜他是 1964 年或 1965 年生人，因为那时候开展着一个叫"四清"的政治运动，想必他父亲是个村大队干部，生下孩子取这个名字以表白自己样样都清吧。他确实出生在 1964 年，但那名字却跟政治无关，"全"

是排行，他大姐、大哥还有他小弟四个人名字最后一个字合起来是"水木清华"。他家在农村阶级成分好，是下中农。他父亲没多少文化，是个木工，后来有机会进城参加古建筑维修，又学会了在木梁上彩绘花样图形的手艺，肚子里由此多少灌进了些传统文化的水儿。潘全清没有什么苦难记忆。"文革"时候他整天跟一群小伙伴在河沟里光屁股摸虾逮鱼，记得的都是些玩闹的趣事。懂事以后，社会已经改革开放。他从小学顺利地上到高中，也参加了高考，落榜，他所在那个郊区县高考升学率一贯不高，具体到他们那所镇中学，也是考上的几个算铁树开花，大拨没考上的犹如满地的庄稼，平常景象，不丢人。他在乡镇企业里被培训为司机，开过几年大货车，后来乡镇企业因为污染环境陆续关闭，他父亲把他和他哥介绍到城里古建队，意思是让他们子承父业，但他只学会了一般木工活，对古建那一套特别是彩绘什么的实在没有兴趣，父亲退休的时候，他哥在古建队里代替了父亲的角色，他却随父亲回乡了；再后来村里出让土地搞开发，建了个不小的商品楼盘榆香园，他跟人合伙开车运瓜果细菜到榆香园外头卖，一度生意不错，但后来榆香园外头盖起来个大超市，什么都卖，他们那生意就淡了；这期间他娶妻生女，相差两岁的两个女儿渐渐长大，陆续上学读书，他决定找个相对稳定而又收入稍高的工作，最后选定了进出租汽车公司当一名"的哥"。这些个生活转折，他也不觉得有什么悲苦之处，"坎坷"那类的词儿，从未涌上过他的心头。

说潘全清生活在蜂蜜罐里，未必恰当，但若说他是生活在田园牧歌里，那就不能算夸张。他家所在那个小村，至今只有三十来户人家，行政归属上划归了北边一个大村，但大小村之间隔着一条还带有野味的小河，大村那边人烟稠密又连着榆香园有了大超市越来越像城里景象，他们这小村却安谧素净，保留下的树木也多，野生的灌木及野苇野蒲野草野花也多，野雀儿因此也多，甚至有时还能发现野鹌鹑野兔。小村居民约定俗成，没人盖小楼，家家还都是平房院，但院子一般都宽敞、整洁，还爱栽果树、种草花。其实平房里的生活因为通了电，用上了煤气罐，也相当地现代化，家家电视、冰箱、洗衣机什么的都有，差别只在尺寸和品牌。潘全清家近年还自己安置了夏季用的柜式空调和冬季用的取暖锅炉，修造了有抽水马桶和电热水淋浴的卫生间。他认为自己的家比榆香园里那些住宅好得多，域里人家么，他可知道，无非是守着商厦公园什么的，好多都住得还挺狭窄憋气，更比不了他的温馨小巢。

潘全清媳妇虽是他姨从秦皇岛那边介绍来的，先结婚，后恋爱，但两口子越过越合意。潘家哥仨，全木个头不到一米七，发胖早。全华有一米七七，身量不错，脸庞却太方，双眼又分得过开。唯独全清一米八的高个头，浓眉大眼，婚后留络腮胡子，媳妇说好看，就一直只修理没刮除过，头发却有时理得很长有时候推成板寸乃至剃成光瓢，但无论怎么处理都跟那络腮胡般配；开出租车后肚子渐渐有点往外鼓，不过也只是"大校肚"没到"将军肚"那个程度，连大村的人也说，全清是整个行政村里数一数二的帅哥，而他那媳妇，则是没得挑剔的美人儿，一米七二的高挑身材，生育两胎以后也还那么不胖不瘦要腰有腰要样有样，皮肤总那么白里透红润润泽泽的，更难得的是脾性好，在家贤惠不必说，见了左邻右舍乃至大村的人们，礼数周全，总那么笑吟吟的，说话声脆而气软，讨人喜欢。两口子把小家营造成十足的安乐窝。也曾有人认为他们美中不足，就是两胎全是闺女。父母也曾提过建议，就是再试一胎，反正罚款的数儿能承受。大哥一儿一女，小弟两胎全是小子，而且那小侄儿跟全清二闺女是前后脚落生的，父母，还有嫁到沧州回门探亲的大姐全水，都说干脆全清的闺女跟全华的小子对换，两家互抱，这样岂不四角周全？全华说那好，正愁跟前没个闺女呢，全华媳妇意见也不大，反正还在一个村里，又是至亲，哪个孩子也绝不会被亏待；但全清两口子坚决拒绝，全清说潘家已经有后，自己喜欢闺女，一连给俩是老天对自己的特别奖赏，媳妇则直说抱给至亲也舍不得，于是作了绝育手术；俩闺女就这么被他们浸泡在爱意里一天天长大。

两个闺女真是争气！尤其在念书方面，一个赛一个出色。妹妹玉菊从村小毕业，一家伙考上了一所最难进入的民办中学，人称"贵族"学校，基本上只收语文数学双百分生，入学费很贵，却真的不是你随便什么成绩只要拿钱就进得去的。让分只让到196，但家长要为每缺失的1分多付1万元的赞助费。另外还有一种特长考试，不是考钢琴舞蹈武术什么的，也是语文和数学，可选考一门，但难度超常，两种学科成绩达到前30名的，学校免收一学期学费。那学费可是3000元啦！玉菊考的数学，居然名列第一！校方也很兴奋，说今后可成为参加国际奥林匹克数学竞赛的选手。送玉菊入学那天，全清还没参观到学校其余部分，光是那中心铺着绿草坪，整个400米跑道全铺着酱红色合成材料的体育场，就让他眼亮心热。他决定发奋挣钱，供女儿在这样学校里一直上到进入大学！姐姐玉荷初中还是上的他的母校镇中学，在妹妹考入好学校一年以后，她初中毕业后也考上了县重点中学，那也是很不容易的，全村应届毕业生里只有她一人考取，全镇也只有九个考上。那学校设施也很不错，学生宿舍四人一屋，还有空调；学杂费比玉菊那学校低不少，但住宿、伙食费几乎一样高，也还得给些零花钱。算起来，培养两个闺女一年怎么也不能少于三万元。

　　玉菊都上中学了，回到家，有时候还会很自然地扑到他怀里，坐在他腿上撒娇，他几次想跟她说："闺女，你不能再没大没小啦！"可到头来总还是摩挲着她的头发，说不出口。他原来抽烟，瘾不大，一天也差不多要一包，玉菊上小学时候似乎没注意过他抽烟，上中学以后，两周回家一次，见他叼上烟，就跳到他身边，把烟从他嘴里拔出来，或者把打火机没收，还会剥好一粒糖果，硬塞到他嘴里，却从不跟他讲吸烟有害之类的话，就这么着，他把烟真的戒掉了。玉菊参加数学比赛，一级级拔尖，最后到了全市一级，却突然没通知她参赛，名额让一个男生占去了，据说那男生家长挺有势力，有说是大官，有说是大款，结果只得了个第四名，玉菊的数学老师说如果玉菊上，肯定夺魁，对那做手脚搞掉包的很不满意，倒是潘全清想得开，他说人家能拿第四，可见究竟也还有些本事，玉菊对这样的事嘻嘻哈哈不当回事，姐姐玉荷说些抱不平的恨话，她从身后搂住姐姐脖子，说我才不急着夺冠军啦，反正我以后有的是机会！玉菊就那么自信，尤其在数学上，但是玉荷英语好，天天用英语记日记，就把自己日记本递给妹妹说："你看我怎么形容你的？"玉菊说："看人家日记，没羞！"玉荷就羞她："怕看不懂，找台阶下！"玉菊就去抓挠玉荷胳肢窝，玉荷未痒先笑，倒退躲避，没想到正撞到端着红烧鱼进屋的妈妈手里的盘子上，哐当！真是一出闹剧！但全家谁也没生气埋怨，大家一起收拾好一切，最后姐妹俩自己罚自己再联合炒出了一盘蒿子秆，俩人边往屋里端菜边把一首流行曲改词瞎唱："蒿子秆，长纤维，吃了吓得癌告退！"

榆香园里有个画家，姓陈，常用潘全清的车。有回让潘全清拉他到北京大学去参加一个活动，活动结束出来，找到潘全清那辆车，却见不着潘全清本人。没奈何等了好一阵，才见潘全清汗津津地跑过来。原来他是头一回进北大，忍不住在里头转悠，越转越想多看看，看来看去忘记了时间更迷糊了方向。回榆香园的路上，他兴奋地跟陈画家讲自己的感想，归里包堆一句话，他要把两个闺女全送进这样的校园！陈画家说，人家开出租车的，往往两个人包一辆，特别多的是夫妻店，一个白天开，一个夜里开，这样交了车份以后剩的就多，你怎么一个人开？也不在城里租间房，每天夜里还要回村子，赶上有顺路往这边的还好，恐怕那样的机会很少，车往往要放空回来，早上怕也是空跑进城的时候多，费时间也费油呀，何不跟你媳妇分两班开呢？他说行车素来三分险，我不让媳妇跟着受累担惊，再说我这样晚上回去，一进屋什么都是现成的，往往是坐在饭桌边，眼前揭开盖子就是热饭热菜，脚底下呢，鞋袜给你脱了，双脚被送进一盆恰可好觉得有点烫却又绝对能忍受的热水里，你说那是什么滋味儿？说得陈画家也羡慕起来，说真想画这么一幅画儿。车到榆香园门口，恰好有要出行的业主在等他那车，园门外有些个拉活的野车，谨慎的业主首选却还是正经的出租车；陈画家说你今天真有运气，往日这时候送客回来，哪有什么活儿，收车嘛早了点，再返回城里又空跑太多……他却对陈画家说，我真不愿意拉他啊，昨天把闺女们接回来的，今天还在家，我想这就回去跟她们多待会子呢，何况还憋着把北大的情况说道说道，只是我还从来没拒载过，只希望这位爷别让我撩太远啰……

为了闺女们的教育费，当然还有家用，潘全清必须平均每天净挣150元以上才成。车份一个月是4800元，平均每天160元，加上每天的汽油费，以及其他必要的成本费，怎么也得250元才够，也就是说，他每天一定要平均从乘客手里至少拿到400元，才算完成任务，这对他来说并不是轻而易举的事，特别是遇到有的季节有的情况，最糟糕的时候甚至一天所进还不到150元。他全年只有春节歇两整天，三十是自己小家团聚，初一是到父母那里，哥仁全举家而至，妯娌们操持酒席饭菜，大团圆，三代人同堂，热闹非凡，真是盛世农家乐，但初二一早他就照常出车。

　　玉菊对爸爸的辛劳，似乎还有点浑然不觉，回家说起同宿舍的一位，家长开着奥迪车接送，每回来总运两箱瓶装太空水存着，从来不喝自来水，只喝那个……玉荷就跟她使眼色，玉菊不知何意，玉荷就跟爸爸说您可别那么害自己女儿，从不喝自来水的人有一天不得不喝自来水了，准得病！玉菊这才明白，忙说："爸，他们家多傻呀！"玉荷他们学校抓得紧，有时候两周也回不了家一次，她就往家打电话，总是她妈先接，她跟她妈有说有笑，家里使用的免提功能，为的是两口子能同时听闺女的声音，她妈聊一阵说行啦，跟你爸说两句吧，有回那边叫了声"爸"，忽然没声音了，当妈的就说咦这电话怎么坏啦？当爸的却知道，玉荷在掉眼泪，她想到爸爸这么一天天早起晚归的，为的就是给她们俩姐妹挣足教育费啊！起码还得苦挣八九年！

　　潘全清没想到自己竟然会被抢劫。劫匪按说该拣那望上去瘦弱的下手，他那模样，光满腮的胡子，就够让打劫者望而生畏的呀。他一点思想准备也没有。那晚三个人坐他的车，要去五环外一处地方，虽没去过那里，地图上见过，去就去吧。下了环路，拐到僻静的路段，坐后边的一个人说实在憋不住，要尿尿。路边大树下有沟，那就停边上吧。三个人都下了车，似乎都要方便一下，有一个还叫他，说大哥你也方便方便吧，他说不用，话音没落，忽然一个人弯腰冲过来，将一把匕首横到他喉结上头，跟着另一个人钻进副驾驶那个位置，虽然有隔离栅，却举着一把枪，枪管从栅缝里顶住他脑袋。第三个人估计是在车外望风。"把钱拿出来！"他听见吼声。他就把装钱的包拿出来，而且还把里头的钞票露出一些。"把手机留下！"他就把手机递过去，那拿刀的用左手接了。"出来！把手背到脑袋后头！"他就按那要求做了。他一出去一站直肯定把那三个人吓了一跳，他们都绝对没有他高。"蹲下！"他刚蹲下，那望风的已经飞快地钻进了驾驶座，那拿刀的则进了后面，门还来不及关拢，车就疯跑起来，很快没了影儿。他马上立起身来，等有车开过时试图拦车，求人帮助报案，过往的大都是些运货的卡车，偶尔有面包车，没一个停下，他就放弃了拦车，这时天已大黑，他就朝有灯光的地方大步走去……

　　也没什么后怕。他说他当时一瞬间就有个判断，这仨人目的是劫财要车，万不得已才害命，因此他就舍财保命。回到家，哥哥嫂子弟弟弟妹全来慰问，比他和他媳妇还反应强烈，甚至引出对世道的许多抨击感叹。他却只是细细品尝媳妇专为慰劳他下的一碗豆苗肉丝面，媳妇既无埋怨他的话也不去引申议论，只说人全须全尾地回来了这就比什么都好。几天后周末他借了同事的出租车云接两姐妹回家度假，玉菊没觉得蹊跷，玉荷到家悄悄问妈，妈跟她说了实话，但嘱咐她一定不要问爸爸什么，玉荷又悄悄告诉了玉菊，说咱们知道就行了，别问爸爸什么，甭说什么安慰的话，玉菊懂事地点头，头一回在想到爸爸的时候鼻子酸了。直到今天，潘全清和两个女儿之间心照不宣，都估计对方知道了，都绝不提这事儿，照常欢声笑语，追进跑出。

　　暂时没车开，没收入，处理善后事宜啰啰唆唆，费力烦心，潘全清是有些个不痛快，但他心里充溢着对家庭亲人的挚爱，特别是对一双闺女的浓酽父爱，这些朴素而坚实的感情，使他现在站在冰上，虽然早已超过20分钟，却从心窝里朝外发热，居然一点没有觉得寒冷袭身。

　　不是所有进棚的人都对站冰比赛感兴趣，许多人还是把注意力集中到冰雕本身上。对站冰比赛感兴趣的呢，议论不少。有的说怎么不多招点人比赛？有的就说你也站去呀！愿意这么现眼的，100个人里头能有几个？每回能找到5个就不错了。有的说怎么就100元跟1000元两种奖金？最亏的是那倒数第二名，说不定都站了好几个20分钟，到头来跟那站足20分钟就退下的一样，也只拿个100块！有的就说为什么不分档次给奖金，20分钟以后头一个退下的，100，第二个200，第三个300，第四个500，最后那冠军再1000……有的就说人家开这买卖的精着啦，按你那规则，得多拿出好几百块钱，人家可是要谋求利益的最大化啊！有的却又把这观点驳了，说你细想想，如果那样，五个人商量好了，20分钟一过，不到5分钟里他们全都退下，大家伙还没怎么看呢，后进来的还没见个影儿啦，全撤啦，可这儿的经理就得拿出2100块来，他们5个均分，每人420块到手啦……啊，是呀，有人就恍然大悟地说，现在这比赛规则好啊，特别是最后剩下的两个，心理上一定特别较劲儿，好不容易坚持这么久，一撤就只拿100，一咬牙只晚撤1分钟，那就是1000，嘿，真有点子"成则为王败则贼"的味道，好，刺激！……

后进来的，有的问在里头转悠比较久的，撤了几个啦？有热心的就介绍，原来还有个女的啦！把宠物揣怀里，不是小猫小狗，是麻绿色的大蜥蜴，叫做什么鬃蜥，瞧着让人起鸡皮疙瘩……说是搞什么"行为艺术"，还有跟着她来的录像的，这儿的经理跟他们一伙争执起来啦，这不，刚没声息，也不知他们究竟是怎么摆平的……还有更热闹的啦，站的跟看的，俩哥儿们也不知道原先有什么过节儿，对骂起来了，还差点动起手来，亏得让大家伙劝开了，嘿，你说这站冰站的，站出邪火来啦！……现在怎么只剩两啦？是呀，还有个小伙子，腿抽筋，早撤啦……剩下的这二位，看啦看啦，各不相让，都奔那1000块去啦！嘿，这才有看头呀！快过去，瞧瞧他们都冻成什么样了，看哪位能坚持到最后！……

广播里传来经理的报告声："各位游客，各位观众，今天的站冰大拼比，真是异彩纷呈，更上层楼……告诉大家一个令人振奋的好消息：目前仍在冰上屹立的两位选手，薛冰先生，潘全清先生，他们已经双双打破了上周由王英宾先生创造的68分钟的纪录，现在他们的站冰时间都已经超过了70分钟……"

在薛冰和潘全清站立的冰台前，各围着些人观看，还有人来回游动在他们俩的站位之间。有鼓掌的，喊加油的，也有说行啦行啦，人的耐寒力是有极限的，别冻出事故来啊；有一位大婶就轮流到他们跟前嚷："行啦！你们俩一块撤，各拿550块算啦！"……

薛冰已经度过了冰针刺肤沁骨的最难熬的生理感觉阶段。他坚持以他那双拳一紧握，然后让筋腱肌肉循序抖擞波动，把顽强的生命热力直传达到脚底的方式，来战胜八面袭来的冷气，只是频率渐渐放缓。他意识里已经没有观众，更听不见广播，甚至也没有了时间观念，但他却清楚一点：左边稍远的那位站冰者还没有撤。

薛冰的思绪随着时间流走渐渐也成了冰雕，只是难以形容那最后的形态，那是凝在核心里的，是恨。恨姓高的。恨毛妹。恨说得出来和说不出来的那些世道人心。甚至也恨自己。恨自己二十八岁了竟然还不能成家立业。恨自己没坚持该坚持的也没放弃该放弃的。恨自己现在有可能打退堂鼓败给那边的络腮胡子。最后他意识里迷迷糊糊的只有浓酽的恨。他以恨来支撑这最后的比拼……

　　双臂抱在胸前的潘全清，稍息的姿势，眯着眼，脸上现出隐隐的微笑。他越来越敏锐地感觉到包裹他全身的寒冷。那寒冷仿佛在收缩，像只大口袋就要把他装进去并且系上入口。真让那口袋系紧可不行。还要坚持。他已经忘记了 1000 元奖金。他的坚持是要体现出一种尊严。为什么坚持到最后的不能是他？他有足够的生命热力。他心中此时充满炽热的父爱。他怎么那样福气，有那样可爱的两个闺女？这真是命运的奇迹。她们知道了他现在的比拼会笑成什么样儿？玉菊一天天大了，该懂得不要再扑进父亲的怀里撒娇了，但她一定又会非常自然地，出乎天性地，以别的花样来充分宣泄她对父亲的那一份用不着理由的，永恒的爱意。玉荷你为什么哽咽呢，爸爸为你们所做的这一切，并不因为什么自己原来的大学梦破灭了要让你们给替代地去圆它，爸爸自己从没有过大学梦，爸爸有了你妈，有了你们，有了那叫做家的小院，院外不远还有那样的小河，河里还有那些个芦苇蒲草，有时还有野鸭到那河里叼鱼，在岸边草窠子里孵蛋……一家人有时能聚到一起，让晚风轻轻吹着，到河边遛弯，就挺好挺好……爸爸不是因为原来苦，所以要为你们去苦根，不是因为原来烦恼，所以要拼命让你们快乐，爸爸爱你们，为你们天天去挣教育费，不需要更多的理由，甚至完全可以无理……你们是我的女儿，这就够了！……潘全清最后意识也迷糊起来，也是只知道那边还有个小伙子没撤，所以他不能先撤，仿佛他先撤了，他心里那些爱就浪费了似的。他以爱来支撑这最后的比拼……

　　尽管入场券定价不菲，还是有不少人买票往里进。有的还没走进去就急切地问："站冰结束了吗？还剩几个？究竟谁能坚持站到最后呀？"……

2003 年 8 月 19 日在温榆斋写完

附录一 刘心武文学活动大事记

1942 年

6 月 4 日生于四川省成都市育婴堂街。

后在重庆度过童年。

父母兄姊均热爱文学艺术，深受家庭熏陶。

1950 年

随父母迁居北京，从此定居北京。

在隆福寺小学上小学，在北京 21 中上初中。

1958 年

在北京 65 中上高中。

给若干报刊投稿，屡被退稿。

8 月，在《读书》杂志发表《谈〈第四十一〉》一文，是投稿第一次成功。

1959 年

在《北京晚报》"五色土"副刊陆续发表一些儿童诗、小小说。

为中央人民广播电台少儿部《小喇叭》(对学龄前儿童广播)编写若干节目；其中快板剧《咕咚》经编辑加工、录制后大受欢迎；"文革"中录音带被销毁；1991 年重新录制播出。

站 冰

1961 年

毕业于北京师范专科学校，分配到北京 13 中任教。

至"文革"前，在《北京晚报》《中国青年报》《人民日报》《光明日报》《大公报》《北京日报》《体育报》《儿童时代》《大众电影》等报刊上发表了约 70 篇小小说、散文、杂文、评论等文章。

1966—1976 年

"文革"中，因 1964 年曾发表过一篇关于京剧的文章，以"反江青"罪名被冲击。

1974 年后再试写作，曾写一关于"教育革命"的长篇小说，由出版社联系获准脱产修改，但终未达到当时出版要求。

1976 年

写出一个大院里孩子们同坏蛋斗争的中篇小说《睁大你的眼睛》并得以出版（北京人民出版社）。

又按照当时政治要求写出一些短篇小说、散文，有的到次年才收入多人合集中出版。

调到北京人民出版社（后恢复"文革"前社名：北京出版社）文艺编辑室当编辑。

1977 年

11 月，在《人民文学》杂志发表短篇小说《班主任》，产生重大影响——被认为是"伤痕文学"的开山作，也是"新时期文学"的发端；从此成名。

从《班主任》后，写作冲破懵懂，沿着认定的方向跋涉，穿越风云，锲而不舍。

1978 年

参加《十月》杂志（开始以丛书名义出版）创刊工作，在创刊号上发表短篇小说《爱情的位置》，经转载和广播，影响巨大。

在《中国青年》杂志上发表短篇小说《醒来吧，弟弟》，反应亦极强烈。

《班主任》《爱情的位置》《醒来吧，弟弟》均被改编为广播剧，由中央人民广播电台多次广播，《醒来吧，弟弟》被搬上话剧舞台；此年发表的短篇小说《穿米黄色大衣的青年》亦由电台播出。

1979 年

在首届全国优秀短篇小说评奖中《班主任》获第一名。颁奖会上，从茅盾先生手中接过奖状。

参加中国作家协会第三次全国代表大会，被选为中国作家协会理事。

成为中华全国青年联合会常务委员，至 1993 年卸任。

9 月，参加中国作家代表团访问罗马尼亚，此系"文革"后第一个作家出访团。

在《人民文学》杂志发表短篇小说《我爱每一片绿叶》，写作技巧有长足进步。

1980 年

调至北京市文联当专业作家。

《我爱每一片绿叶》获 1979 年全国优秀短篇小说奖。

《看不见的朋友》获 1954—1979 年第二届全国少年儿童文学创作奖。

在《十月》杂志发表中篇小说《如意》，其弘扬人道主义的追求引起争议。

出版《刘心武短篇小说选》（北京出版社）。

1981 年

在《十月》杂志发表中篇小说《立体交叉桥》，引出更大争议，一些评论家认为"调子低沉"是步入了写作上的歧途，另有评论家则认为此作标志着刘心武的小说创作在反映现实、探索人性及艺术工力上均达到了新的水平。

5 月，应日本文艺春秋社邀请访问日本。

1982 年

应导演黄健中之请，改编《如意》；北京电影制片厂拍成彩色艺术片《如意》。

1983 年

11 月，参加中国电影代表团赴法国，在南特"三大洲电影节"上，《如意》在开幕式上放映，获好评；后陆续在法国、西德电视台播出。

1984 年

冬，应邀访问西德，参加"中德大学生会见活动"，并在波恩大学、波鸿大学与威尔兹堡大学介绍中国当代文学。

年底，参加中国作家协会第四次全国代表大会，再次当选为理事。

在《当代》文学双月刊第5、6期连载长篇小说《钟鼓楼》。

1985 年

出版长篇小说《钟鼓楼》(人民文学出版社)，并获第二届茅盾文学奖。

因《钟鼓楼》获北京市政府嘉奖。

7月，在《人民文学》杂志发表纪实小说《5·19长镜头》，反响强烈。

11月，又在《人民文学》杂志发表纪实小说《公共汽车咏叹调》，引起轰动。

1986 年

年初，应当代文艺出版社邀请访问香港。

6月，调中国作家协会人民文学杂志社，任常务副主编。

在《收获》杂志设《私人照相簿》专栏，进行图文交融的文本尝试。

散文集《垂柳集》出版，冰心为之作序。

1987 年

1月，被任命为《人民文学》杂志主编。

2月，《人民文学》杂志1、2期合刊发表马建写的小说《亮出你的舌苔或空空荡荡》违反民族政策，承担责任，停职检查。

9月，复职。

冬，应邀赴美国访问。参观美洲华侨日报；在哥伦比亚大学、三一学院、哈佛大学、麻省理工学院、康奈尔大学、芝加哥大学、旧金山大学、斯坦福大学、伯克利加州大学、洛杉矶加州大学、圣迭戈加州大学等处演讲，介绍中国当代文学，并参观耶鲁大学；参加爱荷华大学"作家写作中心"的纪念活动；游览华盛顿等地。

1988 年

3月，应香港《大公报》邀请，赴香港参加五十周年报庆活动；在《大公报》安排的大型报告会上作关于改革开放与文学创作的报告。

5月，应法国文化部邀请，参加中国作家代表团访问法国，除在巴黎活动外，还访问了西部港口城市圣·拉扎尔。

《私人照相簿》在香港出版（南粤出版社）。

《我可不怕十三岁》获1980—1985年全国优秀儿童文学奖。

以上数年中，若干小说、散文还分别获得过《当代》《十月》《小说月报》《小说选刊》《中篇小说选刊》《儿童文学》《北方文学》等杂志，《人民日报》《文汇报》等报纸副刊的奖；拍成电视剧播出的有《没工夫叹息》《熄灭》（电视剧名《火苗》）《今夏流行明黄色》《到远处去发信》《非重点》《公共汽车咏叹调》和八集连续剧《钟鼓楼》；若干作品被英国、美国、西德、苏联、日本、瑞士、瑞典、法国、意大利等国翻译为英、德、俄、日、法、意、瑞典等文字出版；自1987年起被世界上有威望的英国欧罗巴出版社《世界名人录》收入词条。

1989 年

春，应香港中文大学翻译中心邀请，与妻子吕晓歌赴香港访问。

1990 年

3月，以任届期满，免去《人民文学》杂志主编职务。

香港中文大学翻译中心编译的英文小说集《黑墙与其他故事》出版。

秋，以"鱼山"笔名在《钟山》杂志发表中篇小说《曹叔》。

1991 年

出版小说集《一窗灯火》。

除小说外，开始发表大量散文、随笔。

1992 年

长篇小说《风过耳》在内地（中国青年出版社）、香港（勤＋缘出版社）分别出版，反响颇为强烈。

长篇小说《四牌楼》完稿，交上海文艺出版社出版。

《献给命运的紫罗兰——刘心武谈生存智慧》由上海人民出版社出版，受到读者欢迎。

在《收获》杂志发表中篇小说《小墩子》，后由中国电视剧制作中心改编拍摄为电视连续剧。

至该年，在海内外出版的个人专著按不同版本计已达43种。

在《红楼梦学刊》1992年第二辑上发表论文《秦可卿出身未必寒微》,在"红学"界和读者中均引起注意；另有若干《红楼梦》人物论和《红楼边角》专栏文章发表。

冬，应瑞典学院邀请（斯堪的纳维亚航空公司赞助）赴北欧访问；在挪威奥斯陆大学、瑞典斯德哥尔摩大学和隆德大学、丹麦哥本哈根大学和奥胡斯大学的东亚系汉学专业以《九十年代初的中国小说》为题作学术报告；12月7日，参加诺贝尔文学奖有关活动，听1992年得主德里克·沃尔科特发表受奖演说。

1993 年
华艺出版社出版《刘心武文集》（1—8卷）。

出版长篇小说《四牌楼》。

1994 年
1月，应台湾《中国时报》邀请赴台参加"两岸三地文学研讨会"。

《四牌楼》获上海优秀长篇小说大奖，到沪领奖。

1995 年
出版随笔集《人生非梦总难醒》（上海人民出版社）。

出版小说集《仙人承露盘》（华艺出版社）。

1996 年
出版长篇小说《栖凤楼》（人民文学出版社）。至此，由《钟鼓楼》《四牌楼》《栖凤楼》构成的"三楼"长篇小说系列竣工。

应《南洋商报》邀请赴马来西亚访问并顺访新加坡。

1997 年
应日本文化交流基金会邀请，与妻子吕晓歌访问日本。其长篇小说《钟鼓楼》、儿童文学作品《我是你的朋友》、短篇小说《王府井万花筒》等此前已相继译为日文在日本出版。

1998 年

建筑评论集《我眼中的建筑与环境》由中国建筑工业出版社出版，在建筑界产生影响。

应美国科罗拉多大学邀请，赴美参加金庸作品国际研讨会，在会上提交关于《鹿鼎记》的论文《失父：一种生存困境》。

1999 年

出版纪实性长篇小说《树与林同在》(山东画报出版社)。

出版《红楼三钗之谜》(华艺出版社)。

赴新加坡出席国际环境文学研讨会。

2000 年

应邀访问法国，并应英中协会和伦敦大学邀请，从巴黎赴伦敦讲《红楼梦》。

至此年底在海内外出版的个人专著（不含文集）按不同版本计达 101 种。

2001 年

出版包含建筑评论的随笔集《在忧郁中升华》(文汇出版社)。

在北京电视台录制播出《刘心武谈建筑》系列节目。

2002 年

出版小说集《京漂女》(中国文联出版社)，自绘插图。

应澳大利亚雪梨华文写作协会邀请赴澳大利亚访问。

2003 年

以马来西亚《星洲日报》世界华人文学"花踪奖"评委身份赴吉隆坡参加相关活动。

台湾联经出版社出版小说集《人面鱼》。此前台湾已出版过刘心武多种作品，如皇冠出版社出版了《钟鼓楼》,幼狮文化事业公司出版了《四牌楼》《为他人默默许愿》(散文集)。

2004 年

赴法参加巴黎书展活动。书展上展出了译为法文的著作有小说《树与林同在》《护城河边的灰姑娘》《尘与汗》《人面鱼》《如意》与歌剧剧本《老舍之死》。

建筑评论集《材质之美》由中国建材工业出版社出版。

小说集《站冰》出版（人民文学出版社），自绘封面插图。

2005 年

出版集历年研红成果的《红楼望月》（书海出版社）。

应 CCTV-10（中央电视台科学教育频道）《百家讲坛》邀请，录制播出《刘心武揭秘〈红楼梦〉》系列节目 23 集，反响强烈，引出争议。

《刘心武揭秘〈红楼梦〉》第一、二部相继出版（东方出版社），畅销。

2006 年

应美国华美协会邀请，赴纽约在哥伦比亚大学讲《红楼梦》。

应邀参加香港书展。

出版《刘心武揭秘古本〈红楼梦〉》（人民出版社）。

2007 年

继续应邀到 CCTV-10《百家讲坛》录制节目，并出版《刘心武揭秘〈红楼梦〉》第三部、第四部（东方出版社）。

访问俄罗斯。

2008 年

出版随笔集《健康携梦人》（中国海关出版社）。

自 1986 年出版《垂柳集》，至此所出版的散文随笔集已逾 30 种。

2009 年

在《上海文学》杂志开《十二幅画》专栏，每期发表一篇写人物命运的大散文，并配发自己的画作。

4 月，妻子吕晓歌病逝，著长文《那边多美呀！》悼念。

2010 年

再应 CCTV-10《百家讲坛》邀请，录制播出《〈红楼梦〉的真故事》系列节目。

至此在《百家讲坛》录制播出关于《红楼梦》的个人系列讲座累计达 61 集。

出版《〈红楼梦〉的真故事》(凤凰联动·江苏人民出版社),在争议声中畅销。

4 月,应台湾新地文学社邀请赴台参加"21 世纪世界华文文学高峰会议"。

出版《命中相遇——刘心武话里有画》(上海文艺出版社)。

加快《刘心武续〈红楼梦〉》的写作,次年完成推出。

至本年底,在海内外出版的个人专著,文集不算在内,重印亦不算,按不同版本计达 182 种(按不同书名计则为 141 种)。

年底,筹备编辑《刘心武文存》。

只包括在中国大陆、台湾、香港和海外出版的书（同一著作每种版本单列）；不包括散发于报刊尚未出书的篇目，亦不包括多人合集中的篇目。第一个数字表示不同版本的排序；[ ]中的数字表示剔除同一书名的版本后的排序；注意：文集8卷不参加排序。

1976 年

1.[1]《睁大你的眼睛》[儿童文学·中篇小说]

北京人民出版社 1976 年 1 月第一版

1978 年

2.[2]《母校留念》[儿童文学·小说集]

中国少年儿童出版社 1978 年 7 月第一版

1979 年

3.[3]《小猴吃瓜果》[低幼读物·画册]

少年儿童出版社 1979 年 4 月第一版

1980 年 6 月第二次印刷

4.[4]《班主任》[短篇小说集]

中国青年出版社 1979 年 6 月第一版

1980 年

5.[5]《我是你的朋友》[儿童文学·中篇小说]

北京出版社 1980 年 7 月第一版

6.[6]《绿叶与黄金》[中短篇小说集]

> 广东人民出版社 1980 年 8 月第一版

7.[7]《刘心武短篇小说集》

> 北京出版社 1980 年 9 月第一版

1981 年

8.《这里有黄金》[中短篇小说集]

> 广东人民出版社 1981 年 4 月第二次印刷
>
> 有平装、软精装两种

9.[8]《大眼猫》[中短篇小说集]

> 浙江人民出版社 1981 年 8 月第一版

1982 年

10.[9]《如意》[中篇小说集]

> 北京出版社 1982 年 5 月第一版

1983 年

11.[10]《中国现代作家选（Ⅲ）刘心武〈我爱每一片绿叶〉〈深谷小溪默默流〉》

> [日本] 东方书店 1983 年第一版

12.[11]《同文学青年对话》

> 文化艺术出版社 1983 年 10 月第一版

1984 年

13.[12]《到远处去发信》[中短篇小说集]

> 四川人民出版社 1984 年 4 月第一版
>
> 有平装、软精装两种

14.[13]《如意》[电影文学剧本]（与戴宗安联合署名 ）

> 中国电影出版社 1984 年 6 月第一版

1985 年

15.[14]《嘉陵江流进血管》[中篇小说集]

陕西人民出版社 1985 年 2 月第一版

16.[15]《日程紧迫》[中短篇小说集]

群众出版社 1985 年 5 月第一版

17.[16]《我可不怕十三岁》[儿童文学集]

新世纪出版社 1985 年 8 月第一版

18.[17]《钟鼓楼》[长篇小说]

人民文学出版社 1985 年 11 月第一版

有平装、软精装两种

1986 年 5 月第二次印刷

1986 年

19.[18]《公共汽车咏叹调》[纪实小说]

湖南文艺出版社 1986 年 1 月第一版

20.[19]《都会咏叹调》[小说集]

作家出版社 1986 年 3 月第一版

21.[20]《垂柳集》[散文集]

陕西人民出版社 1986 年 4 月第一版

22.[21]《立体交叉桥》[中短篇小说集]

人民文学出版社 1986 年 6 月第一版

有平装、软精装两种

23.[22]《巴黎郁金香》[访法散文集]

群众出版社 1986 年 11 月第一版

24.[23]《木变石戒指》[中短篇小说集]

青海人民出版社 1986 年 12 月第一版

1987 年

25. *Little Monkey Triesto Eat Fruit* [科学童话·英文]

海豚出版社 1987 年第一版

有平装、精装两种

26.[24]《斜坡文谈》[文学理论]

上海文艺出版社 1987 年 4 月第一版

27.[25]《王府井万花筒》[中篇小说集]

湖南文艺出版社 1987 年 9 月第一版

有平装、精装两种

28.[26]《5·19 长镜头》[小说自选集]

四川文艺出版社 1987 年 11 月第一版

29.げくけきの友たちだ [《我是你的朋友》日译本]

[日本] 福武书店 1987 年 12 月第一版

1989 年 3 月第二版

1991 年 2 月第三版

1988 年

30.[27]《她有一头披肩发》[中短篇小说集]

台湾林白出版社 1988 年 4 月第一版

31.《钟鼓楼》[长篇小说]

香港天地图书有限公司 1988 年第一版

1993 年第二版

32.[28]《私人照相簿》[纪实文学]

香港南粤出版社 1988 年 11 月第一版

33.[29]《刘心武代表作》

黄河文艺出版社 1988 年 12 月第一版

1989 年

34.《小猴吃瓜果》[科学童话]

开明出版社、海豚出版社 1989 年 3 月第一版

35.《钟鼓楼》[长篇小说]

台湾皇冠出版社 1989 年 4 月第一版

36.[30]《一片绿叶对你说》[文艺随笔集]

河北教育出版社 1989 年 12 月第一版

1990 年

37.[31]*BLACK WALLS AND OTHER STORIES*[小说集·英译本]

香港中文大学翻译中心出版社 1990 年第一版

38.[32]《王府井万花镜》[小说集·日译本]

[日本] 德间书店 1990 年 9 月第一版

1991 年

39.《母校留念》[小说]

[日本] 骏河台出版社 1991 年 4 月第一版

40.[33]《一窗灯火》[中短篇小说集]

华艺出版社 1991 年 10 月第一版

1993 年第二次印刷

1992 年

41.[34]《列奥纳多·达·芬奇》[传记]

江苏教育出版社 1992 年 5 月第一版

42.[35]《有家可归》[散文随笔集]

广东旅游出版社 1992 年 5 月第一版

43.[36]《风过耳》[长篇小说]

中国青年出版社 1992 年 6 月第一版

1992 年 12 月第二次印刷

1993 年 3 月第三次印刷

1995 年 8 月第五次印刷

1996 年 3 月第六次印刷

44.《风过耳》[长篇小说]

> 香港勤＋缘出版社 1992 年 6 月第一版

45.[37]《献给命运的紫罗兰——刘心武谈生存智慧》

> 上海人民出版社 1992 年 6 月第一版
>
> 1992 年 11 月第二次印刷
>
> 1995 年第三次印刷
>
> 1996 年 12 月第五次印刷

46.《刘心武代表作》

> 河南人民出版社 1992 年 6 月第二次印刷·精装本

47.[38]《蓝夜叉》[中篇小说集]

> 香港勤＋缘出版社 1992 年 9 月第一版

1993 年

48.《北京下町物语》[长篇小说·《钟鼓楼》日译本]

> [日本] 东京恒文社 1993 年 2 月第一版
>
> 1994 年第二版

49.[39]《为你自己高兴》[随笔集]

> 内蒙古人民出版社 1993 年 3 月第一版

50.[40]《杀星》[小说集]

> 香港勤＋缘出版社 1993 年 6 月第一版

51.《我是你的朋友》[儿童文学·中篇小说·增订本]

> 希望出版社 1993 年 6 月第一版

52.[41]《四牌楼》[长篇小说]

> 上海文艺出版社 1993 年 6 月第一版
>
> 1994 年 4 月第二次印刷
>
> 1996 年 11 月第三次印刷

53.[42]《我是怎样的一个瓶子》[随笔集]

> 成都出版社 1993 年 9 月第一版

54.[43]《沉默交流》[随笔集]

中国华侨出版社 1993 年 11 月第一版

55.[44]《富心有术》[随笔集]

群众出版社 1993 年 12 月第一版

1995 年第二次印刷

56.[45]《中国当代名人随笔·刘心武卷》

陕西人民出版社 1993 年 12 月第一版

☆《刘心武文集》[1—8 卷]

华艺出版社 1993 年 12 月第一版

☆《刘心武文集·〈钟鼓楼〉〈风过耳〉》(简装本)

☆《刘心武文集·〈四牌楼〉〈无尽的长廊〉》(简装本)

华艺出版社 1997 年 5 月第一版

1994 年

57.[46]《仰望苍天》[随笔集]

知识出版社 1994 年 1 月第一版

1995 年第二次印刷

东方出版中心 1996 年 7 月第三次印刷

58.[47]《男扮女妆与女扮男妆》[随笔集]

中原农民出版社 1994 年 2 月第一版

59.[48]《相对一笑》[小小说集]

中共中央党校出版社 1994 年 2 月第一版

60.[49]《秦可卿之死》[专著]

华艺出版社 1994 年 5 月第一版

61.《四牌楼》[长篇小说]

台湾幼狮文化事业公司 1994 年 8 月第一版

62.[50]《为他人默默许愿》[散文集]

台湾幼狮文化事业公司 1994 年 10 月第一版

63.[51]《中国小说名家新作丛书·刘心武卷》

>> 海峡文艺出版社 1994 年 11 月第一版

64.[52]《红楼梦（缩写本）》

>> 接力出版社 1994 年 12 月第一版

>> 1995 年第二次印刷

>> 1997 年 9 月第三次印刷

1995 年

65.[53]《人生非梦总难醒》[名人日记·随笔集]

>> 上海人民出版社 1995 年 1 月第一版

>> 1995 年 3 月第二次印刷

66.[54]《仙人承露盘》[中短篇小说集]

>> 华艺出版社 1995 年 3 月第一版

67.[55]《女性与城市》[杂文集]

>> 中国城市出版社 1995 年 6 月第一版

68.《我是你的朋友》[增订版·"小学生成才书架" 系列之一]

>> 希望出版社 1995 年 10 月第一版

69.《在胡同里转悠》[随笔集]

>> 陕西人民出版社 1995 年 11 月第二次印刷

70.[56]《刘心武海外游记》

>> 华文出版社 1995 年 12 月第一版

1996 年

71.[57]《刘心武小说精选》

>> 太白文艺出版社 1996 年 2 月第一版

72.[58]《开发心大陆》[随笔集]

>> 吉林人民出版社 1996 年 3 月第一版

>> 1997 年 3 月第二次印刷

73.[59]《你哼的什么歌》[散文集]

湖南文艺出版社 1996 年 6 月第一版

74.[60]《刘心武张颐武对话录——"后世纪"的文化了望》

漓江出版社 1996 年 7 月第一版

75.[61]《边缘有光》[随笔集]

汉语大辞典出版社 1996 年 8 月第一版

76.[62]《刘心武怪诞小说自选集》

漓江出版社 1996 年 8 月第一版

有平装、精装两种

77.[63]《我是刘心武》

团结出版社 1996 年 9 月第一版

78.[64]《刘心武》[中国当代作家选集丛书]

人民文学出版社 1996 年 10 月第一版

79.[65]《刘心武杂文自选集》

百花文艺出版社 1996 年 11 月第一版

80.《秦可卿之死》[修订本]

华艺出版社 1996 年 11 月第二版

81.[66]《栖凤楼》[长篇小说]

人民文学出版社 1996 年 12 月第一版

1998 年 3 月第二次印刷

1997 年

82.[67]《封神演义（缩写本）》

接力出版社 1997 年 1 月第一版

1997 年 9 月第二次印刷

83.[68]《胡同串子》[中短篇小说集]

北京燕山出版社 1997 年 8 月第一版

84.《私人照相簿》

> 上海远东出版社 1997 年 9 月第一版
>
> 1998 年 2 月第二次印刷
>
> 2000 年换封面版权页称 2000 年 6 月第二次印刷

85.[69]《中国儿童文学名家作品精选丛书·刘心武作品精选》

> 河北少年儿童出版社 1997 年 8 月第一版

86.[70]《把嘴张圆》[随笔集]

> 上海远东出版社 1997 年 12 月第一版

1998 年

87.[71]《我眼中的建筑与环境》[建筑评论随笔集]

> 中国建筑工业出版 1998 年 5 月第一版
>
> 1999 年 5 月第二次印刷
>
> 2000 年 6 月第三次印刷
>
> 2001 年 6 月第四次印刷

88.《钟鼓楼》[茅盾文学奖获奖书系]

> 人民文学出版社 1998 年 3 月第一次印刷
>
> 1998 年 7 月第二次印刷
>
> 1998 年 8 月第三次印刷
>
> 1999 年 3 月第四次印刷
>
> 2000 年 1 月第五次印刷
>
> 2001 年 1 月第六次印刷
>
> 2001 年 8 月第七次印刷
>
> 2002 年 8 月第八次印刷
>
> 2003 年 1 月第九次印刷

1999 年

89.[72]《树与林同在》[非虚构长篇小说]

> 山东画报出版社 1999 年 3 月第一版
>
> 2006 年 7 月第二次印刷

90.[73]《八十六颗星星》(*The Eighty-Six Stars*)［儿童文学小说·汉英对照］

希望出版社 1999 年 6 月第一版

91.[74]《红楼三钗之谜》［刘心武红学探佚精品］

华艺出版社 1999 年 9 月第一版

92.[75]《蓝玫瑰》［中短篇小说集］

中国华侨出版社 1999 年 10 月第一版

93.[76]《过隧道的心情》［随笔集］

华东师范大学出版社 1999 年 12 月第一版

2000 年

94.[77]《一切都还来得及》［随笔集］

中国青年出版社 2000 年 1 月第一版

95.[78]《善的教育》［儿童文学］

辽宁少年儿童出版社 2000 年 2 月第一版

96.[79] Le Talisman (version bilingue)[《如意》中、法文对照版］

Librarie You Feng 2000 年 4 月第一版

97.[80]《作家刘心武〈班主任〉手迹》

线装书局 2000 年 5 月第一版

98.[81]《楼前白玉兰》［小小说集］

中国广播电视出版社 2000 年 7 月第一版

99.[82]《刘心武侃北京》

上海文艺出版社 2000 年 10 月第一版

100.[83]《我爱吃苦瓜》［茅盾文学奖获奖作家散文精品］

广州出版社 2000 年 10 月第一版

2002 年 10 月第二次印刷

101.[84]《了解高行健》

香港开益出版社 2000 年 12 月第一版

2001 年

102.[85]《亲近苍莽》

中国旅游出版社 2001 年 1 月第一版

103.[86]《在忧郁中升华》

文汇出版社 2001 年 2 月第一版

《刘心武谈建筑——在忧郁中升华》2007 年 8 月第二次印刷

104.[87]《人在风中》

作家出版社 2001 年 8 月第一版

105.《风过耳》

时代文艺出版社 2001 年 10 月第一版

有平装、精装两种

2002 年

106.[88]《京漂女》(自绘插图)

中国文联出版社 2002 年 1 月第一版

107.[89]《深夜月当花》

中国工人出版社 2002 年 1 月第一版

108.[90]《春梦随云散》

人民文学出版社 2002 年 4 月第一版

109.[91]《藤萝花饼》

台湾二鱼文化事业有限公司 2002 年 4 月第一版

110.[92]《刘心武自述》

大象出版社 2002 年 10 月第一版

2003 年

111.[93] L'arbre et la forêt [《树与林同在》法译本]

Bleu de Chine 2003 年 1 月第一版

112.[94]《人面鱼》

台湾联经出版事业股份有限公司 2003 年 2 月初版

113.[94] La Cendrillon Du Canal [《护城河边的灰姑娘》法译本]

Bleu de Chine 2003 年 4 月第一版

114.[95]《画梁春尽落香尘》["红学"专著]

中国广播电视出版社 2003 年 6 月第一版

2003 年 9 月第二次印刷

2004 年 1 月第三次印刷

2005 年 6 月第四次印刷

115.[96]《眼角眉梢》

新华出版社 2003 年 8 月第一版

116.[97]《钟鼓楼》[初中生语文新课标必读]

人民日报出版社 2003 年 9 月第一版

117.[98]《天梯之声》

中国青年出版社 2003 年 10 月第一版

2004 年

118.[99] Poussiêre et sueur [《尘与汗》法译本]

Bleu de Chine 2004 年 1 月第一版

119.[100] La mort de Lao SHe [《老舍之死》歌剧剧本法译本]

Bleu de Chine 2004 年 3 月第一版

120.[101] Poisson à face humaine [《人面鱼》法译本]

Bleu de Chine 2004 年 3 月第一版

121.《如意》[电影伴读中国文学文库·附电影光盘]

中国青年出版社 2004 年 1 月第一版

122.[102]《泼妇鸡丁》

台湾二鱼文化事业有限公司 2004 年 4 月第一版

123.[103]《在柳树臂弯里——刘心武随笔》

光明日报出版社 2004 年 5 月第一版

124.[104]《材质之美——刘心武城市文化酷评》

中国建材工业出版社 2004 年 5 月第一版

125.[105]《站冰——刘心武小说新作集》(自绘插图)

人民文学出版社 2004 年 6 月第一版

126.《四牌楼》

上海文艺出版社 2004 年 8 月第二版

127.[106]《大家文丛:刘心武》

古吴轩出版社 2004 年 8 月第一版

2005 年

128.《钟鼓楼》(中国文库·文学类)

人民文学出版社 2005 年 1 月第一版第一次印刷(平装)

2005 年 1 月第一版第一次印刷(精装)

129.《钟鼓楼》(茅盾文学奖获奖作品全集之一)

人民文学出版社 1985 年 11 月第一版、2005 年 1 月第一次印刷

2005 年 5 月第二次印刷

2005 年 7 月第三次印刷

2006 年 3 月第四次印刷

2008 年 4 月第七次印刷

2009 年 8 月第八次印刷

2010 年 1 月第九次印刷

2011 年 7 月第 15 次印刷

2011 年 9 月第 16 次印刷

2011 年 11 月第 17 次印刷

130.[107]《心灵体操》

时代文艺出版社 2005 年 1 月第一版

131.[108]《刘心武作文示范》

少年儿童出版社 2005 年 1 月第一版

132.[109] La Démone bleue（《蓝夜叉》法译本）

Bleu de Chine 2005 年第一版

133.[110]《红楼望月》

书海出版社 2005 年 4 月第一版

2005 年 6 月第二次印刷

2005 年 7 月第三次印刷

2005 年 8 月第四次印刷

2005 年 9 月第五次印刷

2005 年 9 月第六次印刷

134.[111]《刘心武揭秘〈红楼梦〉》

东方出版社 2005 年 8 月第一版

至 2005 年 19 月共十三次印刷

2005 年 11 月第二版

至 2005 年 12 月已第十八次印刷

至 2007 年 7 月已第二十八次印刷

2007 年 12 月第三十次印刷

2008 年 4 月第三十二次印刷

135.《红楼解梦——画梁春尽落香尘》

中国广播电视出版社 2005 年 9 月第二版第五次印刷

136.《楼前白玉兰——刘心武最新小小说集》

中国广播电视出版社 2005 年 9 月第二版第二次印刷

137.[112]《刘心武揭秘〈红楼梦〉》[第二部]

东方出版社 2005 年 12 月第一版

至 2007 年 7 月已第十五次印刷

2007 年 12 月第十七次印刷

2008 年 4 月第十九次印刷

138.[113]《刘心武解读人世情》

时代文艺出版社 2005 年 12 月第一版

139.[114]《刘心武感悟平常心》

时代文艺出版社 2005 年 12 月第一版

2006 年

140.[115]《刘心武自选集》

云南人民出版社 2006 年 1 月第一版

141.[116]《刘心武点评〈红楼梦〉》

团结出版社 2006 年 1 月第一版

142,《刘心武精品集·第一卷·钟鼓楼》

东方出版社 2006 年 1 月第一版

143.《刘心武精品集·第二卷·四牌楼》

东方出版社 2006 年 1 月第一版

144.《刘心武精品集·第三卷·栖凤楼》

东方出版社 2006 年 1 月第一版

145.《刘心武精品集·第四卷·献给命运的紫罗兰》

东方出版社 2006 年 1 月第一版

146.[117]《戴敦邦绘刘心武评〈金瓶梅〉人物谱》

作家出版社 2006 年 4 月第一版

147.[118]《红楼拾珠》

云南人民出版社 2006 年 5 月第一版

148.[119]《藤萝花饼》

云南人民出版社 2006 年 5 月第一版

149.《刘心武揭秘〈红楼梦〉》[第一部]

台湾好读出版有限公司 2006 年 6 月初版

150.《刘心武揭秘〈红楼梦〉》[第二部]

台湾好读出版有限公司 2006 年 6 月初版

151.《我是刘心武》

天津人民出版社 2006 年 8 月第一版

152.[120]《刘心武揭秘古本〈红楼梦〉》

人民出版社 2006 年 12 月第一版

同月第二次印刷

2007 年

153.[121]《四棵树》

二十一世纪出版社 2007 年第一版

154.[122]《用心去游》

上海三联书店 2006 年 12 月第一版

2007 年 1 月第一次印刷

155.[123] Dés de poulet façon mégère [《泼妇鸡丁》法译本]

Bleu de Chine 2007 年 4 月第一版

156.《一切都还来得及》

中国青年出版社 2005 年 5 月第一版

157.[124]《刘心武揭秘〈红楼梦〉》[第三部·黛玉之谜及古本之秘]

东方出版社 2007 年 7 月第一版

至 2007 年 8 月已第四次印刷

20C7 年 12 月第六次印刷

2C08 年 3 月第七次印刷

158.[125]《刘心武说世道人心》

中国青年出版社 2007 年 7 月第一版

159.[126]《刘心武说寻美感悟》

中国青年出版社 2007 年 7 月第一版

160.[127]《刘心武说草根情怀》

中国青年出版社 2007 年 7 月第一版

161.[128]《长吻蜂》

上海人民出版社 2007 年 8 月第一版

162.《私人照相簿》

华龄出版社 2007 年 10 月第一版

163.《善的教育》

华龄出版社 2007 年 10 月第一版

164.[129]《刘心武揭秘〈红楼梦〉》[第四部·宝钗湘云之谜暨红楼心语]

东方出版社 2007 年 11 月第一版

2008 年 3 月第三次印刷

2008 年

165.[130]《健康携梦人》

中国海关出版社 2008 年 4 月第一版

166.[131]《刘心武小说》

吉林文史出版社 2008 年 5 月第一版

167.[132]《刘心武散文》

吉林文史出版社 2008 年 5 月第一版

2009 年

168.《钟鼓楼》(共和国作家文库)

作家出版社 2009 年 4 月第一版

169.《四牌楼》(共和国作家文库)

作家出版社 2009 年 4 月第一版

170.[133]《人在胡同第几槐》

中国文联出版社 2009 年 6 月第一版

171.《钟鼓楼》(新中国 60 年长篇小说典藏)

人民文学出版社 2009 年 7 月第一版

172.[134]《刘心武短篇小说》

现代教育出版社 2009 年 8 月第一版

173.[135]《刘心武中篇小说》

现代教育出版社 2009 年 8 月第一版

174.[136]《刘心武散文随笔》

现代教育出版社 2009 年 8 月第一版

175.《刘心武揭秘〈红楼梦〉》上卷（共和国作家文库）

作家出版社 2009 年 8 月第一版

176.《刘心武揭秘〈红楼梦〉》下卷（共和国作家文库）

作家出版社 2009 年 8 月第一版

2010 年

177.[137]《人情似纸》

江苏文艺出版社 2010 年 1 月第一版

178.[138]《红楼梦八十回后真故事》

江苏人民出版社 2010 年 3 月第一版

179.[139]《刘心武小说精选集》

[台湾] 新地文化艺术有限公司 2010 年 4 月第一版

180.《红楼望月》

江苏人民出版社 2010 年 6 月第一版

2010 年 9 月第二次印刷

181.[140]《命中相遇——刘心武话里有画》

上海文艺出版社 2010 年 7 月第一版

182.[141]《红楼眼神》

重庆出版社 2010 年 9 月第一版

2011 年

183.[142]《刘心武续红楼梦》

江苏人民出版社 2011 年 3 月第一版

江苏人民出版社 2011 年 4 月第 4 次印刷

184.[143]《红楼梦》(曹雪芹著刘心武续)

江苏人民出版社 2011 年 3 月第一版

185.《刘心武续红楼梦》[繁体字竖排本]

香港明报出版社有限公司 2011 年 3 月初版

186.《刘心武揭秘〈红楼梦〉》精华本（一）

江苏人民出版社 2011 年 4 月第一版

187.《刘心武揭秘〈红楼梦〉》精华本（二）

江苏人民出版社 2011 年 4 月第一版

188.《刘心武揭秘〈红楼梦〉》精华本（三）

江苏人民出版社 2011 年 4 月第一版

189.《刘心武揭秘〈红楼梦〉》精华本（四）

江苏人民出版社 2011 年 4 月第一版

190.《刘心武续红楼梦》[繁体字竖排本]

台湾城邦文化事业股份有限公司商周出版 2011 年 4 月第一版

191.《〈红楼梦〉的真故事》

台湾人类智库数位科技股份有限公司 2011 年 6 月第一版

192.[144]《听刘心武说房子的事儿》

中国商业出版社 2011 年 8 月第一版

193.[145]《刘心武心灵随感》

时代文艺出版社 2011 年 11 月第一版

2012 年

194.[146]《刘心武种四棵树》

漓江出版社 2012 年 1 月第一版

195.[147]《风雪夜归正逢时——我是刘心武》

漓江出版社 2012 年 1 月第一版

196.《献给命运的紫罗兰》

漓江出版社 2012 年 1 月第一版

197.[148]《人生有信》

江苏人民出版社 2012 年 3 月第一版

198.Poussiêre et sueur [《尘与汗》法译本 folio 袖珍版]

Gallimard 2012 年 8 月出版

199.La Cendrillon du canal [《护城河边的灰姑娘》法译本 folio 袖珍版]

Gallimard 2012 年 8 月出版